Barbara Kunrath

Schwestern bleiben wir immer

Roman

Ullstein

Besuchen Sie uns im Internet:
www.ullstein-taschenbuch.de

Originalausgabe im Ullstein Taschenbuch
1. Auflage August 2016
3. Auflage 2016
© Ullstein Buchverlage GmbH, Berlin 2016
Umschlaggestaltung: ZERO Werbeagentur, München
Titelabbildung: © Archive Photos/getty images
Satz: Pinkuin Satz und Datentechnik, Berlin
Gesetzt aus der Sabon
Druck und Bindearbeiten: CPI books GmbH, Leck
Printed in Germany
ISBN 978-3-548-28842-0

Wer vor seiner Vergangenheit flieht,
verliert das Rennen.

(Thomas Stearns Eliot, 1888–1965)

Prolog

Es wird viel gestorben in meiner Familie. Mein Großvater mütterlicherseits starb, bevor ich geboren wurde,
seine Frau folgte ihm zehn Jahre später, meine Großeltern väterlicherseits kamen vor mehr als zwanzig
Jahren bei einem Autounfall ums Leben, und meine
jüngste Tochter Clara starb vor drei Jahren, da war
sie acht.

Und jetzt Ines, unsere Mutter. Sie hat *den Löffel abgegeben*, sagte meine Schwester Katja. Diese Aussage
beschreibt das Verhältnis zwischen ihr und Ines deut-
lich. Sie zeugt von Respektlosigkeit, und das trifft die
Sache auch, obwohl die Bedeutung einmal eine ganz
andere war: Früher, im Mittelalter, bekamen Klein-
kinder einen Holzlöffel geschnitzt, und den trugen sie
ihr Leben lang als einziges Esswerkzeug mit sich. Erst
durch den Tod wurden Löffel und Besitzer voneinander getrennt.

Ines besaß keinen Holzlöffel, es gab nicht viel, wovon man sie hätte trennen können, sie ist für sich gestorben, so wie sie für sich gelebt hat.

Wir haben beide nicht geweint auf ihrer Beerdigung. Vielleicht hätten wir auf der Beerdigung unseres
Vaters geweint, aber wir wissen nicht einmal, ob er
noch lebt. Obwohl etwas in mir es noch immer hofft.

1

Es ist, wie es ist

Alexa

Wir schauen uns an, das Grab und ich, und führen einen stummen Dialog.

> *Aha. Bist du auch mal wieder da?*
> *Tut mir leid.*
> *Ja, ja, tot und vergessen.*
> *Nein. Tot. Nicht vergessen. Ich habe euch zwei Chrysanthemen mitgebracht, seht ihr?*

Okay, ich war lange nicht mehr hier. Wann genau, weiß ich nicht mehr, vielleicht vor drei Monaten oder vier, das letzte Mal irgendwann im Frühjahr, es war noch kalt, und ich habe Stiefmütterchen gepflanzt.

Seit Wochen habe ich diesen Besuch vor mir hergeschoben. Weshalb er mir so schwerfällt, kann ich nicht sagen, ich bin eigentlich niemand, der sich vor Aufgaben drückt.

Ich stelle die Chrysanthemen ab und nehme einen tiefen Atemzug. Auf dem erdigen Untergrund vor mir schimmern die Steine. Braune und graue, schwarze und weiße, kleine und große, flache und hohe, kantige und runde: lauter Steine, die Elli im Laufe der vergangenen Jahre für ihre Schwester gesammelt hat. Früher kam sie selbst, um sie hier abzulegen, jetzt gibt sie mir die Steine mit. Ich habe auch heute einen in meiner Tasche.

Ich blinzle gegen das sanfte Licht der Sonne, die sich hinter einem dunstigen Nebel versteckt, und atme die frische, klare Morgenluft ein. Es ist früh, noch nicht einmal sieben, um diese Zeit ist hier nichts los. Später wird es heiß sein und die Sonne flirrend, alles wird schal und abgestanden schmecken, und die Besucher werden mit großen, grünen Gießkannen über den Friedhof laufen. Aber dann werde ich nicht mehr hier sein.

Das Nachbargrab sieht besonders böse aus, kein Mensch kümmert sich darum. Da hat sich eine Menge Unkraut ausgebreitet. Es hat viel geregnet in diesem Sommer, aber jetzt, seit ein paar Tagen, knallt die Sonne vom Himmel. Ich entdecke noch ein paar übriggebliebene Stiefmütterchen im taufeuchten Blättergewirr, und am linken äußeren Rand kämpfen die letzten Fleißigen Lieschen ums Überleben.

»Da wart ihr wohl nicht fleißig genug, was?«, murmle ich. Eine Locke fällt mir in die Stirn, und ich streiche sie automatisch hinter mein Ohr. Ich habe Unmengen von Haarklammern auf dem Kopf, aber meine Frisur löst sich schon wieder auf. Störrische Locken, hat Ines immer gesagt. So störrisch wie du. So störrisch wie die Pflanzen auf diesem Grab.

Es erinnert mich an den Garten hinter unserem Haus. An wild wachsenden Frauenmantel und Giersch, an wuchernde Brombeeren und Efeu. An eine Wiese, die niemand mähte, an Obstbäume, die niemand schnitt, an Unkraut, das niemand rupfte, und an Kinder, um die sich niemand kümmerte. Ein ungepflegtes Grab ist eine schlechte Visitenkarte für die ganze Familie.

Ich brauche klare Strukturen. Im Leben wie im Tod. Deshalb ist in meinem Garten alles sauber mit Randsteinen eingefasst. Zugeteilt und gerastert. So sieht man, wo der Rasen aufhört und das Beet beginnt.

Ich wende mich vom Grab ab und laufe langsam und ziellos über den Friedhof, wandere durch Reihen fremder Gräber und lese die Namen fremder Menschen mit unbekannten Geschichten. Und während ich so von Grabstein zu Grabstein wandere, stellt sich ein wunderbares Gefühl der Zeitlosigkeit ein.

Ich mag die Toten. Ihre ruhige Ergebenheit. Sie hatten alle ihre Geschichten. Vielleicht haben sie sie für immer mit ins Grab genommen, vieles nicht ausgesprochen, Wahrheiten für sich behalten.

Manchmal rede ich mit ihnen. Mit Herrn Hammerschmidt zum Beispiel. Herr Hammerschmidt liegt, vom Eingang aus gesehen, in der dritten Reihe links, Grab Nummer sechs. Er hat ein Einzelgrab, schlicht und nicht bepflanzt. Eine große Grabplatte liegt in der Mitte, drum herum sind graue Steine, in der Ecke steht ein kleines Windlicht. Es wurde lange nicht mehr angezündet.

Ich habe Herrn Hammerschmidt zu Lebzeiten nicht gekannt, aber vor zwei, drei Jahren entdeckte ich, dass er im gleichen Jahr und am gleichen Tag geboren war wie mein Vater. Den kenne ich auch nicht, zumindest kann ich mich kaum an ihn erinnern. Er ging, als ich sieben war. Vielleicht ist er auch tot.

Jedenfalls, wenn ich mit Herrn Hammerschmidt spreche, habe ich das Bild meines Vaters vor Augen.

So, wie er in meiner Erinnerung aussieht. Und das gefällt mir.

»Als ich jung war, gab es so viele Optionen, weißt du?«, erzähle ich ihm. »Ich meine, du weißt doch, wie das ist: Man hat das Gefühl, man muss nur raus hier. Dann ist alles möglich, dann passiert etwas ganz Wunderbares.« *Ich hätte berühmt werden können, einen Bestseller schreiben, besser sein als Katja.* »Und was habe ich? Einen Ehemann, zwei pubertierende Kinder und ein Grab.«

Seine Antworten sind immer sehr leise.

»Du hast recht. Natürlich sollte ich dankbar sein. Ich bin es ja auch. Aber manchmal … es fühlt sich alles so traurig an.«

Herr Hammerschmidt hat dem nichts entgegenzusetzen.

»Kennst du das auch?«

Er verrät es nicht. »Hattest du Kinder? Und eine Frau? Hast du sie verlassen, als du noch gelebt hast, oder haben sie dich verlassen, als du gestorben bist?«

Ich schließe die Augen und versuche, mich an den Mund meines Vaters zu erinnern. Dem Mund fehlen die Konturen, aber ich höre sein warmes Lachen. Etwas in mir zieht sich schmerzhaft zusammen, und ich kehre Herrn Hammerschmidt den Rücken, ohne mich zu verabschieden.

Auf dem Rückweg gehe ich an der Wasserstelle vorbei und schnappe mir eine Gießkanne.

Als ich wieder am Grab bin, schiebe ich mit ausholenden Bewegungen die Steine zur Seite, hacke den Boden auf und befreie die Erde von allem, was stört. In die Mitte pflanze ich die beiden Chrysanthemen. Sie sehen etwas verloren aus. So verloren, wie ich mich fühle.

Meine Hände wühlen sich in den feuchten, kühlen Lehm, und ich hebe den Blick. Die Vögel zwitschern, die Blätter rascheln, es riecht nach modriger Erde. Das Gefühl der Zeitlosigkeit verstärkt sich.

Clara Ohlental
2001–2010
Ines van Velsing, geb. Hartmann
1947–2013

Enkelkind und Großmutter. Sie sind sich nicht oft begegnet im Leben, aber im Tod sind sie vereint in einem Grab.

Ich starre auf den Grabstein und warte. Nichts passiert. Da ist kein Gefühl, keine Regung, nichts, das mir zeigt, dass die Menschen, die hier liegen, etwas mit mir zu tun hatten. Und immer noch haben. Dabei hätte ich so gern um sie geweint. *Aus und vorbei. Ruhe in Frieden und lass mich in Ruhe.*

Ich sehe sie höhnisch grinsen. Nein. Ines lässt mich nicht in Ruhe. Auch jetzt nicht. Sie war kein schlechter Mensch, sie war nur eine schlechte Mutter. Dafür konnte sie nichts. Bei all der Arbeit und ohne Mann. Ich denke an die Kiste, Ines' Kiste, die seit ihrem Tod unangetastet auf unserem Speicher steht, und nehme den Stein aus meiner Jackentasche. Sachte lege ich ihn zu den anderen.

* * *

Mittags sitze ich mit meiner Familie in der Küche beim Essen und fühle mich schlecht. Das kommt vom Besuch auf dem Friedhof, ich kenne das schon. Mein Bauch ist gefüllt mit etwas, das sich nach schwarzer Masse anfühlt und mich ganz matt macht.

Dabei liebe ich diese gemeinsamen Mittagessen, die so selten geworden sind und die ich mit viel Liebe zelebriere. Es kommt nicht mehr sehr oft vor, dass es terminlich für alle zur gleichen Zeit passt. Die Schulzeiten der Kinder sind unterschiedlich, und Martin ist berufsbedingt nur noch selten dabei.

Unsere Gespräche am Tisch verlaufen meist einsilbig. Ich stelle rhetorische Fragen, die rhetorisch beantwortet werden. »Wie war es in der Schule?«, »Wie immer«, »Hast du die Mathearbeit zurück?«, »Wahrscheinlich morgen«.

Dazwischen gibt es lange Pausen, in denen ich meine Familie beobachte. Meine Familie. Ich beobachte, wie Elli den Kopf schüttelt und Zwiebelstücke aus ihrem Essen pickt. Sie hasst Zwiebeln. Mit feingliedrigen Fingern und anmutigen Bewegungen – beides hat sie nicht von mir – sortiert sie ihre Fleischstücke in mager und nicht ganz mager. Dabei fällt ihr das lange, dunkle Haar wie ein seidiger Vorhang vor das engelsgleiche Gesicht. Die aussortierten Stücke legt sie mit einem Grummeln ihrem Vater auf den Teller.

Mein Blick schweift zu Till. Sein Gesicht erinnert nicht an einen Engel, eher an einen Camembert. Es ist zwar freundlich, aber zu blass und zu rund. Für seine dreizehn Jahre ist er schon ziemlich groß, doch es fehlen noch die Konturen. Vor allem fehlen ihm Bewegung und frische Luft. Dafür schmeckt ihm immer, was ich koche.

Till ist ein sehr stilles Kind, reden gehört nicht zu seinen Stärken. *Man muss dir jedes Wort aus der Nase ziehen*, sage ich manchmal zu ihm. Wenn es Dialoge in seinem Leben gibt, dann führt er sie mit seinem Lieblingsspielzeug, dem Computer. Vielleicht auch noch mit Paul, seinem besten Freund. Ganz sicher nicht mit mir, seiner Mutter.

»Schling doch nicht so«, mahne ich vergeblich. Seiner Miene kann ich nichts entnehmen, hat er mich überhaupt gehört? Er schaut auf seinen Teller, schlingt weiter, und ich seufze.

Martin schmeckt es auch, ich beobachte, wie er sich gerade den dritten Nachschlag holt. Das macht mich stolz. Das Essen ist mir aber auch wirklich wieder besonders gut gelungen.

Ich gebe mir immer viel Mühe beim Kochen. Alles ist frisch, nichts aus der Dose. Manchmal, ganz selten, hole ich im Supermarkt etwas aus dem Tiefkühlregal, aber nur, wenn es sehr eilt.

Heute gibt es Gulasch, Spätzle und Salat, Martins Lieblingsessen. Das Fleisch ist zart und der Salat knackig. In der Vinaigrette schwimmen Petersilie, Dill und Schnittlauch, alles Kräuter aus unserem Garten. Ihr Aroma steigt mir in die Nase, ich schmecke Dill auf der Zunge.

Um Martin werde ich oft beneidet. Sogar Katja meint, er sei der perfekte Ehemann. Aber ich höre die Ironie in ihrer Stimme. Es ist keineswegs sicher, dass meine Schwester wirklich meint, was sie sagt. Sie verstehen sich nicht sehr gut, Katja und Martin. Sie sind

15

zwar beide intelligent und beruflich erfolgreich, aber sonst sehr verschieden. Katja ist Journalistin. Impulsiv und lebenslustig. Sie liebt Abenteuer, ist gesellig und irgendwie unstet. Auch was Männer angeht. Sie raucht und trinkt, was Martin unweiblich findet. Aber er ist zu höflich, um ihr das zu sagen.

Als Kind war meine kleine Schwester der wichtigste Mensch in meinem Leben. Sie ist immer noch wichtig, ich liebe sie, das hört nie auf, aber jetzt habe ich Martin und die Kinder. Martin ist wie ein Baum. Verlässlich, ruhig und besonnen. Er ist sehr groß, was mich von Anfang an zu ihm hinzog. Großer Mann mit starker Schulter. Ich bin selbst groß, ein Mann, den ich überragt hätte, wäre für mich nicht in Frage gekommen.

Manchmal staune ich auch heute noch darüber, dass er sich für mich entschieden hat. Früher stand ich immer in Katjas Schatten. Die schöne, kluge Katja. So zart und so hübsch und so mutig. Und so viele Verehrer. Schon mit vierzehn hatte Katja einen Freund, mit dem sie in unserem Garten knutschte. Einmal waren die beiden nackt. Unser Nachbar, er hieß Gebauer und beschwerte sich immer, weil der Samen von unserem Unkraut in seinen Garten flog, hat sie beobachtet. Und ich habe ihn beim Beobachten beobachtet.

Vor Martin hatte ich keinen Freund. In der Schule haben mich die Jungs gehänselt. Mit zwölf war ich 1,72 Meter groß und wog 83 Kilo. Ich fand mich ziemlich fett. Dann kam ich in die Pubertät und habe angefangen abzunehmen.

Jetzt wiege ich 78 Kilo. Das ist bei einer Körpergröße von 1,78 Meter vielleicht noch kein Modelgewicht, aber sehr akzeptabel, wie ich finde.

Manchmal habe ich ein ganz schlechtes Gewissen Katja gegenüber, die keine Familie hat, jedenfalls keine richtige, nur Jonas. Obwohl sie in dieser Hinsicht nichts zu vermissen scheint.

Ich sehe Martin von der Seite an, beobachte, wie er Fleischstück für Fleischstück auf die Gabel spießt und in den Mund steckt. Er kaut und lässt dabei seinen Blick über den Tisch wandern. Alles an ihm ist ruhig und besonnen. Ich liebe seine beherrschte Besonnenheit. Jedenfalls meistens. Manchmal hasse ich sie auch. Diese kalkulierte Sachlichkeit eines Ingenieurs. Und manchmal hasse ich mich selbst, aber das würde ich niemandem sagen, es würde doch keiner verstehen. Ich verstehe es ja selbst nicht.

Früher habe ich mich zwischendurch einfach weggeträumt und bin in fremde, aufregende Rollen geschlüpft. Dabei habe ich immer eine ziemlich gute Figur abgegeben. In jeder Hinsicht.

Ich erinnere mich noch gut, ich war vielleicht vierzehn oder fünfzehn Jahre alt, da sagte ein Junge aus meiner Klasse zu mir, ich hätte ein schönes Lächeln. Er war nicht sehr angesagt und gefiel mir auch nicht, aber ich bekam nur selten Komplimente, und deshalb war ich hocherfreut. Ich stellte mich zu Hause vor den Spiegel und lächelte und versuchte zu sehen, was er sah. Meine Zähne waren ganz passabel, einigermaßen weiß und gleichmäßig, deshalb gewöhnte ich mir an, beim Lächeln meine Oberlippe nach oben zu ziehen, um sie noch besser zur Geltung zu bringen. Und ich fing außerdem an, einen anderen Jungen, einen, der mir gut gefiel, auf diese Weise anzulächeln, wenn ich ihm begegnete. Bis ich hörte, wie er zu seinem Freund sagte, ich würde ihn immer so dämlich angrinsen, und damit war meine Karriere als Schönheitskönigin schon wieder vorbei, bevor sie richtig begonnen hatte.

»Ich war im Reisebüro«, sagt Martin jetzt und holt mich wieder zurück aus meinem gedanklichen Ausflug in die Vergangenheit.

»Was? Warum?«, frage ich irritiert.

Es sollte keinen Sommerurlaub geben in diesem Jahr. Das hatten wir so besprochen, wegen der Umstrukturierungen in seinem Betrieb. Und ich war froh darüber. Bei Urlauben gehen unsere Vorlieben sehr weit auseinander.

»Es hat jetzt doch noch geklappt. Zwei Wochen«, sagt er.

»Aha, und was genau willst du mir damit sagen?«

»Es ist ein Last-Minute-Angebot. Ich musste mich sofort entscheiden. Der Flug geht nächste Woche am 23.«

»Du hast gebucht?« Die Wut klopft an.

»Ja. Es ist ein toller Club. Viereinhalb Sterne, all-inclusive und ein großer Swimmingpool.«

»Wo?«

»Türkei. Das Meer ist quasi vor der Haustür und sieben – stell dir vor – sieben Tennisplätze direkt auf der Anlage. Das Ganze kostet mit Flug für uns alle nur knapp dreitausend.«

Ich lege das Besteck auf den Teller, bemühe mich um den gleichen ruhigen, sachlichen Ton.

»Kannst du nicht erst einmal mit mir reden, bevor du solche Entscheidungen triffst? Das geht uns schließlich alle an.«

»Ich rede doch gerade mit dir.«

Ein Club-Urlaub. Er weiß genau, dass ich das hasse. Als die Kinder noch klein waren, gut, da war es etwas anderes. Da genügte es, Clara zu entkommen, dem Alltag mit ihr. Aber die Kinder sind nicht mehr klein, und Clara ist tot. Letztes Jahr hatten wir uns im Urlaub, wir waren auf Mallorca, furchtbar gestritten, nachdem Till mit Elli auf einer Strandparty war und anschließend die ganze Nacht Cuba Libre gekotzt hatte.

»Ja. Nachdem du es bereits entschieden hast.« Die Sachlichkeit fängt an, sich zu verabschieden. Mein Tonfall ist ein einziger Vorwurf.

»Ich weiß nicht, was dein Problem ist«, meint Martin. Er greift nach der Schüssel mit Spätzle, sein vierter Nachschlag. Es ärgert mich, dass er noch essen kann, während ich einen Kloß im Magen verspüre.

»Mein Problem ist dein Verhalten. Ich finde es einfach undemokratisch.«

»Mann, jetzt hört doch mal auf mit diesem Scheiß. Das ist ja nicht auszuhalten. Als gäbe es keine anderen Probleme auf der Welt«, fährt Elli dazwischen.

»Was hältst du denn davon?«, fragt Martin.

»Auf mich müsst ihr keine Rücksicht nehmen. Ich fahre sowieso nicht mit.«

»Ach, und warum nicht?«

»Weil ich lieber mein Ding mache.«

»Aha, und was ist dein Ding?«, will ihr Vater wissen.

Jetzt wird's interessant. Ich beobachte die beiden. Sie sind sich sehr ähnlich. Elli zuckt die Achseln und schweigt, aber ich weiß Bescheid. Es ist Robert, denke ich. Ellis neuer Freund.

»Das werden wir noch sehen, mein Fräulein«, meint Martin.

»Was ist denn mit dir?«, frage ich Till.

Till sitzt mit krummem Rücken vor seinem Teller und stopft sich weiter Gabel für Gabel Essen in den Mund. Setz dich gerade hin, würde ich gern sagen, und iss langsam, aber ich sage nichts.

»Wenn ich ein eigenes Zimmer habe und ihr mich in Ruhe lasst, komme ich mit«, murmelt er mit vollem Mund.

»Na super. Dreitausend Euro für eine Tochter, die nicht mitkommt, und einen Sohn, der den ganzen Tag am PC sitzt.« Und für eine Frau, die nicht mitkommen will, füge ich in Gedanken dazu.

Martin steht auf. Er geht zum Kaffeeautomaten und füllt Wasser in den Tank.

»Ich verstehe euch nicht«, sagt er.

Meine Anspannung wird stärker.

»Für mich ist das kein Urlaub«, fahre ich ihn an.

»Aber warum? Du musst dich um nichts und niemanden kümmern. Die Kinder sind groß, ich spiele Tennis, und du kannst tun und lassen, was du willst. Wenn du keine Lust auf Leute hast, bleibst du auf dem Zimmer, wenn du schwimmen willst, gehst du ans Meer oder in den Pool, und wenn du Hunger hast, gehst du in eines der Restaurants. Davon gibt es allein drei in der Anlage, so viel ich gelesen habe«, sagt er.

Und was ist mit uns? Jetzt bin ich richtig wütend. Ich kenne das. Bei anderen kann ich meine Wut beherrschen, aber nicht bei ihm, nicht bei meinem Mann.

»ICH WILL NICHT!«, schreie ich und schiebe meinen Teller zurück.

»Es gibt immer irgendetwas, was du nicht willst«, meint Martin genervt und schaut auf das Display seines Handys.

»Das stimmt doch so nicht«, widerspreche ich und suche fieberhaft nach Beispielen, die diesen Widerspruch belegen.

Er steckt das Handy in die obere Tasche seines Hemdes, setzt sich gelassen wieder hin, und bevor mir etwas Passendes einfällt, wendet er sich mir schon wieder in dieser Art und Weise zu, die ich kenne und fürchte. »Alex, du klinkst dich doch ständig aus«, sagt er in einem Ton, als wäre ich ein kleines Kind. *Ja, schau mal, du kleines Dummerchen.* »Und dann beschwerst du dich, weil wir zu wenig zusammen unternehmen. Wenn ich eine Fahrradtour vorschlage, dann hast du keinen Bock. Deine Zehnerkarte für Tennisstunden liegt seit drei Jahren in der Schreibtischschublade, das Einzige, was ich von dir höre, wenn ich etwas vorschlage, ist, dass du Kopfschmerzen hast, keine Zeit, andere Termine oder dass du schlicht nicht *willst*. Wenn du herausgefunden hast, was du willst, kannst du mir ja Bescheid sagen.« Er schlürft an seinem heißen Espresso. »Nur für den Fall, dass das noch in diesem Leben passiert.«

Die Wut entweicht meinem Körper wie die Luft aus einem löchrigen Ballon. Meine Haltung ist von außen betrachtet noch immer aufrecht und gerade, aber jetzt ist es nur noch das inhaltlose Gerüst meines Körpers, das dort sitzt. Der Rest liegt auf dem Boden und windet sich.

»Ich will das nicht«, wiederhole ich leise und stehe auf.

»Ja, ja, das hatten wir schon«, sagt Martin.

Es nutzt auch gar nichts. Es ist ohnehin zu spät, der Urlaub ist gebucht. Eine Tatsache, die ich nicht mehr ändern kann. Die Masse und der Rauch haben sich verzogen, was bleibt, ist ein großes, dunkles Loch irgendwo in meiner Körpermitte.

* * *

Später sitze ich in der Küche und versuche, nicht mehr an Urlaube, tote Familienmitglieder und Schokolade zu denken. Irgendetwas stimmt nicht mit uns, mit Martin und mir. Ich weiß nicht genau, wann es anfing. Manchmal verändert sich etwas in unserem Leben, schleichend, ganz ohne Trommelwirbel und Aufregung, deshalb dauert es unter Umständen sehr lange, bis man etwas bemerkt.

Ich finde keine Schokolade im Küchenschrank und keine im Regal und schnappe mir das Glas mit der Schokocreme. Ich vermeide absichtlich zu zählen, wie oft ich den Löffel hineintauche, auf jeden Fall zu oft, nämlich so lange, bis mein schlechtes Gewissen mich anbrüllt. Schokolade essen ist wie falscher Sex. Es gaukelt einem für einen kurzen Moment ein gutes Gefühl vor, aber kurz danach fühlt man sich umso schlechter. Ich greife nach der Tageszeitung. Besser, ich füttere den Geist und nicht den Bauch. Was gibt es denn Neues in der Welt? Angela Merkel ist die beliebteste Politikerin Deutschlands. Aha. Griechenland steht am wirtschaftlichen Abgrund. Ich lese weitere Schlagzeilen, auch ein oder zwei Berichte, und bemühe mich ganz ehrlich, zu verstehen, was ich da lese. Es funktioniert nicht. Es kommen nur sinnlos aneinandergereihte Buchstaben bei mir an. Wörter und Sätze ohne Sinn.

Warum fällt es mir immer schwerer, mit Martin zu reden? Und immer leichter, mit ihm zu schweigen? Nein. Ich schweige nicht *mit ihm*. Es ist kein gemeinsames Schweigen. Jeder schweigt für sich allein. Früher war das anders. Früher, vor Clara. Da haben wir viel diskutiert und geredet. Es waren nicht immer freundliche Gespräche, aber freundschaftliche. Kein Krieg, sondern ein Austausch von Meinungen. *Ja, klar, bis du am Ende eingesehen hast, dass er recht hat.*

Warum mündet heute fast jede Diskussion im Streit? Es liegt nicht an ihm, ich bin diejenige, die ihre Wut nicht im Griff hat. Immer poltere ich los, immer aus dem Bauch, anstatt seine sachlichen Argumente erst einmal ruhig anzuhören und abzuwägen.

Wir sind sehr verschieden, aber bei aller Verschiedenheit ist eines klar: Ich liebe meinen Mann. Wir sind uns immer nahe gewesen, in all den Jahren. Ich vertraue ihm, er ist mein Anker. Und darauf kommt es doch an.

Außerdem bewundere ich ihn. In vielen Dingen wäre ich sehr gerne ein bisschen mehr wie er. So strukturiert und so ordentlich, so klar und so bedacht. Seine Haare schneidet er exakt alle drei Wochen, er rasiert sich täglich, und er zieht jeden Tag ein frisches Hemd an. Gegen ihn wirke ich wie ein schlampiges Landei. Ein schlampiges, großes, um nicht zu sagen: ein wuchtiges Landei.

Ich brauche mich nur umzuschauen. Sobald ich einen Raum betrete, hinterlasse ich Spuren. Meine Strickjacke dort auf dem Stuhl, das benutzte Glas auf der Spüle, die geöffnete, aber noch nicht sortierte Post von heute Morgen auf der Ablage, die unbezahlten Rechnungen vor mir auf dem Tisch. Warum fällt es mir so schwer, den Dingen einen festen Platz zu geben?

»Dein Martin ist ein echter Pedant. Faltet der eigentlich seine Taschentücher nach Benutzung?«, hatte Katja mich einmal nach einer Auseinandersetzung mit Martin gefragt. Wir haben beide gelacht damals, aber es stimmt, es trifft den Kern: Er faltet, ich knülle.

Als ich ihn kennenlernte, war es genau das, was mich so faszinierte. Seine festen Regeln, sein ordentliches Wesen, seine Beständigkeit und Verlässlichkeit, die Ruhe, die er ausstrahlt. Ich fand ihn so *normal*. Er sah wirklich gut aus. Das trifft auch heute noch zu. Und er ist sehr intelligent und kulturinteressiert. Er hat mich mit ins Theater genommen, mein erstes Mal, und später in die Oper. Beides hat mir nicht gefallen, aber ich war tief beeindruckt.

Das Stück hieß »Die Physiker« von Friedrich Dürrenmatt. Es ist nur wenig davon bei mir haften geblieben, nur das, was danach kam, das hat sich eingebrannt.

Es regnete und es war kalt. Ich hatte einen zu dünnen Mantel an und schreckliche Angst wegen Ines. Ihre Stimmungen wechselten von gleichgültig zu streng, im Moment war sie in der strengen Phase. Aber trotzdem nickte ich, als er mich fragte, ob ich noch mit zu ihm gehen möchte, weil kein Taxi zu bekommen war, wir keinen Schirm hatten, sein Apartment gleich um die Ecke lag und ich ihn wollte. Mit jeder Faser meines Herzens.

Ich war vorher schon einmal bei ihm gewesen, und

er hatte mich auch vorher schon einmal geküsst. Aber jetzt war es fast Nacht. Ich wusste, was passieren würde.

Seine Wohnung war klein, es gab nur ein Zimmer. Das Bett war gemacht und der Schreibtisch aufgeräumt. Er nahm meine Hände und küsste mich. Erst auf die Stirn, dann auf den Mund. Ich konnte keine Aufgeregtheit bei ihm erkennen, dafür reichte meine eigene für uns beide. Ich fror noch immer, und ich konnte nicht aufhören zu zittern.

Er holte ein Handtuch und rubbelte meine nassen Locken, die ich am Nachmittag mit sehr viel Aufwand glattgeföhnt hatte. Danach setzte er mich auf seinen Schreibtischstuhl und zog mir die Stiefel aus. Ganz langsam, ohne Eile. Ich zitterte wie Espenlaub. Er nahm meine Hände, zog mich hoch, wir standen uns gegenüber, ganz nah, bis er mich zu seinem Bett schob und dabei begann, meine Bluse aufzuknöpfen.

Ich roch den Duft seines frischbezogenen Betts und den Duft seines Rasierwassers. Alles andere verschwamm.

Er benutzte ein Kondom damals, daran erinnere ich mich, aber das war mir egal. Ich hatte keine Angst davor, schwanger zu werden, ich hatte nur Angst, dass er aufhören würde, sich für mich zu interessieren. Ich befürchtete, ihm nicht zu genügen. Mit meinen ganzen Unzulänglichkeiten. Deshalb habe ich unserer Beziehung auch lange nicht getraut, selbst dann noch, als ich mit Elli schwanger und wir bereits verheiratet waren.

Das schwarze Loch knurrt. Bisher hatte ich Glück. Aber ich bin mir nicht sicher. Ich bin mir nie sicher.

Martin war es übrigens auch, der heiraten wollte. Und Kinder. Und ein Haus bauen. In dieser Reihenfolge. Und er wollte Clara. Obwohl sich schon am Anfang der Schwangerschaft herausstellte, dass es Probleme geben würde. Und obwohl es zu dem Zeitpunkt noch die Möglichkeit gegeben hätte, die Schwangerschaft abzubrechen.

Ich schnappe mir den kleinen Stapel Rechnungen und sehe sie durch. Die Belege sind schon vorsortiert. Ich muss lächeln. Mein gewissenhafter Mann.

Ich stelle die Überweisungen aus und bin für ein paar Minuten abgelenkt.

Aber die schweren Gedanken kehren zurück. Sie sind wie schwarzer Teer: Sie kleben und stinken und lassen sich nicht abschütteln.

Ich habe es niemandem gesagt, ich werde es auch niemals irgendjemandem sagen, aber als Clara starb, war ich auch ein bisschen erleichtert. Das ist schrecklich. Ich schäme mich dafür. Mehr als drei Jahre ist es jetzt her, aber der Tag, dieser Tag, hat sich unauslöschlich in mein Gedächtnis eingebrannt: Es war der 12. Mai 2010, ein Tag vor Christi Himmelfahrt.

Begonnen hatte er wie jeder andere auch: aufstehen, Frühstück vorbereiten, Kinder wecken, Schulbrote schmieren, eine Tasse Kaffee trinken, ein Marmeladenbrot essen und dann Clara. Im Gegensatz zu Elli, für die frühes Aufstehen schon immer Höchststrafe war – und bis heute ist –, musste ich Clara nie wecken. Sie zeigte zwar keine Regung, ich konnte nichts lesen in ihren Augen, aber sie schaute mich an, sobald ich den Raum betrat.

Clara wurde mit schwerwiegenden geistigen und

körperlichen Behinderungen geboren. Sie konnte nicht stehen, nicht sitzen, nicht sprechen. Nicht einmal kauen. Ihr Essen musste ich pürieren, trinken konnte sie nur mit Hilfe einer Schnabeltasse. Am schlimmsten waren die Spasmen. Ihr kleiner Körper zuckte wie ein batteriebetriebenes Stofftier kurz vor Stromausfall.

Wir hatten unsere Rituale entwickelt, Clara und ich. Wenn Martin arbeitete und Elli und Till in der Schule waren, gab es nur noch uns beide. Endlose Stunden lang. Füttern, wickeln, waschen, physiotherapeutische Übungen am Vormittag, schlafen, wieder füttern, wieder wickeln, physiotherapeutische Übungen am Nachmittag. Ihr Schluckreflex funktionierte nicht immer, deshalb landete manchmal etwas Brei in ihrer Luftröhre. Dann zuckte sie noch mehr, lief blau an, und ich musste sie hochnehmen. Schlimmstenfalls kopfüber schütteln. Das erforderte gute Nerven. Es war keine Frage von Kraft, Clara war acht, aber sie wog noch nicht einmal 20 Kilo, es war das emotionale Gewicht, das wog. Dieses bange Warten, bis die Röhre wieder Luft durchließ, bis diese schreckliche, tödliche Stille endlich von Gurgeln und Keuchen und Atmen abgelöst wurde. Das brachte mich immer wieder an meine Grenzen.

An diesem Morgen war ich müde, überfordert und ungeduldig. Ich habe sie vielleicht zu stark geschüttelt oder zu lange. Als von den Augen nur noch das Weiße zu sehen war, legte ich sie in stabiler Seitenlage auf das Bett und rief den Notarzt.

Ich wartete. Acht Minuten lang. Ihre Augen waren weit aufgerissen und verdreht, aber sie zuckte nicht.

Der Notarzt kam, und ich wusste: Acht Minuten ohne Sauerstoff, das schafft kein Gehirn. Auch kein gesundes.

Ich fuhr mit ins Krankenhaus, und von unterwegs rief ich Martin an.

Jede Kleinigkeit, die Fahrt, der Warteraum, alles ist noch präsent. Wir saßen vier Stunden dort. Sechs Holzstühle mit blauen, hässlichen Veloursbezügen, ein runder weißer Tisch, übersät mit alten, abgegriffenen Journalen. Der Krankenhausfußboden speckig und aus blauem PVC und die Raufaserwände gelb. An einer Wand hing ein großes abstraktes Bild mit roten Punkten auf grün-blauem Hintergrund, die Fenster hatten rote Aluminiumrahmen, das gleiche Rot wie das der Punkte, und an den Seiten hingen hellgrüne Vorhänge. Der Raum war ungemütlich, kalt und bunt. Als hätte jemand einen Farbeimer darüber ausgeschüttet, um ihn erträglicher zu machen. Oder behaglicher. Auf den Tod zu warten ist nicht behaglich. Ich finde, wenn nur wenige Meter entfernt das eigene Kind stirbt, ist ein kalter, unbehaglicher Raum genau das, was man erträgt.

Das Warten war schrecklich. Draußen schien die warme Frühlingssonne einfach weiter, unverdrossen hell und freundlich, und drinnen war der Tod.

Als der Arzt endlich kam, jung und mit bekümmertem Gesicht, wusste ich, was er sagen würde, schon bevor er den Mund aufmachte. Dass es ihm leidtue, dass man alles versucht habe, aber nichts mehr habe tun können.

Martin weinte und jammerte, und ich hasste ihn dafür, dass er nicht still litt. Ich tat, was man mir sagte, nahm das Beileid des Arztes entgegen und tröstete meinen Mann.

Der Arzt führte uns in ein kleines Zimmer. Clara lag in einem Bett an der Wand. Der Körper war zugedeckt, nur der Kopf war zu sehen. Ihr Gesicht war ganz ruhig. Schön und klar. Die Augen waren geschlossen, und die langen Wimpern warfen seidige Schatten auf ihre glatte Haut. Sie sah aus wie ein Engel. Sie war ein Engel. Die Hand war kalt, aber noch nicht starr. Weich und beweglich, nur ohne Leben.

Wir mussten ein Formular unterschreiben. *Todeszeitpunkt: 12. Mai 2010, 14.57 Uhr* stand darauf.

Später, als wir nach Hause kamen, stand Elli mit verweinten Augen in der Tür. Und Ines in der Diele. Wir schauten uns an, bis meine Mutter den Blick senkte und nach dem Autoschlüssel auf der Kommode griff.

Ellis Weinen und Martins tröstliches Gemurmel. Ich spürte die dumpfe Übelkeit noch vor den Kopfschmerzen und ging hoch, um nach Till zu sehen.

Es dauerte Wochen, bis ich begriff, dass Clara wirklich tot war.

Bis heute kann ich nicht darüber reden. Über Clara nicht und nicht über ihren Tod. Ich schäme mich, weil ich glaube, ich hätte es verhindern können. Und weil ich so erleichtert war, dass ich es nicht getan habe.

Martin wollte reden damals. Abends im Bett fühlte ich seine große, warme Hand, die sich unter meine Decke wühlte und mich zu streicheln begann. Ich schloss die Augen. Ich wollte seine Tränen nicht sehen, seinen todtraurigen Blick. Und ich wollte seine Hand nicht. Sie traf auf Starre. Und irgendwann auf unverhohlene Abneigung.

Ich wusste, dass es ihn kränkte, und einige Male versuchte ich es. Ich bemühte mich ehrlich, meinen Widerwillen zu überwinden, aber es funktionierte nicht. Es war wie das Betreten eines verminten gefährlichen Terrains. Explosiv und unberechenbar. Es machte mir Angst. Und die Angst war stärker als das Bemühen.

Von draußen höre ich Stimmen. Elli ist gekommen, und sie ist nicht allein. Sie hat Robert mitgebracht. Ich stehe auf. Unschlüssig und ziellos. *Kaffeetasse wegräumen, Rechnungen abheften, Strickjacke an Haken*, sagt mein Kopf. *Du kannst mich mal*, sagt mein Bauch.

Ich hasse solche Nachmittage. Diese Unruhe im Bauch und die dunklen Gedanken im Kopf.

Vielleicht sollte ich wieder arbeiten. Seit Ellis Geburt bin ich zu Hause, und das ist siebzehn Jahre her. Vorher war ich Grundschullehrerin. Ich war es nicht gerne, und ich war auch nicht gut darin. Ich habe mich oft überfordert gefühlt. Natürlich waren nicht alle Kinder schwierig, aber schon ein auffälliges Kind in der Klasse brachte alles durcheinander. Warum ich ausgerechnet Lehrerin wurde, ist im Nachhinein schwer zu sagen. Meine Schulzeit war ein Desaster, vielleicht wollte ich Kindern wie mir helfen. Ich neige hin und wieder zu fruchtlosen, ideologischen Ideen.

Ich gehe ins Wohnzimmer. Hier herrscht Ordnung. Zumindest für diesen Moment steht oder liegt alles am richtigen Platz: die Leinenkissen auf der dunkelbraunen Sitzgruppe, der helle Florteppich auf dem gewachsten Parkett, die frisch gefüllte Obstschale auf dem antiken, schweren Buffet neben dem Kamin. Die

Zeitungen sind weggeräumt, kein aufgeschlagenes Buch, keine abgestellte Tasse und kein Staub.

Die Luft ist klamm, ich öffne das Fenster. Es hat geregnet, und ich rieche den Duft der Vergänglichkeit, diesen leicht modrigen Geruch. Der Garten blüht, jetzt, im Spätsommer dominieren Sonnenhut, Rosen und Astern. Noch ist alles üppig und bunt, aber schon bald werden die Bäume ihre Blätter verlieren, ich werde die letzten verblühten Blumen abschneiden, und der Garten wird sein Gesicht verändern. Ich wünschte, ich könnte die Uhr noch einmal zurückdrehen auf Sommerbeginn.

Nebenan herrscht reges Treiben. Das Nachbarhaus wurde verkauft, und jetzt ziehen neue Besitzer ein. Ich höre die Möbelpacker, die sich rüde Anweisungen zubrüllen, und sehe einen freundlich aussehenden Mann, der versucht zu schlichten. Unser neuer Nachbar? Ich hoffe, er ist nett. Die Vorbesitzer waren ein älteres, streitsüchtiges Ehepaar. Sie wohnen jetzt bei ihrer Tochter in Nürnberg. Ich kenne die Frau nicht, aber sie hat mein volles Mitgefühl.

Ein kalter Wind streift meinen Arm, ich mache das Fenster fröstelnd wieder zu.

Mein Blick fällt auf das Klavier, und ich öffne den Deckel, um ein paar Tasten anzuschlagen. Erst mit zwei Fingern der rechten Hand, dann mit beiden Händen. Aus den Tönen werden Akkorde. Ich summe zu *Yesterday* von den Beatles, werde mutiger und versuche eine Arabeske von Debussy. Es geht schief. Ich verspiele mich, versuche es noch einmal, verspiele mich wieder.

Elli schaut ins Zimmer. »Ich gehe gleich«, sagt sie.

Im Flur steht Robert und grüßt. Er wirkt nett, der Freund meiner Tochter. Es ist mir peinlich, dass er meine missglückten Versuche gehört hat. Elli schließt die Tür, ich den Klavierdeckel. Wieder laufe ich zum Fenster. Auf der Fensterbank strampelt ein kleiner Käfer um sein Leben. Er liegt auf dem Rücken und schafft es aus eigener Kraft nicht, sich aus seiner misslichen Lage zu befreien. Mir fällt die Kiste wieder ein. Ines' Kiste. Behutsam schiebe ich ein Stück Papier unter den kleinen Insektenkörper und drehe ihn um.

* * *

Es war Krebs. Als ich von ihrer Krankheit erfuhr, war es zu spät. *Nicht mehr therapierbar*, hatte der Arzt gesagt. Alle Anzeichen der Krankheit in den Monaten vor ihrem Tod hatte Ines kleingeredet. *Ich gehe auf die siebzig zu, da zwickt es schon mal hier und da. Das ist in meinem Alter nichts Besonderes.* Vielleicht habe ich auch nur das gehört, was ich hören wollte.

Alles, was Ines zurückgelassen hatte, passte in eine kleine Kiste. Nicht viel für 66 Jahre Leben. Bisher konnte ich mich nicht dazu entschließen, mir den Inhalt anzuschauen. Auch nicht, sie einfach wegzuwerfen. Aber ich weiß, solange sie auf dem Speicher steht, wird sie mir keine Ruhe lassen.

Es hat nichts mit ihrem Tod zu tun, nur mit ihrem Leben. Der Tod macht mir keine Angst. Er begegnet einem von Zeit zu Zeit. Letzten Monat zum Beispiel, da starb Frau Bergmann, unsere Nachbarin. Sie war sehr alt, fast dreiundneunzig, und sie war krank. Es war richtig, dass sie gestorben ist. Was hätte es für einen Sinn gemacht, dieses Leben zu verlängern?

Clara war auch krank, sie kam schon krank auf die Welt. Aber sie war erst acht. Es macht mich traurig, an Clara zu denken. Ich spüre den Kloß im Hals, den eisernen Ring, der sich um meine Brust legt, und hoffe, es geht ihr gut, da, wo sie jetzt ist. Früher gebrauchte meine Mutter ab und zu die Umschreibung *im Reich der Toten*, und als Kind stellte ich mir ein Land vor, in dem alles schwerelos ist und die Gestorbenen freundlich über den nicht vorhandenen Boden schweben.

Ich frage mich, ob wir noch Trauer und Wut oder Glück und Freude fühlen, wenn wir tot sind? Vermutlich nicht. Warum sollten wir sterben, wenn alles bleibt? Wenn wir uns auch weiter mit Emotionen plagen müssen. Es ist wahrscheinlicher, dass der Tod uns in einen Zustand des Nichtseins und des Nichtfühlens bringt. Wir sind tot, es ist aus und vorbei, es bleibt nichts übrig. Außer einer Handvoll Knochen. Und selbst die sind nicht für die Ewigkeit.

Ich schweife schon wieder ab. Wo war ich? Ach ja, die Kiste.

Der Dachboden ist voller Staub und Gerümpel. Heiß und stickig im Sommer, kalt und muffig im Winter. Ich bin nicht gerne hier, denn über dem Gerümpel auf der rechten Seite schwebt Claras Geist. Es sind ihre Sachen, die dort stehen. Das, was sie im Leben hatte. Es ist nicht viel. Geräte zur Pflege, das Bett, ein paar Kleider, Kinderbücher. Ich habe ihr oft vorgelesen. Es hat uns beide beruhigt, auch dann noch, als längst klar war, dass Clara nichts davon verstand.

Ich drehe den Kopf nach links und wende mich

Richtung Giebel. Der Boden ist mit Spanplatten aus-
gelegt, bei jedem Schritt vibriert er zittrig unter meinen
Füßen. Ich gehe vorbei an einem Stapel ausrangierter
Blumentöpfe, an Pappschachteln mit Weihnachts-
schmuck, an den beiden alten Stühlen, die früher in
unserer Küche standen, an der nicht mehr funktionie-
renden Nähmaschine, die ich von Martins Mutter geerbt habe, und an der Kommode mit der kaputten Tür.

Staubig steht die Kiste noch genau dort, wo ich
sie nach der Beerdigung im Mai abgestellt hatte. Mit
einem Papiertaschentuch wische ich über den Deckel
und klemme sie mir unter den Arm.

»Wiedersehen«, höre ich Robert sagen, als ich die
Speicherluke wieder schließe.

»Was hast du denn da?«, fragt Elli.

»Wiedersehen, Robert«, sage ich und drehe mich zu
Elli um. »Das, was von Oma übrig ist.«

»Ach so.« Sie schnappt sich ihre Jacke. »Ich weiß
nicht, wann ich nach Hause komme. Ihr müsst mich
aber nicht abholen, Robert bringt mich heim.«

»Du hast morgen früh einen Zahnarzttermin.«

Elli verdreht die Augen und folgt Robert. Ich mache
keinen Versuch, sie zurückzuhalten. Ein Verbot würde
sie sowieso nicht akzeptieren, und auf eine Diskussion
habe ich wenig Lust. Es scheint mir heute einfacher,
mich mit den Toten zu beschäftigen.

Ich starre die Kiste an. Ines hatte alles geregelt vor
ihrem Tod, das muss man ihr lassen. Viel gespart hatte
sie nicht, das wenige war verteilt auf drei Sparbücher
für ihre Enkel. Möbel, Hausrat oder Kleider gingen an
karitative Einrichtungen.

Warum hat sie diese Handvoll Dokumente oder alter Fotos nicht einfach in den Müll geworfen? *Warum tue ich es jetzt nicht?* Weil es das Einzige ist, was vom Leben meiner Mutter übrig ist. *Na und?*

Ich kippe das Küchenfenster, um den noch immer anhaftenden Geruch vom Mittagessen zu vertreiben, und öffne den Deckel. Ganz oben liegt die alte Küchenuhr. Früher hing sie an der Wand neben dem Schrank. Später, als wir schon in dem Haus wohnten, über dem Küchentisch. Vorsichtig drehe ich den Schlüssel. Das leise Ticktack weckt Erinnerungen. Ich bereue augenblicklich, sie geweckt zu haben, und lege die Uhr zur Seite.

Ich packe weiter aus: Bücher, ein Mäppchen mit Nähgarn und Nähnadeln, eine Schachtel mit Fotos, etwa ein Dutzend Hörbücher, ein altes Heft mit Eintragungen über diverse Ausgaben und zwei gerahmte Drucke. Und ganz unten, unter allem anderen, finde ich die Schmuckdose. Ich lege alles fein säuberlich nebeneinander auf den Küchentisch.

Der Schmuck ist nicht üppig, das habe ich auch nicht erwartet. Nur Ines' Ehering und zwei Halsketten. Ich kann mich auch nicht erinnern, den Ring jemals an ihrer Hand gesehen zu haben, aber er lag immer in dieser kleinen Dose, und die kleine Dose befand sich immer in ihrem Nachttisch. Die Gravur kann ich ohne Lesebrille nicht erkennen. Wahrscheinlich das Hochzeitsdatum.

Eine der Ketten ist aus Gold mit einem vierblättrigen Kleeblattanhänger, die andere eine Perlenkette. Das Gold ist angelaufen, und ob die Perlenkette wirklich echt ist, weiß ich nicht.

Ich lege den Schmuck zurück in die Dose und widme mich den Fotos. Fotos von Katja und von mir. Als wir noch Kinder waren. Katja auf der Schaukel, ich mit Schultüte im Vorgarten. Wir beide mit Ines auf einer Picknickdecke im Gras. Ich erinnere mich daran. Ein Arbeitskollege, der, dem das Haus gehörte, hatte uns dazu eingeladen. Am Ende setzte Katja sich auf den Kuchen. Sie bestritt es, aber ich bin sicher, es war Absicht.

Ein anderes Bild zeigt Katja und mich vor einem Weihnachtsbaum. Die Geschenke sind noch nicht ausgepackt, aber sonst erkenne ich wenig, alles ist zu undeutlich. Ich hole jetzt doch meine Lesebrille.

Jetzt sehe ich, was ich gespürt habe: Niemand lächelt. Auf keinem der Bilder ist auch nur ein einziges lächelndes Gesicht. Ich nehme die Fotos in die Hand und drehe sie um. Wer hat sie gemacht und wann? War es 1975 oder 1976? Oder früher? Oder später? Jetzt, mit Brille, erkenne ich nicht nur die Gesichter besser, ich erkenne auch diese dumpfe bekannte Traurigkeit, dieses steife Warten darauf, dass jemand auf den Auslöser drückt.

Es ist auch ein Foto von unserem Vater dabei. Ein einziges schwarzweißes Passbild. Ich erkenne ihn sofort. Die markante Nase, den sanft geschwungenen Mund, die Augen mit den kleinen Lachfältchen an der Seite, die dunklen, fast schwarzen Locken. *Papa*, denke ich, und wieder einmal meldet sich der vertraute Schmerz.

Sie kannten sich schon lange, aber verliebt haben sie sich, weil Ines' Fahrrad einen Platten hatte, das hat sie mir auf mein hartnäckiges Nachfragen irgendwann einmal erzählt. Er sah sie am Straßenrand stehen und packte Ines und das Fahrrad kurzerhand in sein Auto. Von da an waren sie ein Paar. Aber dann ist irgendetwas schiefgegangen, keine Ahnung, was es war, obwohl ich mich gut an den Tag erinnere, als es geschah.

Wir saßen auf dem kalten Fußboden in der Küche und warteten. Ich weinte nicht, aber Katja weinte. Katja war auch erst vier.

»Hier«, sagte ich und drückte ihr die Puppe in die Hand. »Ich glaube, es ist vorbei.«

»Sei ruhig und mach dich bloß nicht schmutzig«, wisperte Katja der Puppe ins Ohr. »Ich kann nicht jeden Tag deine schmutzige Wäsche waschen.« Ihre geflüsterten Worte gruben sich in den Raum und legten sich wie weiche Watte zwischen uns.

»DU BIST WIRKLICH DAS ALLERLETZTE!«

»Papa ist ganz schön verdamft wütend«, sagte Katja und hielt sich die Ohren zu.

»Das heißt verdammt«, sagte ich, obwohl ich wusste, dass sie mich nicht hörte.

Die Suppe brodelte, die ganze Küche war wie im Nebel, und es roch angebrannt. Ich ging zum Herd und zog den heißen Topf von der Platte. Es gab Erbsensuppe, mein Lieblingsessen.

»MIR REICHT'S!«

»Aua!« Vor Schreck verbrannte ich mir die Finger. Katja fing wieder an zu weinen.

»Warum ist Papa so böse?«, fragte sie.

»Ich weiß nicht. Vielleicht wegen Geld.«

»DAS IST MIR SCHEISSEGAL!«

Scheißegal durfte man nicht sagen.

Die Wohnzimmertür wurde geöffnet, und ich zog Katja schnell mit mir unter den Tisch.

Ich sah seine Beine, die an uns vorbei zum Schrank gingen. Sah, wie er Geld aus der kleinen Blechdose nahm. Wieder ging er am Tisch vorbei. Ich hätte so tun können, als würden wir Verstecken spielen, und leise ›piep‹ sagen. Stattdessen biss ich mir fest auf die Lippen. Als die Haustür mit einem dumpfen Knall ins Schloss fiel, schmeckte ich Blut.

Ines hat uns nie etwas erklärt, sie war nicht besonders mitteilsam, aber als Kinder haben Katja und ich uns gerne vorgestellt, dass er die Welt bereist und irgendwann zu uns zurückkommt, den Koffer voller Geschenke.

Bis heute schaffe ich es nicht, diese Wunschvorstellung ganz aus meinem Kopf zu verbannen.

Auf einem anderen, sehr alten Foto sind unsere Großeltern. Jedenfalls glaube ich, dass es Ines' Eltern sind. Als junge Brautleute. Das muss im oder kurz vor dem Krieg gewesen sein, der Großvater trägt eine Uniform. Es ist eines von diesen sehr unnatürlich gestellten Fotos, auf denen man den Gesichtern nichts entnehmen kann. Keine Freude, keine Angst, keine Ungewissheit, nur steife Ergebenheit.

Auch zwei Fotos von einer sehr jungen Ines sind dabei. Einmal steht sie neben einem blonden Mädchen, und die beiden lachen froh in die Kamera. Immerhin: Doch ein Bild, ein einziges, mit lachenden Gesichtern. Das andere Foto zeigt sie auf dem Fahrrad. Stolz sieht sie aus. Und mutig. Als wollte sie sagen: Ich kann alles, was ich will.

Wer warst du?, denke ich. Ich weiß nichts von ihr.

Das letzte Bild zeigt einen Mann, den ich nicht kenne. Sein Gesicht ist schmal, die hellen Augen blicken lockend. Seine schmalen Lippen lächeln auf eine merkwürdige Weise. Süffisant ist das Wort, das mir dazu einfällt. Er strahlt eine seltsame Mischung von Askese und Wollust aus, die sehr anziehend wirkt. Ein schöner Mann. Er erinnert mich an jemanden, aber ich weiß nicht an wen.

Ein loses Blatt liegt zwischen den Fotos, ein kurzer Brief:

Mama, ich mache mich auf den Weg, meinen Vater zu suchen. Ich glaube nicht, dass du mich vermissen wirst. Vielleicht merkst du noch nicht einmal, dass ich weg bin. Ich hasse dich!!! Katja

Auch daran erinnere ich mich. Katja war vierzehn, als sie ihn schrieb. Es gab keinen besonderen Anlass, weder einen Streit noch ein Verbot. Mit Ines konnte man überhaupt nicht streiten. Sie ließ uns allein mit unserer Wut. Zeitlebens sind wir an ihr abgeprallt wie Vögel, die gegen durchsichtiges Glas fliegen und nicht begreifen können, dass dieses Glas eine unüberwindbare Barriere darstellt.

Jedenfalls war Katjas Ausflug damals nur von kurzer Dauer. Ines hatte sie mit dem Auto eingeholt, noch bevor sie am Bahnhof war. Sie hielt einfach an, öffnete die Autotür, und Katja stieg ein. Ich glaube nicht, dass sie jemals darüber gesprochen haben.

Ich streiche mir eine Haarsträhne hinters Ohr und lege den Brief auf den Fotostapel.

Sie ist so lange her, diese Vergangenheit.

Das Letzte, was es zu sichten gibt, sind Bücher. Sehr alte Bücher, vermutlich aus Ines' Jugend: *Tarzan, Petras Reise* und *Der Trotzkopf*.

Ines hat nie gelesen. Jedenfalls kann ich mich nicht erinnern, sie je mit einem Buch gesehen zu haben.

Ich selbst lese leidenschaftlich gern. Alles, da bin ich nicht wählerisch.

Die Kiste ist leer. Ich drehe sie um und schütte Staubflusen und ein paar tote, mumifizierte Insektenleiber aus dem Fenster, bevor ich alles wieder einpacke. Etwas flattert an mir vorbei, ein weißer Schatten, ein Stück Papier. Ich hebe es vom Boden auf. DIN A4, kariert, mit Rand, zweimal gefaltet. Es ist ein Blatt aus einem dieser Blöcke, die ich selbst gerne benutze. Für meine To-do-Listen oder um Gedanken festzuhalten oder auch einfach als Einkaufszettel. Ich falte es auseinander.

»5. *November 2011*«, lese ich, und meine Augen gleiten über das Papier. »*... seit drei Monaten weiß ich es: Ich habe Krebs.*«

Ein Brief von Ines, denke ich, und das macht mich stutzig. Ines hat nie Briefe geschrieben. Keine Briefe, keine Postkarten.

Ich lese das Ende: »*Es begann im Sommer 1963. Damals habe ich mich in ...*«

Damit hört das Schreiben auf.

* * *

Wir sitzen in Katjas Küche und reden. Das heißt: Katja redet, Zara, ihre Mitbewohnerin, hört zu, und ich esse Schokolade und trockne meine nassen Haare mit einem Küchenhandtuch, das mir Katja gegeben hat. Draußen regnet es in Strömen.

Ich bin aufgeregt. Der Brief, oder das, was einmal ein Brief hatte werden sollen, steckt in meiner Handtasche und brennt mir jetzt höllisch auf den Nägeln.

Schnell stopfe ich mir noch ein Stück Schokolade in den Mund und schiebe den Rest weg. Eine halbe Tafel Schokolade, das sind mindestens vierhundert Kalorien.

Katja hat Ecstasy-Tabletten bei Jonas gefunden, und jetzt diskutiert sie mit Zara darüber, welche Konsequenzen das haben soll – oder ob überhaupt. »Das Problem ist, dass man einfach nicht mehr vernünftig mit ihm reden kann«, sagt sie. Ich halte mich raus, obwohl es mir sehr nahegeht, weil ich Jonas gern habe. Aber in puncto Erziehung gehen unsere Ansichten im 180°-Winkel auseinander.

Trotzdem: Jonas ist erst fünfzehn, ich finde, ein Fünfzehnjähriger sollte keine Drogen haben, egal welcher Art.

»Das ist doch normal. Er ist in der Pubertät«, erklärt Zara gerade. »Man kann nicht gut reden mit Jungs, die in der Pubertät sind. Aber trotzdem musst du es versuchen. Damit er weiß, dass du da bist. Als mein Bruder …«

Katja fällt ihr ins Wort. Das macht sie gern, auch bei mir.

»Ich denke, letztendlich muss er selbst herausfinden, wo seine Grenzen sind.«

»Katja, um Gottes willen, der Junge ist erst fünfzehn. Das ist kein Spaß«, mische ich mich jetzt doch ein.

»Sehe ich aus, als hätte ich Spaß?«, fragt sie gereizt.

Nein. Eher müde. Ihre Haare sind ungekämmt, die Augen ungeschminkt, die Falten ungelogen. Meine kleine Schwester ist fast 42, man vergisst es nur oft. Sie hat ein sehr feines Gesicht und lange, hellbraune Haare. Und einen ziemlich knackigen Hintern. Immer noch.

Vielleicht ist es der viele Ärger mit Jonas, den man ihr heute ansieht. Vielleicht wird meiner Schwester langsam klar, dass ihre Verdrängungsstrategie nicht mehr funktioniert.

Mit tut der Junge leid. Früher war er oft bei uns. Till und er haben zusammen gespielt. Er war auch gerne da, das habe ich gespürt. Aber jetzt spielt Jonas gar nicht mehr und Till nur noch mit seinem PC.

Ich schaue auf die Uhr. Es ist Viertel vor fünf. Und Dienstag. Dienstags kommt Martin immer etwas früher nach Hause, und wir essen gemeinsam zu Abend.

»Katja, ich habe noch …«

»Das ist so typisch: Sein bescheuerter Vater hat sich aus dem Staub gemacht, und ich habe den Ärger«, mault Katja.

Kein Widerspruch: Fabio ist bescheuert, und er hat sich aus dem Staub gemacht. Aber mir bleibt maximal noch eine knappe Stunde. Um halb sieben gibt es Abendessen, um sechs muss ich zu Hause sein, mir läuft die Zeit weg.

Ich möchte die Sache mit dem Brief auch nicht unbedingt in Zaras Beisein auf den Tisch bringen. Er geht nur Katja und mich etwas an. Außerdem mag ich Zara nicht besonders. Sie ist Katjas Mitbewohnerin, vielleicht sogar ihre beste Freundin, obwohl Katja kein Beste-Freundin-Typ ist, aber mir ist sie zu alternativ. Ich vermute sogar, dass sie lesbisch ist.

Katja ist nicht lesbisch, das weiß ich sicher. Ich kann mir die Namen ihrer Männer gar nicht so schnell merken, wie sie wechseln. Sie ist, was ihre persönliche Lebenssituation angeht, irgendwie im Studentenstatus steckengeblieben.

»Was hat Jonas denn selbst dazu gesagt?«, will Zara jetzt wissen.

»Nicht viel. Nur, dass ihm die Tabletten nicht gehören.«

»Na ja, ich habe mein erstes Tütchen mit vierzehn geraucht«, meint Zara und lächelt. Sie ist Mitte dreißig und ziemlich hübsch, das muss ich zugeben, aber so, wie ich sie einschätze, hat sie bis heute nicht damit aufgehört.

»Ein bisschen Hasch wäre mir in dem Fall ehrlich gesagt auch lieber.«

Zara lacht. »Ich mach uns mal einen Tee.« Sie steht auf und sieht mich an. »Keine Angst. Ohne Halluzinogene.«

»Tee ist eine gute Idee«, meint Katja und legt die Stirn auf ihre Unterarme. »Ich bin so müde. Habe die letzten beiden Nächte kaum geschlafen.«

Ich schaue auf die Uhr. Mir bleiben noch 35 Minuten.

»Katja, ich habe da …«, fange ich behutsam mit einem Blick in Zaras Richtung an.

Sie richtet sich auf. »Im Moment macht er wirklich ständig Ärger«, sagt sie in Zaras Richtung. »Da sind zig Fehltage in der Schule. Dann die Anrufe von seiner Lehrerin, letzte Woche eine Schlägerei und jetzt das …«

Ich rieche Ingwer und Zimt. Katja greift mechanisch nach den Zigaretten in ihrer Tasche.

»Wäre er ein Hund, würde ich ihn abgeben. Ich würde ein Inserat aufgeben: *Suche neues Herrchen oder Frauchen für schwierigen Beißer. Verträgt sich nicht mit anderen Hunden und ist erziehungsresistent. Bitte nur erfahrene Interessenten melden.*«

»Katja!«, rufe ich entsetzt.

»Ja, was? Ist doch wahr. Ich habe auch noch einen Job, weißt du?«, sagt sie und sieht mich abschätzig an.

Die Tischplatte ist speckig und voller Macken. Wie alte Haut mit Narben. Ich seufze und fahre zart mit dem Zeigefinger über die Kerben. Dabei vergleiche ich meine großen Hände mit den feingliedrigen meiner Schwester. Ich seufze wieder.

»Katja, ich würde gerne mit dir …«

Dieses Mal unterbricht mich der leise Klingelton ihres Handys. Sie wirft einen kurzen Blick auf das Display und steckt es wieder weg.

Zara stellt zwei dampfende Teetassen vor Katja und mich auf den Tisch.

»Nicht Jonas?«, fragt sie.

»Nein. Erik.«

»Der hat gestern zweimal hier angerufen und auf den Anrufbeantworter gesprochen.«

»Ich weiß. Ich rufe ihn später zurück.« Katja legt das Zigarettenpäckchen wieder hin und umfasst die Tasse mit beiden Händen. Erik, ihr … was? Derzeitiger Liebhaber? Freund? Sie drückt ihn weg, das heißt, die erste Phase der Verliebtheit ist schon wieder vorbei. Die schlimmste Feindin einer Beziehung sei die Gewohnheit, meint sie.

»Er war früher immer so leicht zu begeistern. Wisst ihr noch? Es war doch immer einfach mit uns.«

Jetzt spricht sie wieder von Jonas, kombiniere ich und schweige. Es war nicht einfach, das war es nie, sie hat es sich nur immer einfach gemacht.

»Wenn ich von der Arbeit nach Hause kam, hat er seine Arme um meinen Hals gelegt, und ich habe ihn ins Bett gebracht. Was ist bloß passiert? Und wann ist es passiert?«, jammert sie. Diese Art von Jammern ist eher untypisch für Katja. Sie muss wirklich sehr müde sein.

Als Jonas ein Baby war, hat sie ihn ständig bei mir geparkt. Entweder, weil sie einer Story auf der Spur war, oder weil sie einen neuen Mann kennengelernt hatte oder weil sie auf eine Party wollte. Und als Clara dann da war und ich nicht mehr zur Verfügung stand, hat sie Zara an Land gezogen. Und Max. Er wohnt auch hier und ist Fotograf beim gleichen Verlag, für den auch Katja als freie Journalistin arbeitet.

»Ihr müsst auf jeden Fall noch einmal über die Sache reden«, sagt Zara gerade. »Jonas ist in einem Alter, in dem er sich leicht beeinflussen lässt. Das ist nicht ungefährlich. Er ist unsicher, vielleicht, weil ihm das männliche Pendant zu dir fehlt.«

»Er hat doch Max«, meint Katja.

Max ist so alt wie Katja und hat ein Tattoo. Am Hals.

»Vielleicht reicht das nicht«, sagt Zara und nippt an ihrer Tasse. »Du bist sehr viel unterwegs.«

»Mein Gott, Jonas ist schließlich kein Baby mehr.«

»Du warst auch viel unterwegs, als er sehr klein war.«

»Aber er war nicht allein. Er war nie allein.«

Zara stellt die Tasse ab.

»Ich habe letzte Woche ein Interview mit dem Vater eines Fünfjährigen gelesen, der gerne Röcke trägt«, meint sie nach kurzer Überlegung. »Der meinte, es sei nicht seine Aufgabe, seinen Sohn davon abzuhalten, sondern ihm dabei zu helfen, es selbstbewusst zu tun.«

Dann nimmt sie ihren Tee und geht.

Es ist zwanzig nach fünf.

* * *

Ich beobachte, wie Katjas Augen über den Brief fliegen. »Und?«, frage ich sie gespannt. »Was meinst du dazu?«

»Verbrenn ihn«, sagt sie und reicht mir das Blatt zusammengefaltet zurück.

»Was? Warum?«

»Weil es nur blöde Andeutungen sind.«

»Ja, aber ... das Datum ...«

»Das Datum?«

»November 2011. Das muss ungefähr die Zeit gewesen sein, als sie erfuhr, wie krank sie war.«

»Ja und?«

»Vielleicht wollte sie uns vor ihrem Tod noch etwas sehr Wichtiges sagen.«

»Du meinst frei nach dem Motto: Ich bin todkrank, und bevor ich gehe, muss ich noch schnell mein Leben *in Ordnung* bringen?«

Mein Blick wandert zum Fenster. Draußen regnet es noch immer. Oder schon wieder. »Ja«, sage ich versonnen. »Vielleicht.«

»Das ist ihr aber nicht besonders gut gelungen.«

»Vielleicht ... wurde sie beim Schreiben gestört«, überlege ich. »Oder sie hatte schreckliche Schmerzen.«

»Mir kommen die Tränen. Sie hätte noch rund anderthalb Jahre Gelegenheit gehabt, die Sache zu Ende zu bringen.«

»Vielleicht gibt es ja noch einen Brief, einen fertigen.«

»Ach Alex. Gib auf.« Genervt greift Katja nach ihren Zigaretten. »Sie ist tot. Kann sie uns nicht endlich in Ruhe lassen?«

Katja und Ines hatten mehr als zehn Jahre keinen Kontakt mehr. Etwa drei Wochen vor ihrem Tod hatte ich Katja überredet, unsere Mutter noch einmal zu besuchen. Ich wusste, es würde die letzte Möglichkeit sein, das wussten wir alle. Ich finde, letzte Möglichkeiten darf man nicht einfach ignorieren. Sonst tut es einem später leid.

Selbst Katja musste damals zugeben, dass sich etwas verändert hatte. Dass sie weicher geworden war, irgendwie.

»Meinst du, es stimmt?«, frage ich.

»Was?«

»Denkst du, sie hat nachgeholfen? Am Ende?«

»Es würde zu ihr passen.«

»Findest du das nicht schrecklich?«

»Nein. Warum? Es war klar, dass sie stirbt. Ich würde das Gleiche tun.«

»Katja!«

»Was? Lass deinen Zeigefinger bei dir. Jeder sollte das selbst entscheiden dürfen.«

Ich schweige. In manchen Punkten sind wir uns einig, Katja und ich. Und in anderen nicht.

»Und das andere. Sie schreibt, dass sie uns die Wahrheit schuldig ist. Was kann sie damit gemeint haben?«

»Alex, wirklich, ich habe keine Ahnung, und ehrlich gesagt ist es mir auch egal.«

Ich falte den Brief wieder auseinander.

»Vielleicht haben wir irgendetwas übersehen oder nicht verstanden«, sage ich, bereit ihn zum hundertsten Mal zu lesen.

»Ich gehe eine rauchen«, sagt Katja und steht auf.

Sie schaut aus dem Fenster und schüttelt unwillig den Kopf. Das Grau des Himmels liegt wie eine schwere Decke auf dem nassen Asphalt.

»Ist es okay, wenn ich hier rauche?«, fragt sie.

Ich nicke abgelenkt. Sie kennt meine Empfindlichkeit, aber es ist ihre Wohnung.

Sie öffnet das Fenster und setzt sich wieder, während ich lese. Wort für Wort, mit Bedacht und sehr konzentriert. Habe ich etwas nicht erkannt? Eine andere Bedeutung, einen tieferen Sinn?

Frische Luft strömt ins Zimmer. Ich bin überrascht, wie mild es ist, trotz des Regens.

»Sie schreibt von einer Esther«, sage ich und hebe den Blick. »Den Namen hat sie bei uns nie erwähnt. Was glaubst du? Welche Rolle könnte diese Frau in ihrem Leben gespielt haben?«

»Keine Ahnung«, meint Katja und nimmt einen tiefen Zug. »Vielleicht eine Freundin, mit der sie Streit hatte.«

»Aber warum hat sie uns nichts von ihr erzählt?«

»Mein Gott, sie hat uns nie irgendetwas erzählt. Oder hast du da andere Erinnerungen?«

Die alte Wut schleicht sich in Katjas Stimme. Aber sie hat recht. Allerdings wurde unsere Mutter 1947 geboren, also gut zwei Jahre nach Kriegsende. Damit gehörte sie einer Generation an, die nicht gelernt hatte, über Probleme zu reden. Ihre Generation hatte gelernt, das Leben schweigend zu ertragen.

»Aber, wenn Esther ihre Freundin war … Ich meine, eine Freundin, das ist doch etwas sehr Wertvolles. Warum hatten sie keinen Kontakt mehr?«

Was mochte Ines erlebt haben? Ich stelle mir etwas Tragisches vor. Ob sie deshalb so geworden ist, wie sie war?

»Woher soll ich das wissen?«

»Vielleicht kann Esther uns ja etwas sagen. Irgendeine Erklärung für … das alles.«

»Alex, wir wissen weder, wer diese Frau ist oder wo sie lebt, noch was sie macht oder warum die beiden nichts mehr miteinander zu tun hatten. Wir wissen einfach nichts.«

»Doch. Ihren Vornamen.«

»Und weiter?«

»Vielleicht gab es irgendwelche unglücklichen Umstände, weshalb der Kontakt abbrach. Vielleicht freut sich Esther ja, wenn wir uns bei ihr melden.«

»Oder vielleicht hatte Esther einfach keinen Bock mehr darauf, Ines' Freundin zu sein, und vielleicht hat sie auch keine Lust, unsere dämlichen Fragen zu beantworten. Das scheint mir jedenfalls am wahrscheinlichsten.«

»Und unser Vater?«, frage ich leise. »Ich meine, wenn er noch lebt ...«

Gefährliches Terrain.

»Alex, es reicht!«, warnt sie.

»Von ihm haben wir immerhin den vollständigen Namen.«

»Er hat uns verlassen. Du warst sieben, und ich war vier. Und er hat nie wieder nach uns gefragt.«

»Vielleicht hat er ja versucht Kontakt aufzunehmen, oder er war ...«

»Wenn du noch einmal ›vielleicht‹ sagst, schreie ich. Wenn er wirklich gewollt hätte, hätte er uns gefunden.«

»Du denkst, wir waren ihm egal?«

Der alte Schmerz. Ungeliebtes Kind.

»Er ist gegangen. Wir haben nie wieder etwas von ihm gehört. Das ist die traurige Wahrheit.«

»Und was machen wir jetzt?« Ich suche Katjas Blick. Ich bin selten hartnäckig, aber wenn, dann bis zum Schluss. »Ob sie sich verliebt hatte? Damals in diesem Sommer? Da war sie knapp sechzehn. Eine unglückliche Liebe? Dieser Satz: *Da habe ich mich in ...* könnte das doch bedeuten?«

»Wäre immerhin normal, obwohl ich es mir bei unserer Mutter beim besten Willen nicht vorstellen kann.«

»Also ich finde, wir sollten zumindest versuchen herauszufinden, wer diese Esther ist.«

»Wozu?«

»Sie kann keine junge Frau mehr sein, wenn wir es jetzt nicht versuchen, ist es irgendwann zu spät.«

»Das ist es doch sowieso«, sagt Katja.

»Warum? Meinst du, dass sie schon gar nicht mehr lebt?«

»Entweder das, oder es gab eben gute Gründe dafür, dass sie keinen Kontakt mehr hatten. Und dann wird sich auch nichts daran ändern, nur weil wir nach Jahrzehnten auf der Bildfläche erscheinen und mit ihr über Ines reden wollen.«

»Aber das wissen wir alles erst, wenn wir sie finden und sie fragen. Und wir finden sie nicht, wenn wir uns nicht darum kümmern.«

Einen Moment schweigen wir beide.

»Na gut«, sagt Katja plötzlich, und ich sehe sie überrascht an. Ich höre einen Hauch Interesse in ihrer Stimme. Vielleicht ist es ihre beruflich bedingte Neugier als Journalistin, die mir jetzt zu Hilfe kommt. Oder da ist doch noch etwas versteckt, irgendetwas Positives in irgendeiner Kammer des Erinnerns, ich weiß es nicht. Über ihre Gefühle redet Katja nie mit mir.

»Also gut«, wiederholt sie. »Da stehen zwei Namen: Esther hatten wir schon. Außerdem Thomas, ihr Bruder. Uns fehlen die Nachnamen.«

»Kann man doch bestimmt rausfinden. Am besten, wir konzentrieren uns auf Esther. Sie war Ines' Freundin, sie weiß bestimmt, was damals los war«, sage ich eifrig.

»Ja, wahrscheinlich.«

»Esther dürfte etwa in Ines' Alter sein. Wenn sie überhaupt noch lebt«, meldet sich mein Zweifel.

»Das sehen wir dann. Jedes Kaff beurkundet Geburts- und Sterbefälle.«

»Du meinst, wir fragen auf dem Amt nach?«

»Ja. Oder hast du eine bessere Idee?«

51

»Ob die uns die Informationen einfach geben?«, frage ich mit noch mehr Zweifeln.

»Wir brauchen halt einen guten Grund, so etwas wie ein berechtigtes Interesse.«

»Okay. Und was könnte das sein?«

»Hm. Das ist jetzt erst einmal hypothetisch, aber wir könnten ...« Sie überlegt einen Moment. Ich störe sie tunlichst nicht dabei.

»Wir könnten so tun, als hätte Ines ihrer Freundin etwas hinterlassen und uns beauftragt, die Übergabe zu regeln«, weiht sie mich in das Resultat ihrer Überlegung ein.

»Das ist gut«, freue ich mich. »Eine super Idee! Wie gehen wir vor? Rufst du an? Oder sollen wir besser eine Mail schreiben?«

»Ich glaube, in diesem Fall ist es am besten, wenn wir uns persönlich dorthin begeben«, sagt sie und sieht mich mit einem schiefen Grinsen an. »Es ist ja nicht damit getan, dass wir den kompletten Namen erfahren. Wir müssten dann auch mit Esther reden.«

Sie wirft einen Blick auf ihre Uhr. »Das wird allerdings heute nichts mehr.«

Ich springe erschrocken auf. »Oje! Ich muss gehen, wir können morgen weiterreden«, sage ich.

»Komische Vorstellung, dass wir einmal in Altweil gewohnt haben. Weißt du noch?«, sinniert Katja und blickt aus dem Fenster.

Ich suche hektisch nach meinem Autoschlüssel. »Ein paar Erinnerungen habe ich, aber nicht sehr viele. Und du?«

»Kaum«, sagt sie wieder gewohnt knapp. »Ich war erst vier.«

Gott sei Dank, der Schlüssel.

»Du, ich melde mich morgen bei dir, dann …«

»Ich habe ab übernächster Woche Urlaub. Wir könnten zusammen hinfahren«, unterbricht sie mich.

»Übernächste Woche?«

»Ja. Am Montag.«

»Nein. Das geht nicht. Da kann ich nicht.«

»Was? Warum nicht?«

»Wir fliegen doch am nächsten Samstag in die Türkei«, sage ich und verziehe das Gesicht.

»Also Alex, so geht das nicht. Du musst Prioritäten setzen.«

»Das tue ich doch. Meine Familie hat Priorität.«

»So ein Quatsch. Du hast mir selbst gesagt, dass Elli nicht mitwill, du nicht mitwillst, Till nichts will außer seiner Ruhe und Martin nichts außer Tennis spielen. Was soll das Ganze?«

»Wir sind eine Familie. Martin hat diesen Urlaub für uns gebucht. Für unsere Familie. Verstehst du?«

»Martin hat den Urlaub gebucht, weil er ihm in den Kram passt. Es ist SEIN Urlaub. Ihr seid nur schmückendes Beiwerk. Außerdem gibt es ja tatsächlich im Moment Wichtigeres als das. Und er ist ein erwachsener, einigermaßen vernunftbegabter Mensch, er wird wohl verstehen, wenn du ihm erklärst, warum du nicht mitkommst. Nicht mitkommen kannst«

»Katja, es geht wirklich nicht. Ich habe gerade erst unschöne Diskussionen deswegen hinter mir.«

»Also ehrlich. Ich habe einen pubertierenden Sohn, der sich von einer Scheiße in die nächste bugsiert. Die Wohnung müsste dringend mal renoviert werden und mein Auto zum TÜV. Glaubst du denn, ich hätte nichts Besseres zu tun?«

»Es geht nicht«, beharre ich.

»Mann, erst rührst du eine Suppe an, und dann lässt du sie andere auslöffeln.«

»Katja, bitte. Warum können wir nicht diese Woche noch fahren?«

»Ich arbeite«, sagt Katja mit einer derart herablassenden Stimme, dass ich ihr am liebsten eine kleben würde.

»Ich tue sonst alles, aber die nächsten beiden Wochen bin ich nicht verfügbar«, beharre ich.

Es ist drei Minuten nach sechs, ich stürze zur Tür.

»Gut. Dann lassen wir's. Es war schließlich deine Idee«, ruft Katja mir nach.

* * *

Zu Hause stürze ich mich in die Küche und reiße den Kühlschrank auf. Ich stelle Butter, Wurst, Käse, Radieschen und feine Gürkchen auf den Tisch und schneide zwei Tomaten auf. Da sind noch vier hartgekochte Eier vom Vortag. Martin mag keine harte Butter, aber er liebt hartgekochte, in dünne Scheiben geschnittene Eier. Ich dekoriere sie mit etwas Petersilie und würze die Tomaten. Das Basilikum auf der Fensterbank gibt ein trauriges Bild ab. Ich zupfe ein paar letzte Blättchen von dem, was noch übrig ist, streue sie über die Tomaten. *Das Auge isst mit.* Jetzt fehlen nur noch Teller und Bestecke. Es ist 18 Uhr 32.

Im Flur rufe ich meinen Sohn. »Till, Abendessen.«

Er kommt polternd die Treppe herunter. »Papa hat

vorhin angerufen. Wir sollen nicht auf ihn warten, es könnte spät werden.«

Katja

Sie liegt auf dem Rücken, den Blick zur Decke, und raucht. Eigentlich wollte sie nicht mehr in der Wohnung rauchen, schon gar nicht im Bett, aber es ist nach elf, sie ist müde und das Verlangen nach einer Zigarette stärker als der gute Wille. Der Versuch, mit Jonas zu reden, ist gescheitert. Wieder einmal. Sie kommt nicht mehr an ihn heran.

»Reg dich ab. Die Tabletten sind nicht von mir.«

»Von wem sind sie dann?«

»Geht dich nix an.«

Schön wär's.

Soll sie wirklich mit Alexa in die Vergangenheit reisen und sich um »Probleme« kümmern, die längst keine Bedeutung mehr haben, wo es doch ganz offensichtlich genug Probleme in der Gegenwart gibt? Und überhaupt: Was geht sie Ines' Vergangenheit an?

Sie denkt an Alexas eifriges Gesicht heute Mittag, ihre Hartnäckigkeit, weil sie sich mal wieder etwas in den Kopf gesetzt hat. Katja muss lächeln. Das ist typisch für ihre große Schwester. »Muss das sein?«, fragt Erik genervt, als sie sachte in seine Richtung bläst.

Sie antwortet nicht. Es ist ihr Zimmer, ihr Bett, ihre Gesundheit. Wenn es ihm nicht passt, kann er gehen.

Er dreht sich zu ihr um, nimmt ihr sanft die Zigarette aus der Hand und drückt sie im Aschenbecher aus.

»Konnte ich deine Lust nicht befriedigen? Brauchst du Nachschub?« Er schiebt ihr Shirt hoch und beginnt mit der Zunge ihren Nabel zu umkreisen. Es fühlt sich gut an. Sie spürt, wie die neue Lust an ihren Schenkeln leckt. Sie nimmt seinen Kopf und wühlt ihre Hände in seine Haare. Sein Haar ist dunkel und voll, nur die bereits grau werdenden Schläfen zeigen, dass er kein ganz junger Mann mehr ist. Sie zieht ihn hoch und küsst seine Stirn, seine Nase, seine Lippen, nimmt seinen Geruch auf und schmeckt den Wein, den sie zusammen getrunken haben. Er riecht gut, er schmeckt gut. Und er fickt gut.

Aber in den letzten Wochen hat sich etwas verändert. Es ist anstrengender geworden. Die Leichtigkeit ist im Begriff, sich zu verabschieden und einer gereizten Erwartung Platz zu machen.

Normalerweise ist es der immer gleiche, unkomplizierte Ablauf: Sie lernt einen Mann kennen, verabredet sich, geht mit ihm essen oder ins Bett oder beides, und irgendwann bedankt sie sich für die schöne Zeit, und das war es. Aber bei Erik ist es anders. Er lässt sich nicht einfach wegschicken. Und sie ist sich auch gar nicht sicher, ob sie das will. Sie ist gerne mit ihm zusammen. Die Vorstellung einer neuen Liebe hat ihren Reiz verloren. Schon der Gedanke daran ist Anstrengung. Neue Vorlieben, neue Gewohnheiten, neue Auseinandersetzungen. Nein, sie hat keine Lust, sich schon wieder auf einen Partner einzustellen. Aber sie will auch keine Komplikationen. Warum faselt er jetzt etwas von einer Partnerschaft auf Augenhöhe, von mehr Nähe und gemeinsamen Zielen?

Und überhaupt. Was ist nur los mit ihrem Leben?

Jonas funktioniert immer weniger, Erik stellt anstrengende Forderungen und dann noch Ines' dubiose Andeutungen einer *Wahrheit* und Alexa, die meint, der Sache unbedingt auf den Grund gehen zu müssen. Das klingt nach Anstrengung und nach Problemen, die sie nicht will und nicht braucht.

»Ich liebe dich«, flüstert Erik. Was sagt er da? Hat sie sich verhört? Er wiederholt seine Worte, und sie erschreckt. Das hat er noch nie gesagt. Sie rückt unwillig einen Zentimeter zur Seite. Er rückt nach, lässt keine Lücke zu, Haut an Haut, ihr Schweiß vermischt sich mit seinem, sein Atem bläst ihr ins Gesicht, seine Finger streichen zart über ihren Bauch. Sie gibt einen kleinen, unwilligen Ton von sich, etwas zwischen »Hör auf« und »Mach weiter«, wendet sich nicht zu und nicht ab, weiß nicht, was sie will. Oder vielleicht hat sie auch einfach Angst, auch das weiß sie nicht. Er rollt sich auf sie, seine Bewegungen werden immer weicher. Seine Zunge und seine Hände lenken sie von ihren Gedanken ab und von ihrem Leben. Ihr Unmut verschwimmt, sie lässt sich fallen, nimmt ihn auf und genießt den kurzen Rausch der Befriedigung.

Das Telefon klingelt. Sie streckt sich und greift über Erik nach dem Handy auf dem Nachttisch. Es ist die Nummer ihrer Schwester.

»Hey, was gibt's?«

»Können wir noch mal reden? Über den Brief? Er geht mir nicht aus dem Kopf.«

Sie sieht zu Erik, der sie anlächelt. Er hat schöne Lippen.

»Okay. Morgen Abend?«, sagt sie und lauscht der Stimme ihrer Schwester.

»Gut. Acht Uhr. Beim Italiener auf der Ecke.«

Sie legt auf und sieht ihn an.

»Wir wollten morgen Abend gemeinsam zu diesem Treffen.« Sie hört den leichten Vorwurf in seiner Stimme.

»Ja, wollten wir«, antwortet sie leichthin. »Aber jetzt habe ich etwas anderes vor.«

Alexa

Natürlich denke ich an Ines, während ich nackt vom Bad ins Schlafzimmer laufe. Und an den Brief. Ich kann an fast nichts anderes mehr denken.

Was erwarte ich von meiner Schwester? Dass sie die Sache in die Hand nimmt? Welche Sache eigentlich? Katja ist meine kleine Schwester, aber sie war immer schon die Selbstbewusstere von uns beiden. Die Anführerin, die Bestimmerin. Sie ist es bis heute. Leute, die uns nicht kennen, denken oft, ich sei die Stärkere, weil ich älter bin, größer und kräftiger. Aber das stimmt nicht.

Ich möchte, dass Katja entscheidet, was wir jetzt tun. Ich habe keine Ahnung. Hauptsache, wir tun etwas. Es kann natürlich auch sein, dass sie nichts unternehmen möchte. Weil für sie nach unserem Disput alles erledigt war. Aber sie war bereit, sich noch einmal mit mir zu treffen. Und das würde sie nicht tun, wenn es sie nicht auch noch beschäftigen würde.

Wir sind uns grundsätzlich sehr nahe, Katja und ich. Als Schwestern sind wir tief miteinander verbunden, aber wir sind uns nicht sehr ähnlich. Das Einzige, was wir beide jemals gemeinsam hatten, waren unsere Eltern und – bis ich geheiratet habe – der Nachname.

Auch optisch sind wir ein ziemliches Kontrastprogramm. Meine Haare sind dunkel, fast schwarz, und sehr kräftig und kraus, Katjas dagegen fein, hell und glatt wie Seide.

Außerdem bin ich die Wuchtbrumme in unserer Familie, das muss ich von unserem Vater haben. Meine Statur ist für eine Frau ziemlich kräftig. Katja ist so schmal und feingliedrig wie eine Gazelle. Neben ihr fühle ich mich, um in der Tierwelt zu bleiben, wie ein Elefant. Es liegt an meinen Knochen. Wenn wir unsere Arme nebeneinander auf einen Tisch legen, wirkt Katjas Arm so filigran wie ein Kinderarm, während meiner, dunkel und kräftig, eher an einen Mann erinnert. Dabei ist auch Katja nicht klein, sie hat einfach nur einen zierlichen Körperbau. Sie ist so, wie ich es immer gern sein wollte.

Ines sehen wir übrigens beide nicht sehr ähnlich. Ihre Haare waren glatt und braun, mit einem leichten Stich ins Rötliche. Jedenfalls bevor sie grau wurden. Sie war ebenfalls schmal, aber eher klein und hager. Nicht zerbrechlich, nur zäh. Sie hatte braune Augen, wie ich, während Katjas Augen blau sind. Stahlblau.

Ich öffne die Schubladen vom Kleiderschrank, nehme den Duft nach Waschmittel und nach Martins Duschgel wahr. Und nach Schweiß. Es ist mein eigener, ich war fast vier Stunden im Garten. Der Wecker auf meinem Nachttisch zeigt Viertel nach sieben. Um acht wollen wir uns in der Stadt treffen, viel Zeit zum Trödeln bleibt mir nicht. Ich nehme frische Unterwäsche und eine Jeans aus dem Schrank. Aber welches Ober-teil?

Mama und Katja hatten es nicht leicht miteinander. Mama und ich auch nicht, aber ich bin weniger wider-spenstig, weshalb Unstimmigkeiten bei uns seltener eskalierten.

Ich glaube nicht, dass wir Wunschkinder waren. Unsere Mutter war kein Mama-Typ. Sie war nicht böse, jedenfalls nicht immer, meistens hatte sie einfach keine Lust, sich um uns zu kümmern. Und meistens hatte sie schlechte Laune, wenn sie es musste. Ich er-innere mich noch gut an das tägliche bange Warten, bevor sie von der Arbeit nach Hause kam.

Wo ist Katja? Bist du nicht einmal in der Lage, ein paar Stunden auf deine kleine Schwester aufzupassen? Wamm, hatte ich eine Ohrfeige kassiert.

Das langärmlige Streifenshirt? Nein. Besser die wei-ße Bluse. Die passt gut zu meiner gebräunten Haut. Und dazu das beige Leinensakko.

Ich tappe zurück ins Bad und stelle mich unter die Dusche. Aber vielleicht konnte sie nichts dafür. Seit ich den Brief gefunden habe, male ich mir die wildes-ten Geschichten aus. Dass Ines als junges Mädchen vergewaltigt wurde oder dass sie ein Findelkind war. Sie hatte bestimmt eine ganz schreckliche Kindheit.

Ich seife mich von Kopf bis Fuß ein und massiere mit dem Wasserstrahl meinen Nacken. Vielleicht hat Ines aber auch einfach nur Esthers Bruder den Kopf verdreht und ihn unglücklich gemacht, oder sie hat ihren Mathelehrer verführt und es gab Ärger. Nein. Das war Katja. Und es war der Geographielehrer. Und der erste Mann, den ich selbst gerne gehabt hätte. Ich bin groß, aber unsichtbar. Am unsichtbarsten neben Katja.

Zwanzig Minuten später stehe ich abfahrbereit in der Garderobe. Ich höre Martin im Wohnzimmer mit der Zeitung rascheln.

»Pass auf, dass Till nicht wieder ewig vorm Computer hängt. Ich kriege ihn morgens kaum noch aus dem Bett. Und Elli hat in den ganzen Ferien noch nicht einmal in ihre Mathebücher geschaut, vielleicht solltest du diese Kenntnis mit einbeziehen, wenn sie nachher fragt, ob du sie irgendwohin chauffierst«, rufe ich in seine Richtung.

»Kein Problem. Ich kläre das«, kommt Martins Antwort prompt.

»Essen ist im Backofen. Ich habe den Timer eingestellt, müsste in einer Viertelstunde fertig sein.«

»Danke. Viel Spaß und schönen Gruß an Katja.«

»Danke. Tschüs.«

Ich trete vor die Tür. Warmer Wind streift meinen Nacken. Es erinnert mich an früher, als Martin mir, wenn ich bäuchlings auf dem Bett lag, manchmal ganz zart ins Genick pustete. Ich mochte diesen sanften, federleichten Atem, und ich mochte die verhaltene Lust, die damit einherging. Ich weiß selbst nicht warum, aber ich habe Martin nichts von dem Brief erzählt. Nachher, wenn ich nach Hause komme, nehme ich mir vor.

Der Abend ist schön, die Luft mild. Vielleicht ist es der letzte warme Sommerabend in diesem Jahr. Wenn die Prognosen stimmen, wird das Wetter am Wochenende schlechter, und nach dem Urlaub ist der Sommer sowieso vorbei, da ist es schon bald Oktober.

Ich setze mich ins Auto und will gerade losfahren, da fällt mir ein, dass am Nachmittag der Bofrost-Mann da war. Mein Portemonnaie liegt noch auf der Kommode im Flur. Ich öffne die Autotür und verursache damit beinahe einen Zusammenstoß. Es ist unser neuer Nachbar.

»Oh. Hallo«, sagt er.

»Ups, tut mir leid«, sage ich. »Ich habe nicht in den Spiegel geschaut und …«

»Entschuldigung, ich war so in Gedanken, dass ich Sie …«, setzen wir zeitgleich an.

»Nein, nein, es war mein Fehler.«

»Nein, meiner.«

Sein Lächeln gefällt mir.

»Ich heiße Nick«, sagt er und streckt mir die Hand entgegen.

»Alexa.« Seine Hand fühlt sich gut an, trocken und warm, kräftig und sanft, mit genau dem richtigen Maß an Druck.

Ich sehe ihn genauer an, sofern man jemanden genauer ansehen kann, ohne den Eindruck zu vermitteln, dass man starrt oder ein unangemessenes Interesse zeigt. Er sieht gut aus. Braune volle Haare, ein nettes Gesicht mit einem breiten Mund, etwa meine Größe und sehr schlank. Aber nicht mein Typ. Überhaupt nicht mein Typ. Mein Typ sind große und kräftige Männer. Männer, neben denen ich mich annähernd zierlich fühlen kann. Ich merke, dass ich seine Hand noch immer in meiner halte, und lasse sie schnell los.

»Ja, dann«, sage ich.

»Ja, dann«, sagt er. »Vielleicht kommen Sie abends einmal auf ein Glas Wein vorbei? Dann stoßen wir auf unsere neue Nachbarschaft an.« Wieder sein umwerfendes Lächeln.

»Gerne.« Ich lächle zurück und besinne mich. Katja wartet. Schnell laufe ich zurück zum Haus. Schon während ich die Tür öffne, noch immer das Lächeln auf meinen Lippen, höre ich Martin reden. Er redet vorsichtig und verhalten, er flüstert fast, aber ich höre ihn trotzdem. Verstehe, was er sagt: »Ich vermisse dich auch.«

Vorsichtig trete ich an die offene Wohnzimmertür. Er steht mit dem Rücken zu mir am Fenster und schaut hinaus. Das Telefon am Ohr. Jetzt lächle ich nicht mehr. Ich vergesse fast zu atmen und überlege, was ich sagen oder tun soll. Ich muss etwas sagen, mich bemerkbar machen, die Sache beenden, bevor es zu spät ist, bevor er noch etwas sagt, etwas, das es mir unmöglich macht, diesen eben gehörten Satz zu ignorieren.

Und gleichzeitig wünsche ich mir, dass es ein Missverständnis ist. Dass ich mich verhört habe. Mein Herz schlägt dumpf, ich fühle mich wie eine Einbrecherin.

»Ich würde jetzt gerne noch viel mehr küssen. Alles. Deinen Hals, deine Schulter, deine Brüste, hmmm, die weiche Haut an deinen Innenschenkeln, deine kleine …«

Sei still, sei still, sei doch still, denke ich und presse mir die Hände auf den Mund.

»Schließ die Augen. Spürst du meine Zunge? Am Bauchnabel? Gut. Und jetzt bewegt sie sich vorsichtig und ganz langsam nach unten, fühlst du es? Weiter, immer weiter, bis zu deiner kleinen, süßen Schatzgrube und …«

Er dreht sich um. Ich sehe sein Gesicht, und in diesem Moment weiß ich alles.

»Ich, ehm, ich rufe dich später an, der Termin muss verschoben werden«, murmelt Martin ins Telefon. Und zu mir: »Spionierst du mir nach?«

Ich fühle mich wie betäubt.

»Ich spioniere nicht, ich bin nur zufällig ...«

»Alexa, zieh jetzt keine übereilten Schlüsse. Das ist nicht ... ich bin ...«

Die Starre weicht der Erkenntnis.

»Wie heißt sie?«, flüstere ich.

»Alexa, lass uns ...«

»Kenne ich sie?«

»Nein. Können wir uns vielleicht in Ruhe ...« Der angefangene Satz steht in der Luft und hinterlässt eine nervöse Stille. Langsam lasse ich mich im offenen Türrahmen auf den Boden gleiten, ein laues, schabendes Geräusch. Meine Knie ragen in die Luft, und ich lege die Hände darauf. *Du hast Knochen wie ein Mann*, sagt Martin oft.

»Es hat nichts zu bedeuten.«

Die obligatorische Beteuerung. Alles kein Problem, ist doch nichts Schlimmes passiert. *Es hat nichts zu bedeuten.*

»Sag mir, wie sie heißt.«

»Das ist doch egal.«

»Bitte!«

»Das ist Unsinn. Warum willst du ...«

»Ich will es wissen.«

Er sträubt sich. Ich warte.

»Ich will es wissen«, wiederhole ich.

»Silke«, sagt er endlich.

»Wie alt?«

»Alexa …«

Und dann kommt die Wut.

»Wie alt?«

»Dreiunddreißig.«

Zwölf Jahre. Jünger! Als ich dreiunddreißig war, war ich mit Clara schwanger.

»Woher kennt ihr euch?«

Martin setzt sich an den Tisch und stützt den Kopf auf. Es ist die gleiche Geste der verzweifelten Ergebenheit wie nach Claras Tod.

Fang du jetzt bloß nicht an zu heulen, denke ich.

»Woher?«

»Ihr Mann ist im selben Tennisverein.«

Er hatte viele Trainerstunden in den letzten Wochen.

»Sie ist also auch verheiratet?«

»Alexa, es tut mir leid, ich …«

Ich sehe die Tränen in seinen Augen. Es ist wirklich wie bei Clara. Ich rapple mich auf.

»Ich packe jetzt ein paar Sachen und fahre zu Katja.«

»Alexa, lass uns reden.«

»Nicht jetzt.«

»Bitte, lass mich dir erklären …«

»Ich komme nicht mit.«

»Was?«

»Ich komme nicht mit in die Türkei.«

»Was hat das denn damit …«

»Fahr mit Till, ich bleibe hier.«

»Alexa, bitte, jetzt bleib mal auf dem Teppich!«, ruft er. Er schreit fast. Mein ruhiger, sachlicher Martin.

Mein Herz klopft wie verrückt, aber meine Stimme ist ruhig. Ich bin mir ganz sicher.

»Und achte bitte darauf, dass er nicht zu viel vorm Computer sitzt. Ach, und kläre mit Elli die Rahmenbedingungen, bevor du fährst.« Ich drehe mich um und gehe hinauf ins Schlafzimmer. Martin kommt hinter mir her.

»Jetzt dramatisier doch nicht so! Was ist denn schon groß passiert! Lass uns in Ruhe darüber reden. Wegen so einer Lappalie muss man doch nicht gleich zum großen Angriff übergehen.«

»Lappalie, aha.« Ich drehe mich kurz um und sehe ihn an. »Was würde deine Schatzgrube wohl dazu sagen?«

Die Reisetasche ist ganz unten im Schrank. »Im Übrigen gehe ich zu keinem großen Angriff über, sondern weg. Wenigstens für die nächsten Tage.«

Ich bin selbst ganz überrascht von mir. Von der Ruhe, mit der ich der Situation begegne. Ich durchbreche gerade meine üblichen Muster. Meine schlimmste Befürchtung ist eingetroffen, und ich bin ruhig und sachlich. Wenigstens fast. Ich rechtfertige nichts, und ich schreie nicht.

»Was soll ich machen? Bitte sag es mir. Ich rufe Silke sofort an und beende die Sache.«

»Ob du die ›Sache‹ oder die ›Lappalie‹ beendest oder nicht, ist mir ehrlich gesagt im Moment ziemlich egal. Es ändert nichts an meinem Entschluss.«

Die Lüge kommt mir glatt von den Lippen. Es ist mir natürlich nicht egal, aber er ist reumütig, und ich bin wütend. Ich werfe die Tasche auf das Bett und beginne zu packen.

»Alexa, bitte. Lass uns reden wie zwei erwachsene Menschen.«

Unterwäsche, Schlafwäsche, Socken, zwei Jeans, T-Shirts, zwei Strickjacken. Auch den Bikini.

»Nein, Martin. Jedenfalls nicht jetzt. Ich meine, ich habe vor drei Minuten gehört, wie du die weichen, zarten Innenschenkel einer mir fremden Frau beschrieben hast, wie du ihr eine Zungenmassage an ihrer – ich zitiere – ›kleinen, süßen Schatzgrube‹ in Aussicht gestellt hast, wie du ...«

»Es tut mir leid, wirklich, ich ...«

»Nichts, was du jetzt sagst oder tust, kann etwas ändern. Hab wenigstens so viel Anstand und lass mir Zeit zum Nachdenken.«

Ich gehe ins Bad, Martin noch immer dicht hinter mir. Zahnbürste, Zahnpasta. Es ist nur eine Tube da. Ich kann mir morgen eine neue besorgen. Nein! Ich werfe die Tube in meinen Beutel. Das kann er auch.

»Bitte, Alexa, mach nicht alles kaputt!« *Er hat tatsächlich die Kontrolle verloren*, denke ich. Fast stellt sich ein leichtes Triumphgefühl ein.

»Nicht ich mache etwas kaputt, Martin. Ich packe jetzt den Koffer und fahre zu Katja. Du wirst unseren Kindern erklären, dass ich mit ihr wegfahren musste, um ... um etwas in Sachen Erbschaft unserer Mutter zu klären. Was uns beide betrifft: Das hat Zeit bis nach dem Urlaub. Vielleicht sehen wir beide dann wieder etwas klarer.«

Ich verlasse das Haus und steige in den Wagen. Meine Bewegungen sind langsam, irgendwie unkoordiniert. So als wüsste der Daumen nicht, was der Zeigefinger macht. Ich sehe Martin. Er steht oben am

Fenster und sieht zu mir herunter. Der Motor surrt, ich lege den Gang ein, und der Wagen rollt auf die Straße. Meine Wut verraucht, zurück bleibt Angst. Taub machende, lähmende Angst.

Ich muss hier weg. Sonst wird das, was ich gerade erfahren habe, zur unumstößlichen Realität. Auch deshalb muss ich weg.

2

Vom Suchen

Alexa

Wir sitzen in Katjas Auto, und ich fühle mich schrecklich. Mein schwacher Triumph vom Vorabend ist längst verflogen.

Die Nacht war lang und ruhelos. Ich konnte nicht schlafen wegen Martin und seiner *Schatzgrube*, Katja konnte nicht schlafen, weil ich sie nicht ließ. Und dann, heute Morgen, es war schon hell, hat Katja entschieden, dass wir nach Altweil fahren. Jetzt. Sofort.

»Ich spreche mit Bergmann. Arbeiten kann ich auch dort. Hauptsache, die Reportage ist bis Freitag durch.« Bergmann, das ist ihr Chef, und die Reportage ist eine Reportage über Kriminalfälle in unserer Region.

Und so sind wir unterwegs. Auf dem Weg in unsere Vergangenheit. Das hat den Vorteil, dass ich mich nicht mit meiner Zukunft beschäftigen muss. Jedenfalls nicht sofort. Und den Nachteil, dass ich es verschiebe. Auf später, irgendwann.

Seit Stunden strapaziere ich mein Gedächtnis und stelle mir Fragen: Wann hat was angefangen, anders zu sein? Vor Claras Tod oder danach? Antwort: Wahrscheinlich genau in diesem Moment. So ungefähr.

Aber warum ist es mir nicht aufgefallen? Antwort: Weil es mir eben nicht aufgefallen ist.

Was hat unser Zusammenleben in den letzten Wochen und Monaten eigentlich ausgemacht? Antwort: essen, schlafen, aber nicht miteinander, reden, auch nicht miteinander, finanzielle Versorgung auf seiner Seite, kümmern um frische Wäsche und Essen auf meiner.

Was habe ich überhört, übersehen, welche Vorzeichen habe ich nicht erkannt? Antwort: Keine Ahnung, was kann man denn überhören, wenn man nicht miteinander redet?

Sehr ungenau das Ganze.

Ich versuche eine bequemere Stellung in Katjas winzigem Auto zu finden und stoße mir das Knie. Trotz aller widrigen Umstände bin ich zu müde, um die Augen aufzuhalten, aber nicht müde genug, um in dieser Lage schlafen zu können. Außerdem habe ich, sobald ich sie schließe, dieses Bild im Kopf. Er und sie. Kein reelles Bild, ich kenne sie ja nicht. Ich sehe eine blonde Frau, zierlich und sportlich. Eine Frau, die äußerlich betrachtet das genaue Gegenteil von mir ist. Eine Frau wie Katja. Ich höre ihn, wie er mit dem gutaussehenden Katja-Phantom spricht, tief und vibrierend, erregt und erwartungsvoll, und ich erinnere mich an diese Stimme. *Warum reden wir eigentlich nicht mehr über Sex?*, denke ich und setze den Fragenkatalog wieder in Bewegung. Wir reden über Erledigungen, Wünsche zum Mittagessen, Besorgungen, Ärger mit den Kindern. Wir schlafen nicht mehr miteinander. Wann hat es aufgehört? Liegt es an mir? Oder an ihm? Oder am Alltag? An allem, auch an Clara. Immer noch Clara.

Wir sind wie Kieselsteine an einem Flussufer, die sich durch die Strömung ständig reiben. Woher habe ich dieses Bild?

Ich muss doch eingeschlafen sein und schrecke auf, als eine Hand sich sanft auf meine Schulter legt.

»Wir sind gleich da«, sagt Katja.

Mühsam öffne ich die Augen und richte mich auf. Der Rücken tut mir weh, ich habe das Bedürfnis, meine Beine auszustrecken.

Katja wirkt ausgeschlafen und konzentriert. Wie macht sie das nur? Ihr fehlt doch genauso viel Schlaf? Sie setzt den Blinker, überholt einen alten Fiat Panda und schert wieder ein. Alles mit unangestrengter Leichtigkeit. Während ich mich schwerfällig und plump von einem Tag zum nächsten quäle, gleitet Katja so geschmeidig durch das Leben wie eine Bachforelle. Dabei ist ihres doch auch nicht einfacher oder besser. Nur anders.

»Nur noch knapp zwanzig Kilometer«, sagt sie und wirft einen Blick auf ihre Armbanduhr. »Wir sind gegen elf da. Am besten fahren wir dann direkt zum Rathaus.«

»Tut mir leid, dass ich eingeschlafen bin. Ich bin so schrecklich müde. Hoffentlich kann ich heute Nacht schlafen.«

»Hol dir doch irgendetwas in der Apotheke. Baldrian oder so.«

»Das habe ich schon einmal versucht. Klappt bei mir nicht.«

»Dann brauchst du wohl was Stärkeres. Bei mir wirken ein, zwei Gläser Bier meistens ganz gut, aber wenn das nichts hilft, dann schmeiß ich mir auch schon mal eine Schlaftablette rein. Soll ich dir was geben?«

Eine flache Landschaft rauscht an uns vorbei. Abgeerntete Felder, geduckte Häuser, trostlose Weiden.

»Ja. Vielleicht«, sage ich.

* * *

Frau Weber legt den Telefonhörer auf und nickt. Frau Weber ist eine Frau von Mitte bis Ende vierzig, mit kurzen, sehr blonden Haaren und sehr brauner Haut. Ein Schild an der Tür gibt ihr das Recht, hier zu sein und zu entscheiden: *Daniela Weber, Zimmer 301, Einwohnermeldeamt Altweil.*

»Was kann ich für Sie tun?«, fragt sie und sieht kurz auf. Ihre Frage klingt, als würde sie nichts erwarten, was sich nicht nebenbei erledigen ließe. *Brauchen Sie gelbe Säcke?* Auf ihrem Schreibtisch liegen stapelweise Akten und Papiere, auf einem klebt ein gelber Sticker mit einem roten Ausrufezeichen.

»Wir brauchen eine Auskunft«, erklärt Katja ohne Umschweife.

Ein fragender Blick heftet sich auf meine Schwester. »Ja?«

»Unsere Mutter ist vor einigen Monaten gestorben. Sie wollte einer alten Freundin dieses Armband hier hinterlassen.« Katja hält ihr Handgelenk hoch. »Die beiden hatten allerdings schon seit längerem keinen Kontakt mehr, und die alte Telefonnummer scheint auch nicht mehr zu stimmen. Deshalb bräuchten wir die aktuelle Adresse.«

»Können Sie sich ausweisen?«

Katja holt Ines' und ihren eigenen Personalausweis aus der Handtasche. »Unsere Mutter ist hier geboren und auch aufgewachsen.«

Frau Weber tippt etwas in ihren Computer. »Sie sind auch hier geboren«, sagt sie knapp, ohne Katja anzusehen. »Katja van Velsing, geboren am 25. September 1971. Eltern Ines van Velsing, geborene Hartmann, und Stefan van Velsing.«

»Genau.«

Jetzt dreht sie den Kopf in unsere Richtung. »Wen suchen Sie denn?«

»Die Freundin heißt Esther, den Nachnamen kennen wir nicht. Sie dürfte etwa im gleichen Alter sein wie unsere Mutter. Ach, und sie hat einen Bruder, Thomas. Vielleicht hilft das ja weiter.«

Frau Weber legt ihre gebräunte Hand auf die Computermaus und startet ein Programm. Nur das Rauschen des PCs und das kurze Klackern beim Bedienen der Tastatur sind zu hören.

»Ja«, sagt sie unvermittelt » Stanberg, Esther. Geboren am 12. Mai 1948, Eltern Maria, geborene Wilmer, und Hektor Stanberg. Ein Bruder, Thomas, geboren am 27. November 1944.«

Der 12. Mai. Das ist das Datum von Claras Todestag.

»Steht da auch eine Adresse?«, fragt Katja.

»Wilmerhof.«

»Wohnt Esther Stanberg dort?«

»Nein. Aber ihr Bruder. Thomas Stanberg.«

»Und Esther?«, frage ich. »Wissen Sie, wo sie wohnt?«

»Nein, das weiß ich nicht. Nicht mehr hier.«

Katja nickt mir kurz zu und packt die Ausweise wieder ein. »Wie kommen wir zum Wilmerhof?«

»Wenn Sie Richtung Diesenberg fahren, liegt der Hof kurz hinter dem Ortsausgang. Gleich links, etwas versteckt hinter einer Reihe von Bäumen.«

»Vielen Dank. Sie haben uns sehr geholfen«, sage ich und krame in meiner Handtasche. Ich finde einen zerknäulten Fünfeuroschein und hole ihn heraus.

»Hier«, sage ich, »für die Kaffeekasse.«

Es ist typisch für Katja, dass sie daran keinen Gedanken verschwendet.

* * *

Kaum sitzen wir mitten auf dem Marktplatz in der Sonne, winkt Katja schon ungeduldig nach der Bedienung. Sie hat noch nichts gefrühstückt. Ich schon. Egal wie schlecht es mir geht, morgens brauche ich eine Tasse Kaffee und ein Marmeladenbrot. Sonst geht es mir noch schlechter.

Die Kellnerin ist jung und hübsch. Ihr Pferdeschwanz wippt bei jedem Schritt lustig auf und ab. »Haben Sie schon etwas ausgesucht?«

»Ja. Ich möchte Makkaroni à la Chef. Und eine große Apfelsaftschorle«, bestellt Katja.

»Gern. Und was darf ich Ihnen bringen?«

Ich weiß es noch nicht. Unentschlossen lese ich das Angebot auf der Karte.

»Hmm. Einen Salat mit Putenbrust. Oder nein, warten Sie, ich nehme den Herrentoast.«

»Und zu trinken?«

»Auch eine Apfelschorle.«

»Groß?«

»Nein. Oder doch. Also ja.«

Katja lehnt sich zurück und zündet sich eine Zigarette an. »Wir müssen die Dinge jetzt einfach in die Hand nehmen. Wenn erst einmal alles ins Rollen gekommen ist, entwickelt sich alles Weitere von alleine.«

Obwohl eigentlich ich die treibende Kraft war, überlasse ich ihr wie immer gern die Führung. Erstens ist Katja darin sowieso viel besser, und zweitens fühle ich mich im Moment leer und gleichgültig. Da ist eine klaffende Lücke in meinem Leben.

»Und was ist das ›Weitere‹?«, frage ich lustlos.

»Das Weitere ist, dass wir jetzt etwas essen und dann zum Wilmerhof fahren. Vorher kann ich sowieso keinen vernünftigen Gedanken fassen. Ich sterbe vor Hunger.«

»Wir können doch nicht einfach dort klingeln und sagen, dass wir wegen einem Brief von unserer Mutter hier sind.«

»Eines Briefs. Warum nicht? Wir klingeln und sagen, wer wir sind. Dieser Thomas erinnert sich doch bestimmt an Ines, und er kann uns wahrscheinlich auch sagen, wo wir seine Schwester finden.« Katja schaut sich um. »Es ist komisch, hier zu sein. Findest du nicht?«

»Hmm, ich kann mich kaum noch erinnern.«

Katjas Blick schweift über den Marktplatz und bleibt auf einer Reihe alter Stadtvillen hängen. »Ich auch nicht, aber ich glaube, da drüben hat Oma gewohnt.«

Ich folge ihrem Blick.

»Die Papa-Oma?«, frage ich.

»Ja.«

Ich sehe mir die Häuser genauer an.

»Du meinst das gelbe Haus, oder?«

Sie nickt.

»Katja?«

»Was?«

»Weißt du noch, wie wir sie gefunden haben?«

»Was meinst du?«

»Ich meine, nach den Tabletten.«

»Nein.«

»Ich auch nicht. Ich meine, ich weiß es natürlich, aber ich habe kaum noch Erinnerungen daran.«

»Ich noch weniger.«

Unangenehmes Thema. Ich krame in meiner Handtasche nach einem Taschentuch und putze mir die Nase.

»Du warst ja auch noch so klein. Und es hat uns auch kein Mensch irgendetwas erklärt«, schniefe ich in ihre Richtung.

»Wer denn auch? Oma vielleicht?« Es schwingt ein Hauch Sarkasmus in Katjas Frage, aber ich kenne sie gut. Die Wunden sind schlecht verheilt.

Ich denke an Martin, an das, was gerade mit uns passiert, und meine Augen füllen sich mit Tränen. Katja legt ihre Hand auf meinen Arm.

»Schlimm?«

»Ach, geht schon«, sage ich, obwohl es sich nicht danach anfühlt. »Ich muss nur gerade an meine Kinder denken. Sie sollten doch niemals das durchmachen, was wir erlebt haben.«

»Das kann man ja wohl kaum vergleichen. Alex, du hast deine Kinder in den letzten 15 Stunden mindestens zehnmal angerufen. Die wissen, dass sie bei dir an erster Stelle stehen. Es geht ihnen gut.«

Das stimmt so natürlich nicht. Oder nur teilweise. Ich habe sie einmal angerufen und das Gespräch unter einem Vorwand abgebrochen, weil ich weinen musste. Sie stehen bei mir an erster Stelle, das ist richtig, aber es geht ihnen nicht gut. Ich bin ihre Mutter, das spüre ich.

»Sie ahnen, dass etwas nicht stimmt.«

»Das ist ja auch richtig. Dein Mann vögelt fremd.«

»Ach, Katja.«

Unvermittelt lacht meine Schwester auf. »Haha, wie heißt es so schön: Appetit darf er sich holen, aber gegessen wird daheim.«

»Saublöder Spruch.« Ich muss wider Willen grinsen.

»Ja, so was von saublöd. Ich stelle mir gerade vor, wie dein Martin geifernd die Innenschenkel seiner Angebeteten anglotzt, und dann kommt er zu dir und macht das Licht aus.«

Wir schauen uns an und prusten los.

»Das würde die Sache wirklich nicht verbessern«, lache ich. Mir laufen Tränen über das Gesicht, aber es sind keine Lachtränen. »Noch nicht einmal dazu hat es mehr gereicht. Ich weiß gar nicht mehr, wann wir das letzte Mal zusammen ...« Jetzt heule ich wirklich.

»Und? Hast du es vermisst?«

»Ach, ich weiß nicht. Ich war immer so beschäftigt.« Ich putze mir noch einmal die Nase. »Irgendwie ist es mir gar nicht so richtig aufgefallen. Nein, ich habe es eigentlich nicht vermisst. Es gab sogar eine Zeit, da war es mir ziemlich lästig. Als Clara ...«

»Am Ende bist du ohne ihn besser dran. Du wirst schon sehen.«

»Ohne Martin? Nein. Nie«, widerspreche ich. »Wir kennen uns seit fast vierundzwanzig Jahren. Das ist eine ganz schön lange Zeit. Mit ganz schön vielen gemeinsamen Erinnerungen.« *Und gemeinsamen Kindern. Und gemeinsamer Trauer.* »Außerdem ... ich weiß, du verstehst das nicht, aber er ist stark. Er gibt mir Halt.«

»Jaja, schon gut. Für mich klingt das sehr austauschbar. Das hättest du mit jedem anderen Partner auch gehabt.«

Ich schüttle sacht den Kopf. Ein anderer Mann als Martin. Unvorstellbar. Die Sonne steht hoch am Himmel, mein Glas ist leer.

»Na, komm schon«, versucht Katja mich aufzumuntern. »So wie ich ihn einschätze, kommt er sehr reumütig aus dem Urlaub zurück.«

»Und wenn er währenddessen erkennt, dass ihm gar nichts fehlt? Dass ich ihm nicht fehle?« Ich flüstere, so groß ist meine Angst.

»Kann ich mir nicht vorstellen, aber wenn, lässt es sich sowieso nicht aufhalten.«

»Ich will nur nicht, dass es mir am Ende so geht wie ...«

»Wie unserer Mutter?« Katja grinst. »Nein, dazu hast du kein Talent.«

»Das meine ich nicht.«

»Du meinst wie mir?«

»Ich meine das nicht böse.«

»Das weiß ich. Aber ich bin ehrlich gesagt lieber alleine als in einer Alibi-Beziehung.«

»Vermisst du denn nichts?«

»Nein«, sagt Katja knapp.

»Und was ist mit Jonas?«

»Jonas geht's gut. Er hat nur gerade ein paar pubertäre Probleme.«

Das Essen kommt. Ich bestelle noch eine Schorle, und für eine Weile essen wir beide schweigend.

»Siehst du«, nimmt Katja den Faden wieder auf. »Deswegen ist es gut, dass ich jetzt ein paar Tage weg bin. Er ist alt genug, er muss lernen, selbst Verantwortung für sich zu übernehmen.«

»Katja! Er ist doch fast noch ein Kind.« Ich richte mich etwas auf. »Eins weiß ich«, sage ich mit fester Stimme. »Für meine Kinder werde ich immer da sein.«

Katja wendet sich genervt in meine Richtung.

»Hallo? Dein Sohn fährt gerade mit seinem Vater in die Türkei. Ohne dich. Und Elli ist 17 und freut sich auf eine sturmfreie Bude. Und im Übrigen ist Jonas nicht allein. Wenn ich nicht da bin, hat er Zara. Und Max.«

»Ach, Mensch, Katja, das ist doch nicht das Gleiche. Ich glaube, eine Mutter lässt sich durch niemanden ersetzen.«

»So ein Quatsch! Wir waren noch viel jünger und auf uns gestellt. Wen hat es interessiert?«

Ich überlege einen Moment, bevor ich bedachtsam antworte: »Aber wir hatten uns. Dein Sohn ist allein.«

* * *

Der Wilmerhof ist ein stattlicher Hof. Den Mittelpunkt bildet das alte Wohnhaus mit Ziegelfachwerk und grünen Holz-Klapplädeñ. Die alten Häuser in dieser Gegend haben oft überdimensionale Krüppel-walmdächer, was mir persönlich sehr gut gefällt. Sie vermitteln etwas Beschützendes, wie ich finde.

In Verlängerung des rechten Giebels steht ein weiteres großes Gebäude, vermutlich eine Scheune, und weiter links befindet sich, dem Geruch nach zu urteilen, der Stall. Er ist über einen flachen Bau mit dem Haus verbunden. Um den Hof herum erstrecken sich endlose Weiden und Wiesen, die Hofeinfahrt ist mit Kopfsteinen gepflastert und wird von zwei majestätischen Linden gesäumt. An der Wohnhausfront stehen Unmengen von Kübeln und Trögen, bepflanzt mit blühenden Pflanzen aller Art: Geranien und Fuchsien, Petunien und Männertreu, Margeriten und Tagetes. Und alles sehr gepflegt. Das gefällt mir.

Katja steigt sofort aus. »Komm«, drängt sie. Ich folge ihr, allerdings mit Abstand. Wie so oft unterscheiden sich meine theoretischen Vorstellungen im Vorfeld von dem, was jetzt als praktische Umsetzung ansteht. Ich bin nicht sehr mutig.

Katja hat die Hand schon an der Klingel.

»Jetzt beeil dich«, ruft sie und ich eile.

Eine schlanke, brünette Frau öffnet uns die Tür. Ich erhasche einen Blick auf einen langen, dunklen Flur und nehme einen dumpfen Geruch wahr. Ein Geruch nach alten Mauern und bäuerlichem Leben. »Guten Tag?«, begrüßt sie uns freundlich, und ich höre das Fragezeichen, das hinter ihren Worten steht.

»Guten Tag«, sagt Katja. »Frau Stanberg?«

»Ja, worum geht es?«

»Wir, also meine Schwester und ich«, sie dreht sich

leicht zu mir um, »sind die Töchter einer Frau, die früher hier in der Gegend gelebt hat.«

»Ja?«

»Sie kannte Ihre Familie gut.«

»Meine Familie?«

»Ähm, heißen Sie Esther?«

»Nein, das ist meine Schwägerin. Die Schwester meines Mannes.«

»Ach. Ist Ihr Mann denn zu Hause?«

»Thomas? Thomas, kommst du mal?«

»Was ist?«, ruft eine tiefe Stimme von drinnen.

»Komm her. Hier sind zwei Damen, die Esther suchen.«

Ihr Mann tritt neben sie. Er ist mittelgroß, nicht jung, aber sehr attraktiv. Seine graumelierten Haare sind voll, und sein schmales Gesicht ist das, was man gemeinhin als markant bezeichnen könnte. Er hat auffallend hohe Wangenknochen und buschige Augenbrauen. Seine klaren, blauen Augen richten sich fragend auf uns. Er erinnert mich ganz vage an diesen Schauspieler, der kürzlich gestorben ist: Maximilian Schell. Aber er erinnert mich an noch jemanden. Ich komme nur nicht drauf, an wen. Es dauert eine ganze Weile, bis es mir einfällt.

»Was wollen Sie von meiner Schwester?«

Ich erkenne an Katjas Blick, dass auch ihr seine Attraktivität nicht entgangen ist.

»Unsere Mutter hieß Ines van Velsing«, fängt sie an zu erklären. »Sie kannten sie vielleicht auch unter ihrem Mädchennamen Ines Hartmann. Sie ist im Mai gestorben, aber sie hat Ihre Schwester Esther in einem Brief erwähnt, und wir …«

Sein Blick wird hart und unfreundlich.

»Sie sind Ines' Töchter?«

»Ja, wir ...«

»Die Töchter von Ines van Velsing?«

»Ja.«

»Verschwinden Sie!«

»Wir wollen doch nur ...«, setzt Katja noch einmal an. Er lässt sie nicht ausreden.

»Hauen Sie ab!« Seine Stimme, der harte Blick unter seinen buschigen Augenbrauen, alles an ihm ist Ablehnung und Drohung. »Und lassen Sie sich hier nicht mehr blicken!«

Mit einem lauten Knall fällt die Haustür ins Schloss.

Mir ist ganz flau. Katja sieht mich verdutzt an.

»Was war das denn?«, fragt sie.

»Keine Ahnung. Komm, lass uns gehen.«

»Spinnst du? Ich bin doch keine Hunderte Kilometer gefahren, um mich jetzt hier so abspeisen zu lassen. Ich will wissen, was da los ist.«

Katjas Hand bewegt sich ein zweites Mal zur Klingel.

»Nicht!«, rufe ich, aber es ist schon zu spät. Ich höre den schrillen Klingelton und gehe zwei Schritte zurück.

Thomas Stanberg reißt die Tür auf. »Ich habe gesagt, Sie sollen hier verschwinden! Sonst rufe ich die Polizei.«

Seine Frau steht hinter ihm und versucht ihn zu beschwichtigen.

»Thomas, jetzt hör dir doch erst einmal an, was ...«

»Nein, Ingrid, ich höre mir hier gar nichts an«,

fährt er ihr über den Mund. »Sie verschwinden. Und zwar sofort!«

Ich drehe mich um und gehe so würdevoll, wie es die Situation zulässt, in Richtung Auto.

»Warum sind Sie denn so wütend? Was hat Ines Ihnen getan?«, fragt Katja. Sie kann einfach nicht klein beigeben. Sie hat überhaupt kein Gespür für brenzlige Situationen. Ich setze mich ins Auto und sehe, wie der Mann den Mund öffnet und wieder schließt. Wie ein Fisch, der nach Luft schnappt.

»Katja«, rufe ich. »Komm!«

»Hauen Sie ab!«, brüllt Thomas Stanberg noch einmal, und dann wirft er die Tür zu. Mit voller Wucht.

Katja kommt auf mich zu. Ich sehe ihre Unschlüssigkeit. Ich weiß, wie schwer es ihr fällt, klein beizugeben. Aufzugeben.

»So ein Idiot. Was können wir denn dafür, wenn er Stress mit Ines hatte.«

»Jetzt komm endlich. Ich will hier weg«, dränge ich. Meine Hände liegen im Schoß, ich halte mich an meiner Handtasche fest, damit Katja mein Zittern nicht sieht. Ich weiß nicht, ob es der Schreck ist oder Schlafmangel oder weil ich kurz vor einem Herzinfarkt stehe.

Katja klemmt sich hinter das Steuer. »Mist«, brummt sie und drückt auf den Fensteröffner. Ich warte, dass sie endlich losfährt, aber sie bleibt reglos sitzen.

»Soll ich besser fahren?«, frage ich mit dünner Stimme.

»Nein, ist schon gut. Ich überlege nur noch. Gib mir noch eine Minute.«

Wir schauen beide auf die Uhr.

»Jetzt bleibt uns noch Esther«, sagt sie. »Die Frage ist nur, wo finden wir sie?«

»Katja«, warne ich.

»Was?«, fragt sie genervt.

»Ich glaube, wir sollten erst einmal …«

In diesem Moment kommt Ingrid Stanberg auf uns zu, und mein Vorschlag bleibt mir im Hals stecken.

»Kannst du nicht woanders weiterüberlegen«, dränge ich.

Katja seufzt. Sie startet den Wagen und legt den Rückwärtsgang ein.

»Warten Sie«, ruft Frau Stanberg und hebt die Hand. »Warten Sie«, sagt sie noch einmal und bleibt vor uns stehen. »Hören Sie, es tut mir leid, dass er Sie so angeschrien hat. Mein Mann … Er ist sonst nicht so«, sagt sie.

»Aber warum? Warum war er jetzt so?«, will Katja wissen.

»Es ist … es war eben eine wirklich … unschöne Geschichte.«

»Welche Geschichte? Was ist denn passiert?«

Wieder sieht Ingrid Stanberg zurück zum Haus. »Sie wissen es wirklich nicht, oder?«

»Nein, wir haben keine Ahnung.«

»Aber warum sind Sie denn dann hier?«

»Ich würde Ihnen gerne etwas zeigen«, sagt Katja und holt Ines' Brief aus der Handtasche. Ingrid liest den Brief und schaut uns an. »Ich verstehe«, sagt sie, und das ist etwas, worum ich sie wirklich beneide.

Sie lässt die Hand mit dem Papier sinken. »Es ist schade, dass Ihre Mutter es nicht zu Ende gebracht hat. Es wäre sicher besser gewesen, Sie hätten es von ihr erfahren.«

»Das mag sein, aber wie Sie sehen, hat sie es sich leider anders überlegt. Es wäre wirklich überaus freundlich von Ihnen, wenn Sie uns helfen könnten.«

Ingrid blickt unentschlossen zum Haus. »Thomas ist eigentlich ein grundgütiger Mensch«, sagt sie. »Aber er hat sehr gelitten unter ... allem. Unter dem, was damals passiert ist. Ich denke, er würde sich verraten fühlen, wenn ich mit Ihnen hinter seinem Rücken spreche.«

»Aber das tun Sie doch schon«, sagt Katja und sieht sie abwartend an.

»Fahren Sie nach Halbing, Atzelberger Straße 21. Dort wohnt meine Schwägerin jetzt. Sie heißt Esther Koch. Sagen Sie ihr, wer Sie sind.« Wieder wirft sie einen ängstlichen Blick zum Haus. »Dann soll sie entscheiden.« Ohne eine Antwort abzuwarten, dreht sie sich um und geht.

»Spinnen die hier alle? Kein Wunder, dass Ines so ...?«

»Ja?«, frage ich interessiert.

»So war«, ergänzt Katja.

* * *

Altweil ist ein unglaublich langweiliges Kaff. Die Hauptverkehrsstraße ist breit und schnurgerade, mit vielen Geschäften, einige stehen leer. Nach einer Bahnüberfahrt biegen wir kurz hinter einer Schranke links in die Bahnhofstraße und verlassen diesen unscheinbaren Ort. Den Ort unserer Kindheit.

Wir fahren über das Land, und ich sehe kleine Dörfer auftauchen und wieder verschwinden.

»Ist das hier schon die Lüneburger Heide?«, frage ich. Ich bin es gewohnt, solche Fragen zu stellen.

»Das hier ist das Ende der Welt«, sagt Katja. »Wir sind gleich da.«

Ich schiebe mir das fünfte Kaubonbon in den Mund. Eine Weile fahren wir schweigend. Ich grübele darüber, an wen Thomas Stanberg mich erinnert, und Katja wahrscheinlich darüber, was ihn so wütend gemacht hat.

»Vielleicht sollten wir dieses Mal nicht gleich wieder mit der Tür ins Haus fallen«, nehme ich das Gespräch wieder auf.

»Ich habe keine Lust, mir großartige Strategien auszudenken. Sie soll einfach den Brief lesen und uns sagen, was sie weiß.«

»Und wenn sie das nicht will?«

»Dann fällt mir schon etwas ein. Lass mich nur machen.«

»Was willst du denn da machen?«, frage ich nervös.

»Ich sage doch: Überlass es mir. Und jetzt beruhige dich, und hör auf, Nägel zu kauen. Nimm dir lieber noch ein Bonbon.«

Auf einem großen Schild am Ortseingang steht: *Willkommen in Halbing*, was man vielleicht als gutes Omen werten kann. Wir folgen der Straße bis zum Edeka-Markt und fahren nach einer scharfen Rechtskurve weiter, bis das Navi uns kurz nach einer Tankstelle links hoch in die Atzelberger Straße führt.

Die Häuser hier sehen alle gleich aus: rote Ziegelklinker, Satteldächer, Küchenfenster, die zur Straße hinausgehen, und Lattenzäune.

Katja parkt das Auto geschickt zwischen zwei Fahrzeugen und steigt aus. »Wenn du nicht mitkommen willst, dann warte hier auf mich.«

»Nein. Schon gut. Ich komme mit«, sage ich und trotte hinter ihr her. Katja hält ungeduldig das Gartentürchen für mich auf. »Jetzt mach schon«, ruft sie.

Das Haus selbst unterscheidet sich kaum von den anderen, aber sein Vorgarten ist eine Wucht aus Rosen. Sogar Katja ist beeindruckt. »Wow«, sagt sie. »Die Frau hat wohl eine besondere Vorliebe für Rosen.«

Ich schnuppere an einer gelben Blüte, und ein zarter, kaum wahrnehmbarer Duft nach Honig steigt mir in die Nase. Ich hätte gerne auch noch an anderen Rosenköpfen geschnuppert, aber Katja ist schon weitergeeilt, und der Eingang liegt um die Ecke. Dort steht Esther bereits an der Tür. Sie hat uns offensichtlich erwartet. In ihrem feinen Gesicht entdecke ich ebenso feine Runzeln, ihre Haare sind grau, die Figur etwas füllig, aber nicht dick. In dieser älteren, sehr sympathisch aussehenden Frau, die vor uns steht, erkenne ich vage das Mädchen, das auf dem alten Foto neben Ines stand. Auch die Ähnlichkeit zu ihrem Bruder. Und jetzt fällt mir ein, an wen der mich erinnert: an ein anderes Foto aus Ines' Kiste. Das Foto, mit dem mir unbekannten, gutaussehenden Mann.

»Guten Tag«, sagt Katja. »Wir sind …«

»Ich denke, ich weiß, wer Sie sind«, sagt Esther freundlich, aber distanziert. Ich verschlucke mich beinahe an meinem Bonbon.

»Sie wissen, wer wir sind?«, frage ich.

»Ja. Es ist unübersehbar. Außerdem hat mich Ingrid gerade angerufen.«

Katja und ich tauschen einen Blick.

»Kommen Sie.« Esther führt uns auf eine kleine Terrasse hinter ihrem Haus und fordert uns auf, uns zu setzen. Sie selbst bleibt stehen.

»Ihr Garten ist wunderschön«, sage ich mit einem kleinen ärgerlichen Zittern in der Stimme.

»Danke«, erwidert Esther knapp. »Es ist sehr heiß, ich hole uns rasch etwas zu trinken.«

Sie geht eilig ins Haus. Ihre Pantoffeln klappern einen nervösen Takt auf die Fliesen.

Ich sehe mich um. Die kleine überdachte Terrasse ist vollgestellt mit Möbeln und altem Gerümpel. Das Geflecht der Korbsessel löst sich an einigen Stellen auf, die blassen, hellgrünen Sitzkissen sind verwaschen, die Tischplatte sieht aus wie eine Landkarte, die Holztruhe an der Wand ist ziemlich ramponiert und vollgepackt mit Büchern und Zeitschriften, und auf einem improvisierten Stufenregal stehen Tontöpfe mit Kräutern, die meisten angeschlagen, bei mir wären sie wahrscheinlich längst in der Mülltonne gelandet. Die Nachmittagssonne schimmert durch das Laub der Bäume, und es juckt mich in den Fingern, aufzustehen und Ordnung zu schaffen.

»Verstehst du das?«, frage ich flüsternd. Es scheint mir nicht richtig, dass wir uns hier in Abwesenheit der Hausherrin laut unterhalten.

Katja zuckt mit den Schultern.

»Kannst du dir vorstellen, dass die beiden einmal miteinander befreundet waren?«

»Ich kann mir nicht vorstellen, dass Ines überhaupt

jemals mit jemandem befreundet war«, meint meine Schwester.

Esther kehrt mit einem Tablett zurück.

»Eiswasser mit einem Hauch selbstgemachtem Holundersirup und frisch gepflückter Zitronenmelisse. Es gibt nichts Besseres bei diesem Wetter«, sagt sie.

Ich sehe winzige Insekten an der Oberfläche schwimmen. *Holundersirup-Zitronenmelissen-Insekten-Wasser*, denke ich.

Esther bemerkt mein Zögern. »Möchten Sie lieber einen Kaffee?«, fragt sie.

»Mmh, nein, danke. Ich möchte gar nichts«, sage ich, obwohl mir die Zunge trocken am Gaumen klebt.

Esther lenkt den Blick auf ihre gefalteten Hände. Sie wartet und schweigt.

»Wissen Sie, warum wir hier sind?«, fragt Katja.

Sie schaut auf. »Sagen Sie es mir.«

»Wir möchten etwas über Ines erfahren.«

»Was meinen Sie damit?«, fragt sie zögerlich.

»Waren Sie mit ihr befreundet? Also früher, als Kind?«

»Ja. Sehr sogar.« Die Antwort kommt spontan.

»Und dann nicht mehr?«, verfolgt Katja die Spur weiter.

»Nein.«

»Warum nicht?«

Esther greift nach ihrem Glas, aber sie trinkt nicht. Ich betrachte ihr Gesicht. Es ist schön und weich, nur die Lippen sind verkniffen. Was verkneift sie sich?

»Gab es denn einen Grund, böse auf sie zu sein?«, bohrt Katja weiter.

Sie sieht uns mit einem seltsamen Blick an.

»Wissen Sie denn gar nichts?«

»Nein. Gar nichts«, sage ich leise.

»Wir wären nicht hier, wenn wir wüssten, was wir scheinbar wissen sollten, was uns aber niemand sagt«, erklärt Katja ungehalten.

»Was ich Ihnen sagen kann, ist, dass sie den Kontakt zu mir wieder aufgenommen hatte. Einige Monate vor ihrem Tod war das. Sie wusste, dass sie bald sterben würde.«

Es ist schon merkwürdig, denke ich. Da hatte sie jahrelang keinen Kontakt zu irgendjemandem, selbst zu Katja nicht, und dann, kurz bevor sie starb, schrieb sie seltsame Briefe und suchte alte Freundinnen auf.

»Und dann?«

»Ich sage Ihnen ganz ehrlich: Wäre sie früher gekommen, hätte ich sie weggeschickt. Aber, mein Gott, als sie kam, war ich vierundsechzig und gerade Witwe geworden. Alt und einsam genug, um die Hand, die sich mir entgegenstreckte, nicht wegzustoßen.« Sie stellt das Glas zurück auf den Tisch. »So sehe ich das jedenfalls.«

»Sie haben ihr also – was auch immer – verziehen?«, fragt Katja.

»Was heißt verziehen? Ja, vielleicht habe ich das. Ich bin jedenfalls nicht mehr wütend. Ich …« Sie unterbricht sich.

Katja beugt sich erwartungsvoll nach vorn. »Ja?«

»Ines war schon früher sehr geradeheraus. Wenn sie etwas wollte, dann bekam sie es auch«, sagt Esther. Ich höre Verbitterung. So ganz ist das noch nicht durch mit dem Verzeihen. »Und in einem Fall kostete es unsere Freundschaft.«

Dann steht sie abrupt auf. »So. Es tut mir leid, dass Sie den weiten Weg umsonst gemacht haben, aber ich habe …«

»Bitte! Was gab es denn zu verzeihen?«, unterbricht Katja sie.

»Geben Sie sich damit zufrieden, dass Ines und ich uns noch einmal ausgesprochen haben. Sie konnte in Frieden gehen. Mehr werden Sie von mir nicht erfahren.«

»Es ist mir ehrlich gesagt egal, ob sie in Frieden gehen konnte oder nicht. Ich will nur endlich wissen, worum es eigentlich geht.« Katja wühlt in ihrer Tasche. »Hier«, sagt sie. »Den Brief haben wir bei Ines' Sachen gefunden. Lesen Sie ihn und sagen Sie uns, was das zu bedeuten hat?«

Esther faltet den Brief umständlich auseinander und zieht sich die Lesebrille vom Kopf auf die Nase

5. November 2011

Für Alexa und Katja,
seit drei Monaten weiß ich es: Ich habe Krebs. Mein Krebs sei besonders aggressiv, er könne mir da keine Hoffnung machen, hat mein Arzt gesagt. Bisher kann ich mich auf die Opiate verlassen, aber irgendwann in den nächsten Monaten wird die Wirkung nachlassen.

Ich will keine Opfer von euch. Katja, ich sehe dein höhnisches Gesicht, aber Alexa würde sich verpflichtet fühlen. Deshalb bestimme ich selbst, wann ich gehe. Mehr müsst ihr nicht wissen.

Aber das ist die Zukunft, und die Zukunft ist nicht der Grund des Briefes. Der Grund ist die Vergangen-

heit. Meine und damit zum Teil auch eure. Ich werde tot sein, wenn ihr diesen Brief lest. Das macht sie erträglich.

Es gibt da Erinnerungen, die mich quälen, seit vielen Jahren schon. Und es gibt etwas, das ihr nicht wisst. Ich erwarte keine Vergebung, aber ich glaube, ihr solltet die Wahrheit erfahren. Diese verfluchte Wahrheit. Aber wo fängt sie an?

Vielleicht bei meiner alten Freundin Esther. Sie war einmal der wichtigste Mensch in meinem Leben. Ihre Familie war so, wie ich sie mir als Kind gewünscht habe. Sie und ihr Bruder Thomas waren für mich fast wie Geschwister. Und dann kam der Sommer 1963. Es begann in diesem Sommer 1963. Da habe ich mich in ...

Sie schaut uns an, schiebt die Lesebrille wieder nach oben und faltet das Papier genauso umständlich zusammen, wie sie es vor einigen Minuten auseinandergefaltet hat.

Ich sehe Katjas scheinbar ungerührten Blick und werde mir meiner eigenen Anspannung bewusst.

»Und? Was sagen Sie dazu?«, frage ich eine Spur atemlos.

»Das ist typisch«, sagt sie.

»Was?«, fragt Katja.

»Dass sie einen Scherbenhaufen hinterlässt, den andere wegkehren sollen.«

»Jetzt sagen Sie uns doch endlich, was das alles bedeutet! Welche Wahrheit meint sie? Und was geschah im Sommer 1963?« Katjas Stimme klingt ärgerlich.

Esther überlegt einen kurzen Moment. »Nein«, sagt

sie dann knapp und bestimmt. »Das wäre die Aufgabe Ihrer Mutter gewesen.«

»Aber sie ist doch tot«, wende ich verzweifelt ein. Ich befürchte, genauso ahnungslos nach Hause fahren zu müssen, wie wir gekommen sind. Und dann? Mich erwartet kein behagliches, vertrautes Heim, sondern ein leeres Schlafzimmer mit Martins Geruch auf dem Kopfkissen, Martins Kleidern in unserem Schrank und der Angst, dass sein Geruch und ein paar Kleider das Letzte sind, was mir von ihm bleibt.

»Ich werde ihr das trotzdem nicht abnehmen.«

Katjas Augen werden schmal. Ihre Geduld ist zu Ende. »Na super. Danke. Vielen Dank«, sagt sie höhnisch und steht auf. Sie schnappt sich den Brief und wendet sich mir zu. »Komm!«, ruft sie im Befehlston. Esther knetet ihre Hände. Ich glaube zu spüren, dass sie mit sich ringt, dass ihr Panzer einen leichten Riss hat.

»Bitte«, versuche ich es noch einmal leise und flehend. »Helfen Sie uns.«

»Könnt ihr euch denn an gar nichts mehr erinnern?«

»Erinnern? An was denn, in Gottes Namen?«, knurrt Katja.

»Was meinen Sie?«, frage ich vorsichtig.

»An ... damals.«

»Wann bitte schön fängt denn *damals* an, und wann hört es auf?«

Ich werfe Katja einen beschwörenden Blick zu. Wenn sie ihren Ton nicht ändert und derart unsensibel vorgeht, erfahren wir ganz sicher nichts.

»An die Streitigkeiten eurer Eltern, zum Beispiel.«

»Ich war vier, als unser Vater ging. Da ist das Erinnerungsvermögen noch nicht besonders ausgeprägt.«

Esther schaut mich an. »Und Sie?« Ihr Blick ist eine Spur weicher, der Ausdruck nicht mehr ganz so verkniffen. Dafür kneife ich jetzt. Ich schaue sie an und schweige. Und erinnere mich:

Papa saß an unserem Tisch in der Küche. Er war sehr groß und streckte seine langen Beine immer unter dem Tisch aus. Seine dunklen Locken standen wild in alle Richtungen und waren voller Holzstaub. »Euer Vater ist vielleicht so stark wie ein Bär, aber auch so gutmütig und dumm wie ein Schaf«, sagte Opa oft. Sie stritten viel miteinander.

»Setz dich gerade hin und schling doch nicht so«, sagte Oma. Papa schaute mich an und aß weiter. Seine Augen lachten mit mir. Ich roch das Holz und die Farbe und fühlte mich gut und sicher.

Meine geschlossenen Lippen sind ganz schmal vom Erinnern, aber ich zucke die Schultern. Ich schlage die Augen nieder. »Nein. Keine Ahnung«, murmele ich.

»Wir haben einen verdammt weiten Weg hinter uns. Und wir sind ihre Töchter. Es wäre nur fair ...«, macht Katja einen letzten Versuch.

Aber da schüttelt Esther schon wieder den Kopf. »Es tut mir leid.« An ihrer Bluse fehlt der oberste Knopf. Warum ist mir das vorher nicht aufgefallen?

»Ihr letztes Wort?« Katja ist jetzt richtig wütend.

»Es war Ines, die das entschieden hat. Sie hätte es Ihnen erklären können. Erklären müssen.«

Katja holt tief Luft. »Ja. Aber sie ist tot, verdammt noch mal! Wir haben keine Möglichkeit mehr, sie zu fragen.«

»Und ich keine Lust, sie zu rechtfertigen.«

* * *

Es ist schon spät, wir beschließen, uns in Altweil ein Zimmer zu suchen. Auf dem Weg dorthin sind wir schweigsam, jede ist mit ihren eigenen Gedanken beschäftigt.

»So ein verdammter Mist. Diese blöde Kuh«, bricht Katja das Schweigen und schlägt mit der linken Hand auf das Steuer. Die rechte liegt auf der Schaltung und zuckt.

Sie kommt mir vor wie ein Pulverfass kurz vor der Explosion. Oder Implosion?

Ich sage nichts und lege meine Hand auf ihre.

Sie atmet laut hörbar aus, es klingt, als hätte sie die Luft angehalten. Das Zucken hört auf.

»Ich kann mich an ganz früher überhaupt nicht erinnern. Also daran, wie wir als komplette Familie gelebt haben«, sagt sie mit normaler Stimme. »Oder weshalb er ging. Du?«

»Da war der Streit, erinnerst du dich?«

»Nein.«

Ich mustere sie von der Seite. »Wir waren in der Küche und sie im Wohnzimmer. Papa hat gebrüllt und Mama geweint. Weißt du das nicht mehr?«

»Nein.«

»Es gab Erbsensuppe, und Mama war übel. Sie war schwanger.«

»Mama war schwanger?« Katja schaut mich überrascht an.

»Papa ist gegangen, aber sie hat gesagt, er würde zurückkommen. Sie hat es versprochen.«

»Ja, aber war sie schwanger?«

»Ja, ich glaube schon.«

»Was ist aus dem Kind geworden?«

Ich weiß es nicht. »Vielleicht hatte sie eine Fehlgeburt?« Ich hatte diese Schwangerschaft völlig verdrängt, es war eigentlich eher ein Gefühl als eine Tatsache, ich habe es einfach so ausgesprochen, ohne darüber nachzudenken, aber jetzt weiß ich, dass es stimmt. Sie war schwanger. Plötzlich taucht etwa hundert Meter vor uns eine kleine Kapelle auf.

»Halt an«, sage ich.

»Was?«

»Bitte, halt an. Nur kurz.«

»Warum?«

»Halt einfach an.«

Sie parkt am Straßenrand, und ich öffne die Tür.

»Kommst du mit?«

Sie schließt die Augen und schüttelt den Kopf. »Wer sagt, dass man zum Beten eine Kirche braucht?«

Die Tür ist unverschlossen, das Innere dämmrig und kalt. Die typisch feuchte Kälte ewig ungeheizter Räume. Meine Augen gewöhnen sich nur langsam an das Dunkel.

Ich starre auf den Altar. Jemand hat frische Blumen gebracht und eine Kerze angezündet. *Für Jesus, der für uns alle starb*, denke ich. Da hängt er, an seinem Kreuz, und hat unsagbare Schmerzen erduldet. Um uns zu erlösen.

Mein Gott, warum hast du mich verlassen?

Den letzten Gottesdienst habe ich an Weihnachten besucht. Mit Martin und den Kindern. Die Sehnsucht nach meiner Familie wird unerträglich. Ich knie vor dem Altar und bete.

Lieber Gott, bitte hilf mir. Bitte, bitte hilf mir.

Typisch, höre ich ihn sagen. *Das ganze Jahr fragst du nicht nach mir, aber kaum gibt's Probleme, soll ich dir helfen?*

Es fühlt sich falsch an. Das Wichtige ist nicht groß, das macht es so schwer, es zu sehen. Wer hat das einmal gesagt?

Lieber Gott. Ich danke dir.

Ich stehe auf und klopfe mir die Knie ab.

Draußen wartet Katja, aber bevor ich wieder ins Auto steige, rufe ich Elli an.

»Mama? Wo bist du denn?«, meldet sich meine Tochter nach dem ersten Klingelton. Ihre Stimme zu hören ist Balsam für meine wunde Seele.

»Ich bin … in einem kleinen Kaff, Altweil. Mit Katja. Wir haben als Kinder mal hier gewohnt.«

»Was ist denn los?«

»Hat Papa euch nichts …«

»Er hat gesagt, dass du nicht mit in die Türkei fliegst. Aber nicht warum.«

»Ich erkläre es dir, wenn ich wieder zu Hause bin.«

»Und wann kommst du?«

»Morgen.«

»Ach … schon.«

Keine sturmfreie Zeit mit Robert.

»Ja. Schon«, sage ich milde lächelnd. »Ihr fehlt mir. Wie geht es dir denn? Und Till? Wo ist er überhaupt?«

»Mir geht's gut, und Till ist mit Papa in der Stadt. Sie wollen noch etwas besorgen.«

»Wann geht der Flug?«

»Morgen Abend.«

»Und du bist sicher …«

»Jaaaa.«

»Ist alles in Ordnung?«

»Was soll denn NICHT in Ordnung sein? Unsere Eltern verbringen getrennte Urlaube, wenn wir nach-fragen, bekommen wir nur Ausflüchte zu hören, kein Mensch sagt uns, was los ist, aber sonst: alles super!«

»Elli, es tut mir leid. Wir reden, wenn ich zu Hause bin. Versprochen. Gib Till einen Kuss von mir, wenn er kommt.«

»Sonst noch unerfüllbare Wünsche?«

Trotz meines Kummers muss ich lachen. »Jede Menge, aber die behalte ich für mich.«

* * *

Ein grünes Hinweisschild führt uns zur Pension ›Hasenstall‹ und zu Frau Lembach. Der ›Hasenstall‹ wird seinem Namen gerecht. Klein, aber dafür auch sehr beschaulich und sehr ruhig. Waltraud Lembach ist Witwe und kinderlos. Auch an ihr ist alles klein. Außer ihrem Busen, der ist beachtlich. Ihre Neugierde und ihr Mitteilungsbedürfnis sind es auch. »Ach, Sie haben früher schon hier gewohnt? Wie war Ihr Name? Van Velsing? Haben Sie etwas mit der Polsterei zu tun? Eine große Firma war das, ach, und der alte van Velsing, das war ein so charmanter Mann.«

»Kannten Sie ihn?«, fragt Katja interessiert.

»Natürlich. Ich habe doch früher in der Bäckerei gearbeitet, sie hat immer ihre Brötchen bei uns geholt.
Manchmal war er auch dabei. Schreckliche Sache, das.«

»Was für eine Sache?«, frage ich alarmiert.

»Na, der Unfall. Beide sofort tot.«

Ja richtig. Der Autounfall. Die Todesanzeige unserer
Großeltern lag irgendwann bei uns auf dem Küchen-
tisch. Wie lange ist das her? Fünfundzwanzig Jahre?
Wir haben beide noch bei Ines gewohnt.

»Und der Sohn?«, fragt Katja, und es fühlt sich komisch an, weil es unser Vater ist, den sie meint.

»Der war doch da schon längst weg.«

»Und wo wohnt er jetzt?«

»Er wäre in die Nähe von München gezogen, hieß
es. Aber ob das stimmt …? Wenn Sie mich fragen, gab
es da einen großen Familienstreit.«

Wenn Sie mich fragen ist für Katja das richtige
Stichwort.

»Was meinen Sie?«

»Sind Sie jetzt verwandt oder nicht?«, fragt Frau
Lembach jetzt doch misstrauisch.

»Weitläufig. Wir haben seit vielen Jahren keinen
Kontakt mehr und sind jetzt sozusagen auf Spuren-
suche.«

»Na ja, was Genaues weiß ja keiner. Es hatte wohl
was mit den Stanbergs zu tun.«

»Sie meinen mit Esther Stanberg?«

»Ja. Ihr Vater kam ja damals ums Leben.«

»Was? Der Vater von Esther Stanberg?«

»Ja. Bei einem Feuer auf dem Wilmerhof. Ganz
schrecklich war das.«

Katja sieht mich an. Es wird immer verworrener.

Das Zimmer ist ein Doppelzimmer mit Dusche und WC. Es ist einfach ausgestattet, dafür sehr günstig. Ich gehe ins Bad und packe unsere Einkäufe aus. Duschgel, zwei Zahnbürsten und Zahnpasta.

»Komisch, dass Esther uns nach Erinnerungen gefragt hat«, sinniere ich laut, damit Katja mich hört. Solange ich denken kann, versuche ich meine kindlichen Erinnerungen nicht an die Oberfläche kommen zu lassen. Trotzdem blitzen hin und wieder Bilder auf, weil man sich an etwas erinnert fühlt. Durch einen Geruch oder ein Geräusch oder ein Bild. So wie jetzt, als Katja ins Bad kommt und ich ihren nackten Busen sehe und daran denken muss, wie ich sie damals, vierzehnjährig, mit ihrem Freund in unserem Garten beobachtet habe. Beim Knutschen, und ihr Busen war nackt.

Spontan erzähle ich ihr davon.

»Ach das«, meint Katja abfällig. »Das war nur Show.«

»Wie meinst du das?«

»Das war inszeniert. Für den alten Gebauer.«

»Häh?« Der alte Gebauer war unser Nachbar, genau der Nachbar, den ich damals beim Beobachten beobachtet hatte.

Sie stellt sich unter die Dusche.

»Was meinst du damit? Was heißt inszeniert?«

»Na ja, ein Freund hat ein paar Fotos von ihm gemacht, wie er hinter der Hecke stand, und die habe ich ihm dann gezeigt. Und von da an ließ er uns in Ruhe«, sagt sie und hält sich die Brause über den Kopf.

3

Vom Verlassensein und Verlassenwerden

Katja

Sie schreibt einen Artikel. Einen Artikel über Kriminalität in der Region. Dieser ist besonders aufreibend und lenkt Katja von ihrem eigenen Leben ab: Ein Kindermörder soll nach sechs Jahren Gefängnis entlassen und wieder eingegliedert werden. So etwas erhitzt die Gemüter, die Meinungen gehen auseinander.

Sie denkt an Jonas. Der Gedanke an ihren Sohn belastet sie. Gestern Abend hatte sie ein Gespräch mit Zara. Eigentlich war es kein Gespräch, sondern eine Attacke. Ein verbaler Angriff.

»Jonas war letzte Nacht nicht zu Hause. Er kam erst morgens«, hatte Zara erklärt, als sie am Abend aus der Redaktion kam.

»Und? Hast du mit ihm gesprochen?«

»Ich? Ich bin nicht seine Mutter. Es ist nicht meine Aufgabe.«

»Mein Gott. Dann hättest du mich anrufen können.«

»Und dann? Wärst du gekommen?«

Sie schwieg. Gestern sind sie aus Altweil zurückgekommen, die Nacht hat sie bei Erik verbracht.

»Siehst du! Ein Kind braucht Verlässlichkeit. Das

einzig Verlässliche an dir ist deine Unzuverlässigkeit«, warf Zara ihr vor. »Schon immer. Wie oft hast du früher gesagt, du kommst um sieben, und er hat auf dich gewartet. Manchmal bis zehn oder elf. Und dann warst du genervt, weil er noch wach war.«

»Hallo? Ich musste arbeiten!«

»Klar. Und dann jahrelang dieses *Wir-sind-gute-Kumpel*-Getue. Und jetzt soll er deine halblauen Ansagen verstehen. Bisschen viel verlangt, finde ich.«

»Hey, ich lasse ihm alle Freiheiten. Er soll nur …«

»Alle Freiheiten? So kann man es auch nennen. Soll ich dir sagen, was ich glaube: Es ist dir im Grunde völlig egal, was er macht, solange du dich nicht gestört fühlst.«

»Ach leck mich …«, hatte sie geantwortet und die Tür hinter sich zugeschlagen. Was ist eigentlich mit Zara los? Sie war doch immer auf ihrer Seite?

Oder hat sie recht? Was ist Jonas für sie? *Last, Ballast, Anstrengung*, flüstert eine leise, müde Stimme. War das schon immer so? Gab es irgendwann auch einmal Freude und Innigkeit zwischen ihnen? Wirft sie ihm vor, der Sohn seines Vaters zu sein, oder liegt es daran, dass sie die Tochter ihrer Mutter ist? Jonas hat niemals etwas von ihr gefordert. Er war ein Schlüsselkind, ein Tiefkühlpizzakind, ein Ich-habe-ja-meinen-Kuschelhasen-Kind. Er war kein Mama-Kind. Sie dachte, er braucht sie nicht. Sie ist gar nicht auf die Idee gekommen, dass er einfach schon früh begriffen hatte, wie der Hase läuft. Dass sie ihm nämlich diese Art von Familie nicht geben wird. Oder will. Oder kann. Und jetzt lebt er ihre Kindheit. Vaterlos und mutterlos.

Eriks Anruf unterbricht ihre Gedanken.

»Hallo, meine Schöne. Was machst du?«

»Ich arbeite«, sagt sie knapp.

»Darf ich dich nachher zum Essen einladen? Ich habe zwischen zwölf und zwei Zeit.«

»Ich weiß nicht, ob ich es schaffe.«

»Versuch es. Ich will dich sehen.«

»Wir sehen uns doch heute Abend.«

Er lacht. »Das dauert mir zu lange.«

Sie sagt nichts.

»Katja?«

»Ja.«

»Rufst du mich an, wenn du fertig bist?«

»Ja.«

Als sie fertig ist, liest Katja den Text noch einmal durch und verpasst ihm das, was man im Jargon Feinschliff nennt. Dann schickt sie ihn mit ein paar Fotos per Mail in die Redaktion und drückt ihren schmerzenden Rücken durch.

Als Nächstes steht ein Artikel über Familienaufstellung an. Sie weiß ungefähr, was das ist, aber ihr fehlen Details, Hintergrundinformationen oder eigene Erfahrungen. Sie googelt.

Von ihrer Kollegin Ruth hat sie die Karte von so einer Psychotante bekommen, die regelmäßig Familienaufstellungen organisiert. Wie heißt sie noch? Sarah …? Wo hat sie die hingelegt? Ah, da ist sie. Sarah Brettschneider. Am besten ruft sie gleich an und vereinbart einen Termin.

Und dann holt sie Jonas von der Schule ab.

***

Es ist Freitag. Die Schule hat wieder begonnen, aber der Sommer hört nicht auf, Sommer zu sein, nur weil die Ferien vorbei sind. Nach dem letzten ziemlich verregneten Ferienwochenende hat er sich in dieser Woche noch einmal mit Wucht zurückgemeldet. Jetzt ist *High Noon*, die Sonne steht im Zenit, und die Straße ist wie ausgestorben. Katja parkt neben einem großen Plakat und fächert sich mit einem Umschlag Luft zu. Wann ist die letzte Stunde zu Ende? Eins? Viertel nach eins? Sie ist nicht sicher, es ist lange her, dass sie ihn von der Schule abgeholt hat.

Am liebsten würde sie ihr Vorhaben auch schon wieder aufgeben, sie hat ein ungutes Gefühl, dabei ist unklar, ob sich das ungute Gefühl auf die Hitze oder auf Jonas bezieht.

Vorhin hat sie mit Frau Brettschneider telefoniert. Deren Stimme war glasklar, ihre Überzeugung auch. »Nennen Sie mich Sarah«, hatte sie gleich zu Beginn des Gesprächs angeboten. Sie bezeichnete sich als Systemische Therapeutin und sagte, das Familienaufstellen sei eine anerkannte Methode zur Lösung seelischer Probleme, höchst effektiv und hilfreich. »Gefährliche Alternativpsychologie«, hat Max es genannt. Sie haben sich für nächste Woche verabredet. Katja hat keine näheren Angaben zu einem Problem gemacht, aber sich auch nicht als Journalistin geoutet. Sie wird an einer Aufstellung als passive Beobachterin teilnehmen und dann entscheiden, in welche Richtung ihr Artikel gehen wird.

Vielleicht kann sie Alexa überreden mitzukommen. Zwei Schwestern mit desolater Kindheit, beide selbst Mütter, die eine perfekt und fürsorglich, die andere chaotisch und unfähig. Wie stellt man so etwas auf?

Sie sieht Alexa mit wirren Locken und hochrotem Kopf in ihrer Küche stehen, bei der Zubereitung des sonntäglichen Rinderbraten und sich selbst, rauchend und männerfressend auf der Suche nach neuen Opfern. Dabei fällt ihr ein nächtlicher Schwimmbadbesuch im öffentlichen Freibad ein. Es ist Jahre her, sie waren eine Handvoll Leute, die Kneipen hatten alle dichtgemacht, aber sie wollten nicht, dass der Abend vorbei war, das Feiern, das Lachen und das Trinken. Auf der Suche – vielleicht nach einem Abenteuer oder einfach einem Platz zum Weiterfeiern – kamen sie am Schwimmbad vorbei. Auf dem Wasser dampfte der Frühnebel, es wurde hell. Sie kletterten über die Absperrung, zogen sich aus und sprangen unter lautem Getöse ins Wasser. Es war herrlich, die kleinen Luftblasen auf der nackten Haut zu spüren, das weiche Wasser zwischen den Beinen, die unruhigen Wellen.

Sie kann sich an kein einziges Gesicht aus dieser Nacht erinnern, an keinen Namen, aber an dieses Gefühl. So fühlt sich Freiheit an, hatte sie damals gedacht.

Das Hupen des heranfahrenden Schulbusses schreckt sie auf. Sie steigt aus. Immer mehr parkende Autos mit wartenden Vätern und Müttern reihen sich ein.

WIR SIND SCHULE und *WIR KÄMPFEN FÜR DAS RECHT DER FREIEN SCHULWAHL – FÜR ALLE ELTERN UND ALLE SCHÜLER* steht auf dem Plakat neben ihr. Angewidert dreht Katja ihm den Rücken zu. Es gibt Mütter, die müssen arbeiten und Geld verdienen. So wie sie. Und es gibt Mütter, die sind von Beruf Mutter. Die opfern ihre ganze Zeit, um ihre Kinder von A nach B zu transportieren, Nachhilfestunden zu organisieren, Hausaufgaben zu kontrollieren, Kindergeburtstage auszurichten oder sich in Elternbeiräten zu etablieren. So ist sie nicht. Macht sie das automatisch zu einer schlechten Mutter? Ines war eine schlechte Mutter, und so wie Ines ist sie auch nicht. Sie hat ihren Sohn noch nie geschlagen, kein einziges Mal.

Der Schulhof füllt sich, Massen von Schülern drängen nach draußen. Sie sieht Jonas aus dem Schulgebäude kommen und winkt. Er schaut in ihre Richtung, aber er reagiert nicht. Er ist allein, eine Haarsträhne fällt ihm ins Gesicht. Wie jung er aussieht. Er ist jung. Noch nicht einmal sechzehn. Noch mehr Kind als Mann.

Sie winkt noch einmal. Er sieht sie, aber er ignoriert ihr Winken. Ein Mädchen kommt auf ihn zu, und sie beobachtet, wie er ihr mit der Hand ein Zeichen gibt. Er wird sie anrufen, heißt das. Sie muss lächeln. Sein Gang ist schlürfend, seine Hose hängt tief. Ob er sich freut? Als er klein war, fand er es toll, wenn sie ihn von der Schule abholte.

»Was ist los?« Jonas wirft seinen Rucksack auf die Rückbank. »Ist jemand gestorben?«

»Nein. Ich dachte, ich hole dich zum Essen ab und wir reden.«

»Wenn du meinst.«

»Ja. Das meine ich.«

Er riecht nicht gut.

»Wann hast du zum letzten Mal geduscht?«

»Mama!«

»Ja, was? Du stinkst. So was stört Mädels, glaub mir.«

»Sonst noch was?«

»Zara hat gesagt ...« Sie bricht ab.

»Was?«, fragt er unwillig.

Sie nimmt eine Hand vom Steuer und legt sie auf seine. Er zieht sie weg.

»Italiener oder McDonald's?«

»Italiener. Ich nehme Pizza mit Champignons und Schinken.«

Katja lacht. Pizza mit Champignons und Schinken ist seine Lieblingspizza, seit sie denken kann.

Katja bestellt. Pizza und Cola für Jonas, Pizza und einen Rotwein für sich.

»Wo warst du vorletzte Nacht?«, fragt sie.

»Bei Bastian.«

»Bei Bastian? Du warst seit Monaten nicht mehr bei Bastian.«

»Aber vorgestern«, antwortet er mürrisch.

Bastian war Jonas' bester Freund. Bis vor einem halben Jahr. Da gab es Ärger wegen Josefine, Bastians neuer Freundin. Katja dachte zuerst, Jonas sei sauer, weil Bastian kaum noch Zeit für ihn hatte, aber Zara vermutet, dass Jonas selbst in das Mädchen verliebt war.

»Habt ihr euch wieder versöhnt?«

»Wir hatten keinen Streit.«

»Das nächste Mal sagst du Bescheid.«

»Du sagst doch auch nicht Bescheid, wenn du bei deinem Lover übernachtest.«

Erik. Sie hat ihn vorhin abgewimmelt und versprochen, ihn später zurückzurufen. Das hat sie ganz vergessen. Sie schiebt den Gedanken weg.

»Spinnst du? Das ist ja wohl etwas ganz anderes«, argumentiert sie schwach.

»Warum?«

Weil du erst fünfzehn bist und dich von einer Scheiße in die nächste reitest, denkt sie, spricht es aber nicht aus. Die Pizza kommt, und eine Weile essen sie schweigend. Irgendwann wird das Schweigen unerträglich. Sie unternimmt einen neuen Versuch.

»Jonas, wir ...«

»Was?«, fragt er, und sie hört an seiner Stimme, an diesem einen Wort, dass es sinnlos ist. Er wird ihr nicht sagen, was sie hören will.

»Ach nichts. Ich muss noch einmal in der Redaktion vorbeischauen, soll ich dich vorher nach Hause bringen?«

»Nein.«

»Warum nicht?«

»Ich hab noch was vor.«

»Und was?«

»Ich treff mich mit einem Freund.«

»Mit Bastian?«

»Nein.«

»Sondern?«

»Mama!«

»Ja, was? Du bist fünfzehn. Ich will wissen, wo du bist und mit wem.«

»Ich frag dich doch auch nicht.«

Vielleicht hat er recht. Vielleicht ist es eine blöde Idee, jetzt damit anzufangen.

»Um zehn bist du daheim«, sagt sie.

Er antwortet nicht.

»Hast du gehört?«

Er schaut ihr ins Gesicht.

»Ja, ich hab dich gehört«, sagt er.

* * *

Sie sitzt im Sessel am Fenster und starrt auf die Straße. Es ist spät, schon nach zwölf, und Jonas ist noch nicht zu Hause. Natürlich geht er auch nicht an sein Handy. Und natürlich hat sie nicht die leiseste Ahnung, wo er steckt. Leiser Ärger frisst sich in ihren Bauch, wie ein kleines Tier, ein unauffälliges Nagen erst, bis sie das Loch spürt und es anfängt zu schmerzen. Katja seufzt.

Ist Mutterliebe nicht ein gottgegebenes Gefühl, etwas, was jeder Frau quasi schon in die Wiege gelegt wird? Warum funktioniert es bei ihr nicht? Warum kann sie nicht ein bisschen sein wie Alexa? Vor Katjas geistigem Auge entsteht das Bild eines nachtdunklen Zimmers. Sie sieht sich selbst im Bett, der kalte Mond scheint auf die Wiege. Jonas bewegt sich unruhig, und sie hört sein leises Weinen und Schmatzen. Sie bräuchte nur die Hand auszustrecken, dann könnte sie ihn berühren. Oder ihm den kleinen Bauch massieren. Die Hand bleibt, wo sie ist. Sein Vater ist nicht da. Schon wieder ist er nicht da. Vielleicht bei einer anderen Frau, vielleicht mit Freunden unterwegs. Er sagt es ihr nicht. Jedes Geräusch, jede Bewegung ihres Sohnes machen die Entfernung zwischen ihrem müden Körper und dem Schlaf größer. Sie ist so müde, plagt sich mit undefinierbaren Ängsten, und ganz kurz lässt sie das schwarze, böse Gefühl zu. *Er macht alles kaputt.* Und sie redet sich ein, dass es nicht Jonas ist, den sie meint.

Jonas' Vater heißt Fabio und ist Halbitaliener. Mutter Deutsche, Vater Sizilianer. Feuriges Temperament, gepaart mit südländischem Charme. Für kurze Zeit fand sie ihn unwiderstehlich. Er ging, als Jonas zwei war. Sie glaubte schon damals nicht an das Modell der ›normalen‹ Familie, Monogamie und der ganze Mist, aber dem Kind zuliebe wollte sie es zumindest versuchen. Doch dann traf Fabio eine Frau, die ihn ganz wollte, und das war's. Den Fernseher und den Computer nahm er mit. Seine Schulden und Jonas ließ er da. Beides hängt seither an ihr. Für seine Schulden hatte sie eine Bürgschaft unterschrieben. Für Jonas die Verantwortung.

Anfangs besuchte er seinen Sohn noch. Ein oder zwei Jahre lang. Dann wurden die Besuche seltener. Irgendwann kamen nur noch Postkarten. Zu Weihnachten und zum Geburtstag. Bis heute keine Geschenke und kein Geld. Er verdient ja nichts, lebt von dem Geld der Frau, die ihn geheiratet hat. Sagt er.

Sie musste viel arbeiten damals, um finanziell über die Runden zu kommen. Aber da war Jonas. Die Kita schloss um fünf. An Wochenenden nahm sie ihn oft mit zu ihren Terminen, berufliche wie private, oder sie brachte ihn bei Alex unter.

Das war natürlich keine Dauerlösung und nach Claras Geburt auch gar nicht mehr möglich. So hatte sie schließlich die Idee mit dem Au-pair und fand Zara. Zara, die aus Ungarn über eine Vermittlung nach Deutschland kam und die ihnen von Anfang an guttat. Sie war jung und voller Energie, lebenslustig und pragmatisch, zupackend und belastbar. Sie blieb auch nach Ablauf des Jahres. Dass sie es aus Liebe tat, wusste Katja nicht. Zara hatte nichts gesagt oder getan, was darauf schließen ließ. Es war Max, der ihr die Augen öffnete. Katja ging auf Distanz, sie vermied es, mit Zara allein zu sein. Bis Zara sie direkt darauf ansprach. So wurde alles geklärt, und Zara verliebte sich kurz darauf in Sophie. Und später in Hella. Jetzt liebt sie Laura.

Max war ein neuer Kollege, der nach der Trennung von seiner Freundin vorübergehend eine Bleibe suchte und so ebenfalls in ihrer Wohnung landete. Das war vor fast zehn Jahren. Mittlerweile sind sie ein eingespieltes Team. Fast so etwas wie eine ganz normale Familie. Aber eben doch nicht so *normal*, als dass es ihr Angst macht. Nein, sie will nicht so sein wie Alexa. Das Letzte, was sie je wollte, war ein Leben mit Familiensonntagen und Rinderbraten.

Ein Geräusch lässt sie aus ihrem unruhigen Halbschlaf aufschrecken. Draußen dämmert der Morgen. Die große Kastanie gegenüber wirft im fahlen Licht der Straßenlaterne einen monströsen Schatten auf die Straße.

Ihre Haltung ist verkrampft, der Rücken schmerzt. Vorsichtig stellt sie die angezogenen Beine auf die Erde und streckt sich.

Das Kissen rutscht auf den Boden, und für einen kurzen Moment ist sie ohne Orientierung, ohne Erinnerung an gestern. Dann fällt es ihr wieder ein.

Sie springt auf und läuft barfuß über die kalten Fliesen im Flur zu Jonas' Zimmer. Sein Bett ist leer, und der Ärger darüber schmeckt so bitter wie die Sorge um ihn.

Zurück im Sessel, wickelt sie eine Wolldecke um ihre kalten Beine. Ihr Gesicht spiegelt sich im Fenster. Haarsträhnen fallen ihr ins Gesicht. Ein Bild der Auflösung. Sie zieht die Knie wieder hoch und steckt ihre kalten Füße unter die Decke.

Alexa sagt oft, dass sie und Elli sich ähnlich sehen. Jetzt, in diesem undeutlich verwischten Bild, erkennt sie es auch. Aber sie weiß, dass sich in ihren Augenwinkeln bereits ein feines Netz von Falten eingegraben hat, ihre Haut nicht mehr die Elastizität einer jungen Frau besitzt und ihr Körper nicht mehr seine frühere Geschmeidigkeit. *Vergeude keine Zeit, denn daraus besteht das Leben*, denkt sie. Wer hat das gesagt?

Ein Scheinwerfer taucht auf. Das Licht bewegt sich auf sie zu, und unwillkürlich ballt sie die Fäuste. Aber es fährt vorbei und hinterlässt nichts außer einer nicht erfüllten kurzen Hoffnung. Sie greift nach der Tasse auf der Fensterbank und lässt sie wieder los. Der Kaffee ist kalt. Das Verlangen nach einer Zigarette macht sich bemerkbar. Sie unterdrückt es. Sie ist zu müde, um das bisschen Wärme für eine Zigarette aufzugeben.

Was soll sie tun, wenn er kommt? Schimpfen? Drohen? Bitten? Mit ihm reden? Sie wählt seine Nummer. Schon während die Verbindung aufgebaut wird, weiß sie, was kommt: »The person you have called is temporarily not available.«

Es macht sie wütend, dass er ihr Sorgen aufbürdet, die sie nicht will und gegen die sie sich nicht wehren kann. Sie ist seine Mutter, sie trägt die Verantwortung, und er ist erst fünfzehn. Max kommt in die Küche. Gestern Abend, als ihre Ruhelosigkeit sie nicht schlafen ließ, haben sie noch lange geredet. Mit niemandem kann sie so gut reden, er ist ihr bester Freund. Sie reden über alles, über Jonas, ihren Job, ihre Freunde. Über politische Entwicklungen, schwierige Entscheidungen, seine Frauen. Sie ist froh, dass sie nie eine Affäre mit ihm hatte. Gelegenheiten gab es, aber sie hat gespürt, dass es in dem Fall besser ist, ihren flüchtigen Hunger nicht auf diese Art zu stillen. Erik fällt ihr ein. Sie hat schon wieder vergessen, ihn anzurufen.

»Hey, du«, sagt Max. »Warst du die ganze Nacht hier?« Sein Tonfall ist väterlich und tröstlich, aber sie will sich nicht fühlen wie ein krankes Kind, das seinen Schmerz mit den Eltern teilt.

»Ja. Ich konnte nicht schlafen.«

»Mensch.« Er kommt und fährt ihr zart über das Gesicht. »Kann ich irgendwas für dich tun?«

Sie schüttelt den Kopf.

»Gönn dir ein paar Stunden Schlaf, dann sieht die Welt schon wieder anders aus.«

Es ist gleich sieben. Um neun Uhr hat sie einen Termin in Frankfurt.

Max sieht sie noch immer an. Den Blick voller Fragen. Wieder schüttelt sie den Kopf und steht auf. Sie geht ins Bad, dreht den Wasserhahn auf, spritzt sich kaltes Wasser ins Gesicht, hält ihre Handgelenke unter den Strahl und lässt minutenlang kaltes Wasser drüberlaufen. Die Müdigkeit sitzt ihr im Genick wie ein träges Tier. Vielleicht sollte sie zur Polizei gehen. Sagen, dass ihr fünfzehnjähriger Sohn heute Nacht nicht nach

Hause gekommen ist. *Kommt das öfter vor?*, würde man sie fragen. *Ja*, würde sie antworten müssen.

Ein fünfzehnjähriger Junge, der ab und zu nachts nicht nach Hause kommt. Muss man sich deshalb Sorgen machen? Ist das ihre Sorge? Sie geht zurück ins Zimmer und greift nach dem Handy. Die Finger finden die Zahlen von selbst. Sie spricht mit dem Anrufbeantworter.

»Hallo, ich bin's. Ich komme heute nicht ins Büro. Ich fühle mich nicht wohl. Anja soll meine Termine absagen. Ich melde mich am Montag, wenn es mir besser geht.«

Kraftlos lässt sie sich auf ihr Bett fallen und hört im gleichen Moment den Schlüssel.

»Jonas?«, ruft sie und springt auf. » Jonas, bist du das?«

Jonas steht im Flur und zieht seine Turnschuhe aus.

»Ich bin müde, ich hau mich aufs Ohr.«

Katja starrt ihn an.

»Wo warst du?«

»Bei Freunden.«

»Jonas, du bist die ganze Nacht weg gewesen.«

»Na und? Es ist Wochenende, und außerdem bin ich kein Baby mehr.«

Wieder springt die Wut sie an wie ein Tier. »Sag mal, spinnst du? Weißt du eigentlich, welche Sorgen ich mir gemacht habe?«

»Mann, jetzt komm mal wieder runter. Ich hab vergessen, dich anzurufen, und als es mir eingefallen ist, war's schon so spät. Ich wollte dich nicht wecken.«

»Warum war überhaupt dein Handy ausgeschaltet?«

»Der Akku ist leer. Ich lad's nachher auf. Jetzt muss ich erst einmal eine Runde pennen.«

* * *

Katja rennt gegen den Berg, ihr Ziel ist die große Buche, ganz oben auf dem Kamm. Noch drei-, vielleicht vierhundert Meter, sie mobilisiert alle Kräfte und legt im Tempo noch einmal zu.

Das Gras ist feucht vom Tau, der Boden dampft, das diffuse Licht der Sonne kämpft gegen den Nebel. Es blendet sie. Sie steigert das Tempo bis an ihre Grenze, ihre Füße finden kleine Unebenheiten auf dem Boden, flüchtige, kurze Berührungen. Die Luft ist klar und frisch, ihre Lungen brennen, ihr Atem geht stoßweise. Erst auf den letzten wenigen Metern wird sie langsamer, fällt schließlich in Schritttempo und bleibt oben erschöpft stehen. Sie beugt sich nach vorne und stützt ihre Hände auf den Knien ab.

Unter ihr liegt eine sanfte, hügelige Landschaft. Aufgeräumt und klar. So viel aufgeräumter und klarer als ihr Leben. *Hier ist alles, wie es immer war*, denkt Katja. So wird es auch morgen sein. Und übermorgen.

Warum ist sie so wütend auf Jonas? Weil er so ist wie sie? Was hat sie sich denn sagen lassen, welchen Vorschriften hat sie sich gebeugt, in seinem Alter? Pah! Welche Vorschriften denn? Ines hatte doch noch nicht einmal bemerkt, ob sie da waren, sie oder Alexa. Für Ines waren sie im günstigsten Fall unsichtbar und im schlechtesten im falschen Moment am falschen Platz.

Sie saßen sich gegenüber. Ines hatte schlechte Laune. Katja erkannte es an dem schmallippigen Lächeln, das Ines ihr über den Tisch schickte. Und an ihren trommelnden Fingern, die wie von selbst einen Takt vorgaben. Vor allem sah sie es am Blick. Sie kannte diesen Blick.

»Wisch dir die Lippen ab«, sagte Ines.

Katja nahm ein Papiertuch und putzte sich mit zittrigen Händen die rote Farbe ab. Zinnoberrot. Ines schnaubte bitter. Sie stand auf und holte den Spülschwamm. Sie begann Katjas Gesicht zu waschen. Der Schwamm roch nach faulen Eiern. Ines rieb und rieb, immer heftiger, und je mehr sie wusch und schrubbte, umso mehr schien sie sich in Rage zu schrubben. Katja blieb stumm. Es tat höllisch weh, und ihr war übel vom Geruch, aber sie weinte nicht.

Die Blätter verfärben sich allmählich, der Sommer neigt sich dem Ende zu. Veränderung und Vergänglichkeit. Keiner von ihnen spielt eine Rolle in diesem Lauf. Es ändert nichts, ob es sie gibt oder nicht, ob Jonas Schwierigkeiten macht oder sie beruflich Erfolg hat, ob sich irgendwo auf der Welt Menschen gegenseitig umbringen oder sich neu verlieben.

Sie blinzelt in die Sonne, spürt endlich wieder Kraft, die Wärme auf ihrem Gesicht, spürt Zuversicht und ihren unerschütterlichen Optimismus und drückt alles weg, was sich nach Sorgen anfühlt. Es ist Sommer. Egal, was passiert, der Sommer gehört ihr.

Hätte ich doch Geld mitgenommen, denkt Katja jetzt, *dann könnte ich Brötchen holen, und wir könnten zusammen frühstücken, Jonas und ich.*

Als sie gegen zehn Uhr vom Joggen kommt, ist alles ruhig in der Wohnung. Sie geht noch einmal los und besorgt Brötchen. Wieder zurück, betritt sie vorsichtig Jonas' Zimmer. Er schläft. Sein weiches Gesicht ist so jung. Da ist nichts von seiner störrischen Ablehnung zu sehen. Sie seufzt und schüttelt leicht an seiner Schulter. Er lastet auf ihr wie ein tonnenschweres Gewicht. Warum widersetzt er sich ihr so? Sie will ihn nicht mit übertriebenen Verboten drangsalieren, sie will doch nur, dass er seine Grenzen erkennt. »Jonas. Jonas, ich habe Brötchen geholt. Wir könnten zusammen frühstücken.«

Er antwortet nicht, grummelt etwas im Halbschlaf.

»Jonas«, sagt sie, eine Spur lauter jetzt.

»Was?«, fragt er verschlafen und blinzelt sie an.

»Ich habe Brötchen mitgebracht. Komm, steh auf.«

»Spinnst du? Es ist Samstag. Lass mich pennen.«

»Wenn du den ganzen Tag verschläfst, kommst du heute Abend nicht zur Ruhe. Besser, du stehst jetzt auf und ...«

»RAUS!«

Blöde Idee, das mit dem gemeinsamen Frühstück.

Als er endlich verschlafen in die Küche kommt, ist es nach zwei. Sie sitzt an einem Artikel über verschiedene Bräuche im Wandel der Zeit. Mit Sarah Brettschneider hat sie auch noch einmal telefoniert. Wegen der Familienaufstellung. Nächste Woche ist der Termin.

»Hey, gut geschlafen?«, fragt sie abgelenkt.

Er antwortet nicht. Sie schaut auf. Sein junger Körper hat sich entwickelt in den letzten Monaten. Vielleicht ist das Mädchen, mit dem er gestern vor der

Schule gesprochen hat, seine Freundin. Sie war zwölf bei ihrem ersten Kuss.

Auf den ersten Blick sieht er seinem Vater sehr ähnlich. Die schwarzen Haare, die dunkle Haut. Aber die Nase, das Kinn, der feine Schwung seiner Brauen, das alles hat er von ihr. Er ist ihr Sohn, ob es ihnen beiden passt oder nicht.

»Hast du Hunger? Es sind noch Brötchen da.«

»Keinen Hunger.«

Er geht zum Kühlschrank und nimmt die Milchtüte.

»Jonas! Ich hab dir schon so oft gesagt, du sollst nicht aus der Tüte ...«

»Ich hau gleich ab.«

Er stellt die Milch zurück an ihren Platz.

»Aha. Was hast du vor?«

»Treff mich mit Freunden.«

»Jonas, so geht das nicht. Wir müssen reden.«

Er sieht sie an.

»Ich nicht.«

»Doch. Du auch.«

»Wenn du reden willst, dann rede. Mit der Wand, mit dem Kühlschrank oder mit Max. Ich hab keinen Bock drauf.«

»Jonas! Bring mich nicht wieder dazu, dir mit Sanktionen drohen zu müssen.«

»Wieso? Im Drohen bist du doch gut.«

Er dreht sich weg von ihr, schon wieder auf dem Weg zur Tür.

»Bleib hier! Scheiße! Jonas! So geht das nicht!«

Aber es geht so. Er beweist es ihr. Jeden Tag.

Alexa

Ich bin ganz kribbelig. Vor lauter Nervosität räume ich alles auf, was ich finden kann. Ich putze und bügle und schlage Zeit tot. Der Zeiger auf der Uhr scheint stillzustehen. Wenn der Flug planmäßig verläuft, landet die Maschine um 16.25 Uhr, das sind noch mehr als vier Stunden.

Elli ist doch noch mitgeflogen. In allerletzter Minute, was problemlos möglich war, da Martin sowieso ein Pauschalticket für uns alle vier gebucht hatte.

Ich fühle mich wie amputiert. Als ich mit Katja unterwegs war, habe ich gelitten, aber es war erträglich. Ich war nicht allein, unser Besuch in der Vergangenheit hat mich von meinen Problemen abgelenkt, und die spontane Übernachtung in Altweil fand ich sogar sehr schön. Mit Katja in einem Bett zu schlafen hat mich an unsere Kindheit erinnert. An unsere gemeinsamen Nächte ganz früher, in denen ich es so tröstlich fand, sie neben mir zu wissen.

Dann, als wir wieder zu Hause waren, gab es zuerst noch jede Menge zu bereden und zu erklären, so dass wir uns häufig getroffen oder zumindest miteinander telefoniert haben.

Aber seit einigen Tagen herrscht Funkstille. Katja hat keine Zeit mehr. Sie habe zu viel zu tun, sagt sie, und ich beneide sie darum. Meine Familie ist nicht da, ich habe keine Aufgabe, nichts, was meinen Alltag füllt. Am schlimmsten sind die Nächte. Ich kann nicht schlafen, weshalb ich mir jetzt sogar Schlaftabletten besorgt habe. Das Ergebnis ist allerdings nicht sehr befriedigend. Mit einer Tablette schlafe ich zwar schnell ein, aber nie lange, und dann bin ich den ganzen Vormittag über noch matt und fühle mich eigenartig wattig. Geistig wie körperlich. Trotzdem läuft mein Kopf auf Hochtouren.

»Soll ich etwas kochen oder mir eine Pizza in den Ofen schieben?«, frage ich mich selbst und nehme mir einen Apfel. »Vitamine sind auf jeden Fall wichtig.«

Ich halte Stille überall aus, nur nicht zu Hause, da macht sie mich nervös. Deshalb rede ich mit mir.

Das Telefongespräch mit Martin war seltsam. Er war so distanziert. »Mach dir keinen Stress, wir können uns auch ein Taxi nehmen.«

»Nein. Ich hole euch gern ab.«

»Wie du willst.«

Ganz kühl und fremd hatte seine Stimme geklungen. War ich zu sorglos? Ich war nicht sorglos. Die Sorge frisst mich auf.

Ich beiße in den Apfel und greife nach der Fernbedienung. Ich brauche Stimmen, Geräusche, irgendetwas, das mir das Gefühl gibt, nicht allein zu sein.

Die Spülmaschine muss ausgeräumt werden. Ich erhöhe die Lautstärke, damit ich die Fernsehstimmen auch in der Küche höre, und räume Teller in den Geschirrschrank, Besteck in die Schublade und zwei Weingläser auf die Ablage. Stillleben meines Alleinseins: zwei leere Schokoriegelverpackungen, eine Schachtel Schlaftabletten, eine leere Weinflasche und zwei frisch gespülte Weingläser. Schokolade, Tabletten, Alkohol. Ich benehme mich wie ein Kind, das man nicht allein lassen darf. Ich werfe die Verpackungen in den Müll, die Tabletten in die Schublade, stelle die leere Flasche in den Altglaskorb, tappe mit den Weingläsern in der Hand ins Wohnzimmer und öffne den Schrank. Es ist ein sehr alter Schrank. Aus massiver Eiche und mit tollen Schnitzereien. Also, Martin findet sie toll, ich eher weniger. Wahrscheinlich ist er sehr wertvoll. Meine Finger fahren über das Holz, und dabei fällt mein Blick auf eine Kiste mit Fotos. Schon wieder eine Kiste mit aussortiertem Leben. Übrig gebliebene Aufnahmen, unscharf, oder mit Motiven, die es schon x-mal gibt. Sie werden nicht mehr gebraucht, aber zum Wegwerfen finde ich sie trotzdem zu schade.

Ich nehme mir ein paar der oberen Bilder und schaue sie an. Elli und Till, Till und Elli. Till als Einjähriger im Schlauchboot am Strand von Korsika. Till im Kindergarten, Till auf Martins Knien. Er hatte so unglaubliche Locken. Und so dicke Backen. Die hat er immer noch. Wäre er nicht schon jetzt so groß, könnte ich mich damit trösten, dass er sicher bald einen ordentlichen Schuss in die Höhe macht.

Ich nehme mir ein Foto von Elli. Sie ist vier, vielleicht fünf, und hält stolz ihre Barbiepuppe vor die Kamera. Ihr Blick ist ernst, die Augen sind riesig. Elli hatte als kleines Kind nie gelächelt, wenn sie fotografiert wurde. Es war für sie von jeher eine ausgesprochen ernste Angelegenheit. Sie war überhaupt ein ernstes Kind. Katja hatte sie einmal gefragt, was sie werden wolle, wenn sie groß sei. »Papa«, hatte sie nach reiflicher Überlegung bedachtsam geantwortet. Ihr Papa war tagsüber arbeiten und zu Hause der Gute-Laune-Bär, der seine Tennistasche packte, wenn's anstrengend wurde. Ich war zwar immer liebevoll zu meinen Kindern, aber selten gut gelaunt. Ich hatte Clara.

Ein anderes Foto fällt mir auf. Es zeigt mich, braun-gebrannt, in Top und mit kurzen Hosen, und Martin, in ungewohnt schmutziger Arbeitskleidung, auf der Terrasse beim Abschleifen des alten Büfetts. Es war wenige Wochen nach Claras Tod, und Elli hatte es gemacht. Martin fand, dass wir uns ablenken sollten. Das schwere Buffet gehörte seiner verstorbenen Tante und stand viele Jahre nutzlos im Keller. Jetzt steht es im Flur. Neben der Garderobe.

Clara ist auf keinem Foto. Die wenigen, die es von ihr gibt, sind in einem Album, und das liegt in der Schublade ganz hinten. Ganz unten. Ich habe das Album nicht mehr angesehen seit ihrem Tod. Das schlechte Gewissen nagt an mir, aber ich werde es mir auch jetzt nicht ansehen. Ich lege die Fotos zurück in die Kiste und schließe den Deckel.

Mein erstes Gefühl für meine eigene Familie habe ich als Kind durch die amerikanische Fernsehserie *Die Waltons* erfahren. Die *Waltons* waren eine Großfamilie mit sieben Kindern, Eltern und Großeltern, wenig Geld und ganz viel Liebe. Sie waren füreinander da und halfen sich gegenseitig aus der Patsche. Der Vater führte wichtige Gespräche mit den Söhnen, und die Mutter zeigte den Töchtern, wie man Brot buk. Sie war schön, stets liebevoll und geduldig und immer zur Stelle, wenn man sie brauchte.

Sie war das Gegenteil von Ines.

Bis heute bin ich mir nicht sicher, ob Ines uns nicht liebte, weil sie es nicht konnte, oder ob sie uns nicht liebte, weil sie es nicht wollte.

Als Kind habe ich einmal ein Gespräch zwischen Katja und Ines gehört. Katja wollte wissen, ob Ines von ihrer Mutter geliebt worden war. Ich kann mich leider nicht mehr an die Antwort erinnern.

Noch drei Stunden. Ich brauche frische Luft. Der Blick aus dem Fenster zeigt schwere, dunkle Wolken, die sich am Himmel türmen, aber ich schnappe mir im Vorbeigehen die Regenjacke und laufe einfach drauf-los, Richtung Hochfeld.

Schon nach zwei oder drei Minuten beginnt es zu tröpfeln, und innerhalb von Sekunden klatschen mir die Regentropfen wie kleine Ohrfeigen ins Gesicht. Der Wind reißt mir die Kapuze vom Kopf und zerrt an meinen Locken. Ich halte ihm meine Stirn entgegen und wünsche mir, dass er alle Bilder aus meinem Kopf bläst.

Martin ist mein Mann, denke ich. Er gehört zu mir. Aber er gehört mir nicht. Er schläft mit einer ande-ren Frau. Nein, daran will ich nicht denken. Aber ich kann nicht aufhören.

Meine Gedanken drehen sich im Kreis. Martin ist mein Mann, und er gehört nur mir. Die Gedanken geben den Takt meiner Schritte vor.

Martin ist mein Mann. Sechs Schritte.

Er gehört zu mir. Fünf Schritte. Da gibt es doch die-ses Lied: Er gehört zu mir wie mein Name an der Tür.

Er-ge-hört-zu-mir-wie-mein-Na-me-an-der-Tür. Zwölf Schritte.

Und noch einmal von vorn.

Ich ändere den Rhythmus. Zwölf Schritte, im Wech-sel lang und kurz. Zwölf Schritte, kurz, kurz, lang.

Ich überquere eine Wiese, meine Füße sind klatsch-nass, das Gras ist hoch, und ich habe Angst vor Zecken. Ich muss nachher beim Duschen genau nachsehen. Ich laufe weiter und denke und zähle, die Richtung ist mir egal. Schritte zählen und mit den Gedanken in Einklang bringen. Damit ich nicht anfange, über meine Gedanken nachzudenken.

Als Kind hatte ich eine Zecke, ich habe geschrien vor Angst, weil es aussah, als würde dieses Tier sich in meinen Bauch graben. Ines hat sie mit den Fingern herausgezogen und mir eine geklatscht. Damit ich aufhöre zu schreien.

Ich habe schreckliche Angst.

Martin schläft mit einer anderen Frau, und Ines lächelt höhnisch. *Kein Wunder, schau dich doch an.*

Sei still! Sei bloß still!

»ICH HASSE EUCH!«, schreie ich den Wind an und den Regen.

Als ich zurückkomme, hat es aufgehört zu regnen, und ich stelle fest, dass ich meinen Schlüssel vergessen habe. »Mist!«, schimpfe ich laut vor mich hin »So ein verdammter Mist!«

»Kann ich Ihnen helfen?«

Nick, mein schöner Nachbar, kommt aus seinem Haus und schaut fragend in meine Richtung.

»Ich war spazieren und habe meinen Schlüssel vergessen«, murmele ich beschämt.

»Keinen Ersatzschlüssel irgendwo deponiert?«

»Nein. Also doch. Mein Mann hat noch einen, aber der ist mit den Kindern im Urlaub, und ich muss sie gleich vom Flughafen abholen, aber das geht nicht, weil mein Autoschlüssel ja auch im Haus ist«, erzähle ich konfus. So langsam wird mir meine Misere so richtig bewusst.

»Haben Sie alle Fenster und Türen geschlossen?«

»Ja. Außer ... vielleicht ...«

»Ja?«

»Ich ... Das Schlafzimmerfenster ist gekippt. Aber das ist im Dachgeschoss.«

»Haben Sie eine Leiter?«

»Hinter dem Gartenhaus.«

»Dann ist das Problem lösbar, denke ich.«

Das ist es wirklich. Er braucht keine fünf Minuten, um das gekippte Fenster zu öffnen.

»Ich weiß nicht, was in Zukunft besser ist«, sage ich, als er mir die Haustür von innen öffnet.

»Was meinen Sie?«

»Na ja, wenn ich alle Fenster fest verschließe, hat der Einbrecher schlechte Karten, aber ich auch, wenn ich mal keinen Schlüssel habe.«

»Und wenn Sie ein Fenster in Kippstellung lassen, machen Sie es dem Einbrecher leicht. Aber nur, wenn der weiß, wo Ihre Leiter ist«, lacht Nick.

»Auf jeden Fall: Vielen Dank! Sie haben mir sehr geholfen.«

»Gern geschehen. Und jederzeit auch wieder«, sagt er jetzt ganz ernst und schaut mich an, aber ich habe keine Zeit mehr, mir über diesen Blick Gedanken zu machen. Ich bin klatschnass, und ich muss zum Flughafen.

* * *

Es ist passiert. Meine schlimmsten Befürchtungen sind wahr geworden: Martin hat mich verlassen. Ich bin eine sitzengelassene, überflüssig gewordene Ehefrau.

Eine von denen, über die man nur hinter vorgehaltener Hand und in Abwesenheit der betroffenen Person redet. Dafür mit viel Mitleid in der Stimme. Ich muss es wissen. Ich war lange genug auf der anderen Seite.

Jetzt laufe ich wie betäubt durch das, was von meinem Leben übrig ist. Wenn ich laufe. Meistens fehlt mir dazu die Kraft. Im Liegen lässt es sich sowieso viel besser leiden.

Ich habe es geahnt. Von dem Augenblick als ich Zeugin dieses Telefonats wurde, habe ich es geahnt. Nein. Eigentlich schon viel früher. Von Anfang an, vom ersten Tag unserer Beziehung an wusste ich, dass es nicht funktionieren würde. Aber ich habe meine Zweifel verdrängt, weil ich ihn so unbedingt wollte, und lange sah es ja auch so aus, als würde es klappen. Vielleicht bin ich deshalb unvorsichtig geworden.

Hätte ich denn etwas ändern können? Wäre es nicht passiert, oder jedenfalls nicht jetzt, wenn ich dieses Telefongespräch nicht gehört hätte? Ja, sagt mein Bauch, und mein Kopf nickt eifrig. Also meine Schuld? Meine Schuld!

»Mit den Kindern habe ich geredet. Sie verstehen das«, sagte er, während ich stumm und hilflos neben ihm stand und zusah, wie er aus unserem gemeinsamen Leben ausstieg, als seien wir in einem Zug mit verschiedenen Haltestellen.

Ich hätte mich gerne an ihn geklammert, ihn festgehalten, ihn angefleht zu bleiben. Es war nicht mein Stolz, der mich daran hinderte.

Finanziell müsse ich mir vorerst keine Sorgen machen, sagte er, und ich sagte danke.

Mir fiel nichts Besseres ein. Die Kinder waren

tatsächlich ausgesprochen gefasst. »Papa hat mir ein Bild von Silke gezeigt«, warf mir meine taktlose Tochter an den Kopf und verschwand telefonierend in ihrem Zimmer, während Till beschämt auf den Boden sah. Ich ging ins Wohnzimmer, warf alle Kissen durcheinander und trank einen Cognac. Dann nahm ich die CD von Nena aus der Hülle, die Martin nicht mochte, und gab mich den Klängen von *Wunder geschehn* hin.

Als alles nichts half, habe ich Katja angerufen, und sie ist auch gleich gekommen. Aber sie ist nicht gut im Trösten, und hinter jedem Wort, jedem Satz, jeder Geste hörte ich ihr verstecktes: »Sei froh, dass du ihn los bist.«

Irgendwann in der Nacht, meiner ersten Nacht ohne Martin, habe ich zwei Schlaftabletten geschluckt. Ich hätte gern die ganze Packung genommen, aber ich musste an Elli und Till denken, die mich irgendwann gefunden hätten, und das wollte ich nicht. Ich weiß, wie sich das anfühlt.

Nach den beiden Schlaftabletten kam ich am nächsten Tag nicht so richtig auf die Beine, und so blieb ich bis zum Mittag liegen. Als Elli aus der Schule kam, rief sie Robert an, damit er sie abholt. Ich habe mich aus dem Bett gequält und Till ein paar Spaghetti mit Pesto gemacht. Mit rotem Pesto, das mag er am liebsten.

Am nächsten Tag stand ich extra früh auf. Ich wollte eine gute Mutter sein. Aber dann fing Elli an Fragen zu stellen, auf die ich keine Antworten hatte. Ob wir im Haus wohnen bleiben und sie an den Wochenenden immer bei Martin sein würde. Oder ob sie sich aussuchen könnte, bei wem sie lieber sein möchte.

Irgendwann schrie ich sie an, dass ich es nicht wüsste und sie mich in Ruhe lassen sollte, und da ist Elli aus dem Zimmer gelaufen und hat die Tür hinter sich zugeschlagen. Till hat gar nichts mehr gesagt und sich den Teller noch mal vollgeschaufelt. Am Mittag ließ ich mir einen Termin bei Doktor Bruchholz geben, unserem Hausarzt. Wir kennen ihn schon lange, und er kennt uns. Auch Clara kannte er. Früher oder später hätte er sowieso erfahren, dass Martin mich verlassen hat, also habe ich es ihm erzählt. Er war sehr nett zu mir und hat mir ein Beruhigungsmittel verschrieben.

Gestern war Katja wieder da. Sie macht sich Sorgen, das merke ich. Während sie schön und lebendig wie immer im Wohnzimmer saß und mir Vorträge darüber hielt, was ich jetzt wie zu tun hätte, lag ich matt auf der Couch, und irgendwann, ich konnte es nicht aufhalten, musste ich weinen. Meine Kinder schwiegen betreten und starrten auf den Boden. Katja setzte sich neben mich und legte ihre Hand auf meine. Aber ich weiß, was sie denken, sie alle: Reiß dich doch zusammen. Das denken sie. War es für Ines auch so, damals, als unser Vater uns verlassen hat?

Jetzt liegt die erste Woche ohne Martin hinter mir, wieder habe ich eine Nacht überstanden, und immerhin: Ich lebe noch. Aber jeden Morgen frage ich mich: Wofür?

Jede Bewegung ist Anstrengung. Vielleicht, weil mich die Angst lähmt und ihr Schatten mich festhält.

Müde schaue ich auf die Uhr. Gleich halb acht. Was soll ich mit diesem endlosen Tag nur anfangen? Ich könnte ein schönes Menü kochen. Fotos sortieren,

Schränke aufräumen, verblühte Knospen abschneiden, Laub rechen. Aber für wen?

*Ach, Martin. Ich hätte dir so gerne verziehen, aber
du willst meine Vergebung nicht. Du willst deine Freiheit, hast du gesagt.*

Wieder wandert mein Blick zur Uhr. 7 Uhr 34, die
Zeit steht still und hält mich in einer Endlosschleife
gefangen. Ich will nicht aufstehen. Ich will aber auch
nicht liegen bleiben. Die Schlaftabletten lassen mich
abends einschlafen, aber irgendwann in der Nacht
macht es *Bamm*, und dann bin ich wach. Meine Hand
streckt sich im ersten Nebel des Wachwerdens ganz
von alleine aus, ertastet kalte Stellen und zuckt wieder
zurück, als hätte sie sich verbrannt. Mein Herz beginnt zu rasen, meine Angst bläht mich auf, und ich
fühle mich wie ein riesiges Luftkissen mit verstopften
Ventilen. Den Rest der Nacht starre ich ins Dunkel.
Hellwach und hundemüde.

7 Uhr 36. Ich schlage die Bettdecke zurück. Es ist
Sonntag, da schlafen die Kinder gern lang, also bin
ich ganz leise. Im Bad schöpfe ich mit meinen Händen kaltes Wasser und tauche mein Gesicht hinein.
Im Spiegel sehe ich eine fremde, vertraute Frau, deren
Haare wirr vom Kopf stehen, deren Haut viel zu blass
ist und deren Augen mich stumpf anblicken. Ich fahre
mit der Bürste durch meine wilden, zerzausten Locken
und reiße mir ein graues Haar aus. Es ändert nichts.

Ich schlüpfe in eine fleckige Jogginghose und ein
altes T-Shirt und gehe nach unten.

In der Küche fülle ich zwei Löffel Kaffeemehl in den
Filter und Wasser in den Wasserkocher. Der Filter ist
aus Porzellan und hat einen Sprung, aber das stört

mich nicht. Ich werfe nicht gerne Sachen weg, nur weil sie nicht mehr makellos sind. Ich gieße das heiße Wasser in den Filter. Mein Blick fällt auf die leere Stelle, an der noch vor wenigen Tagen der Kaffeevollautomat stand. Es war ein teures Gerät, aber eigentlich hat mir der Kaffee daraus nie geschmeckt.

Die Zeit entgleitet mir, ich vergesse nachzugießen. Als es mir wieder einfällt, ist der Kaffee kalt, und ich brühe mir eine neue Tasse auf.

Meine Gedanken sind verschwommen, ich fühle mich seltsam kalt und leer. Keine Wut, kein Ärger über verletzte Gefühle, einfach nur ein klaffendes, schwarzes Loch. Bodenlos. Und diese tiefe Sehnsucht nach all dem, was mein Leben bisher ausgemacht hat. Nach den vertrauten Strukturen und Ritualen, dem Gefühl dazuzugehören.

Jetzt fühle ich mich wie ein randloses Bild. Kein Rahmen, keine Stabilität.

Das Telefon klingelt. Es ist Martin.

»Alexa?«

»Ja.« Ich habe einen Kloß im Hals. Er macht meine Stimme ganz flach und klein.

»Können wir reden?«, fragt Martin.

Weiter unten macht mir mein Herz zu schaffen. »Ja«, sage ich und höre die dumme Hoffnung, die in diesem kleinen *Ja* mitschwingt.

»Soll ich vorbeikommen, oder sollen wir uns besser in einem Café treffen?«

»Komm«, sage ich und meine: *Komm nach Hause.*

»Ich bin in zehn Minuten da. Soll ich Brötchen mitbringen?«

Ich sehe den sonntäglich gedeckten Frühstückstisch.

Frische Brötchen, Wurst, Käse, etwas Rohkost, Eier. Sein Ei koche ich immer fünf Minuten, eine Minute kürzer als die anderen.

»Ja.«

* * *

Er redet nicht drum herum, konfrontiert mich unmittelbar mit seinem Entschluss.

»Ich will die Scheidung.«

Dieser Satz entzieht mir den Boden endgültig, und es gibt nichts, woran ich mich festhalten, und nichts, was ich dagegen tun kann.

»Warum?«

»Weil ich nicht mehr mit dir zusammenleben möchte. Das ist mir jetzt klargeworden. Alexa, ich …«

»Aber ich, wir …«

»Alexa, ich will dir nicht weh tun. Wir haben nichts mehr gemeinsam. Jedenfalls nicht genug. Das weißt du doch auch.« Er windet sich. »Ich bin dein Versorger, erfülle eine Rolle an deiner Seite, aber ich fühle mich wie ein Möbelstück, das gut in deine Wohnung passt. Das reicht mir nicht mehr.«

»Aber vor ein paar Wochen wolltest du noch, dass ich mit dir in den Urlaub fahre.«

»Ja. Ich war enttäuscht, als du dich geweigert hast. Aber heute bin ich dir dankbar. Mit deiner Weigerung hast du etwas in Gang gesetzt. Diese beiden Wochen ohne dich, nur mit den Kindern … es hat sich gut angefühlt. Es …« Er schlägt die Augen nieder, seine Stimme ist sehr leise. »Es tut mir leid«, flüstert er.

Ich weiß nicht, was ich sagen soll, also sage ich nichts.

Er räuspert sich. »Es tut mir wirklich leid«, sagt er jetzt wieder mit normaler Stimme.

Er legt seine Hand auf meine. »Du hast vieles mir zuliebe getan, ohne es wirklich zu wollen. Das weiß ich. Dafür bin ich dir auch dankbar. Aber ... du hast es mit einer Ergebenheit getan, die ... am Ende fand ich es unerträglich. Deine Teilnahmslosigkeit, dein Desinteresse. Du warst doch auch nicht zufrieden. Das hast du mir jedenfalls immer wieder kommuniziert.«

Ich ziehe die Hand weg. »Ich sollte die Kinder wecken«, sage ich.

»Alexa! Rede mit mir!«

»Ihre Eier werden kalt.«

Ich stehe auf. Er hält mich am Arm.

»Alexa.«

Ich setze mich wieder hin.

»Wir haben ein Fassadendasein geführt. Als Mann spiele ich seit Jahren keine Rolle neben dir. Nach Claras Tod ...«

»Wir haben noch andere Kinder«, flüstere ich.

»Elli und Till sind alt genug. Ihnen müssen wir nichts mehr vormachen. Auf Dauer würden wir den beiden damit auch keinen Gefallen tun.«

»Ist es ... Willst du mit ihr ...«

»Nein. Es hat nichts mit ihr zu tun. Jedenfalls nicht nur. Sie ist nur der berühmte Tropfen.«

Ihr. Sie. Zweimal spricht er ihren Namen nicht aus. Ich würde es nicht ertragen, ihn zu hören. Ich ertrage es auch nicht, ihn nicht zu hören.

Wieder stehe ich auf, jetzt hält er mich nicht mehr zurück. Ich gehe in die Diele und nehme meine Jacke.

»Ich gehe spazieren«, sage ich, und ich finde selbst,

dass es ganz merkwürdig klingt. Es klingt, als würde ich einfach einen Spaziergang machen. Es klingt, als wäre meine Welt noch heil.

Der Kaffeeautomat ist weg, seine alten Schallplatten, seine Lieblings-CDs, die Musikanlage, seine Kleider. Was wird noch fehlen, wenn ich zurückkomme?

Er hinterlässt nur leere Stellen.

* * *

Heute ist Donnerstag. Donnerstag, der 19. September. Es ist jetzt 14.23 Uhr. Ich starre auf den digitalen Wecker auf meinem Nachttisch und bleibe liegen. Ich bin allein. Es gibt keinen Grund mehr aufzustehen. Die Kinder sind bei Martin. Er hat sie mitgenommen in sein neues Leben. Nicht, weil er mich verletzen wollte, das würde er nicht tun. Es war ihr eigener Wunsch. Das Strand-Aquarell aus dem Flur, mein Lieblingsbild, ist auch weg. Wir hatten es vor ein paar Jahren gemeinsam in Frankreich gekauft, aber ich war diejenige, die es auf einem Markt entdeckt hatte, und jetzt hängt es in einer fremden Wohnung, und sie wird es ansehen.

Er hätte lieber das Buffet mitnehmen sollen oder den schweren alten Wohnzimmerschrank mit den Schnitzereien, aber von den Möbeln will er nichts, sagt er.

Seit Stunden liege ich hier im Bett und mache nichts. Ich hätte nie für möglich gehalten, dass man *nichts*, *wirklich nichts* tun kann, man kann es natürlich auch nicht wirklich, aber man kann zumindest etwas tun, das sich nach *nichts* anfühlt. Auf den Wecker starren oder an die Decke, Punkte auf der Tapete zählen und den Kopf von links nach rechts drehen oder von rechts nach links.

Wie ruhig es ist. Ganz unheimlich. Kein lautes Poltern, kein Streit. Nichts. Ich bin allein, ganz allein. Elli und Till sind bei Martin, und Martin ist bei *ihr*, bei seiner neuen Freundin. Nur Clara ist noch hier. Sie schwebt irgendwo über mir und sieht mich an. Vorwurfsvoll. Sie sagt nichts, natürlich nicht, sie kann ja nicht reden, selbst als sie noch lebte, konnte sie das nicht, und jetzt ist sie tot, da kann sie es noch viel weniger. Ich kann sie auch nicht wirklich sehen, es ist mehr so eine Ahnung, ein Gefühl. Aber manchmal, wenn ich die Augen schließe, bilde ich mir ein, sie doch zu hören. Ihre kleine, zarte Stimme, die mir ins Ohr wispert: *Komm zu mir. Es ist ganz ruhig hier. Und friedlich. Du wirst glücklich sein.*

So hörst du dich also an, denke ich dann und weiß doch, dass es nicht stimmt. Da ist nichts. Oder höchstens in meinem kranken Kopf.

»Ich kann nicht bei ihr bleiben«, hatte Elli am Telefon geheult. »Sonst werde ich auch noch depressiv.«

Als Martin kam, um unsere Kinder abzuholen, riss er das Fenster im Schlafzimmer auf.

»Hier stinkt's«, sagte er. Und: »Jetzt reiß dich doch mal zusammen. Es ist schließlich keiner gestorben.«

Da musste ich sofort wieder an Clara denken. Ich denke wirklich sehr oft an sie. Vielleicht hätte ich ihr sagen sollen, dass ich sie liebe. Sie in den Arm nehmen und sie festhalten und streicheln. Ich weiß nicht, warum ich es nie getan habe, und jetzt ist es zu spät.

»Die Kinder kommen erst einmal mit zu mir. Herrgott, dir fehlt es doch an nichts! Warum machst du jetzt so ein Drama daraus?«

Es ist nicht nur wegen Clara. Oder wegen Martin. Da ist noch etwas, ich weiß nicht genau, was es ist, es lässt sich nicht greifen, aber es ist etwas, das an mir zieht und zerrt, in alle möglichen Richtungen.

Vielleicht sind es die vielen Erinnerungen. Ich bin wie ein riesiger Container, voll mit Schrott und Abfall, der dringend entsorgt werden müsste, nur weiß ich nicht wie. Es sind so viele Bilder, sie kommen und gehen, schleichen sich unbemerkt an, und ehe ich verstehe, was los ist, ist wieder eines in meinem Kopf. So wie jetzt:

Es war kalt. Eine nasse Kälte, die durch meine Jacke drang. Wir liefen schnell, Ines bestimmte das Tempo, und wir mussten sehen, dass wir mitkamen. Ein kalter Nieselregen blies mir ins Gesicht, und Katja jammerte. »Mir ist kalt, Mama. Und meine Füße tun so weh.«

Mir war auch kalt, aber ich schwieg.

Ines hatte eine Dose mit Essen in der Hand. »Es sind doch nur noch ein paar Meter, jetzt stell dich nicht so an«, sagte sie.

Die fettige Soße klebte an ihren Fingern, sie spreizte sie ab, damit ihr Mantel nicht schmutzig wurde.

Wir bogen in unsere Wohnstraße ein, und ein Auto kam uns entgegen. Sie zerrte uns hastig in einen kleinen Hof, ihre fettigen Finger lagen auf Katjas Mund, und ich war froh, dass es nicht mein Mund war, den sie bedeckten.

Sie sah mich an, mit ihrem bösen Blick. Ich kannte

diesen Blick. Und ich wusste, dass ich jetzt still sein musste, ganz still.

Das Auto fuhr vorbei, und sie zerrte uns zurück auf die Straße. Sie lief schnell, immer schneller, zog Katja an der Hand, ich rannte hinterher. Ich drehte mich trotzdem um und sah, dass das Auto am Straßenrand stand. Ein Mann saß am Steuer. Ich kannte ihn nicht. Er starrte uns nach.

Ich höre, wie die Haustür geöffnet wird, und fühle mich augenblicklich schlecht, weil ich noch immer im Bett liege und noch immer nicht geduscht bin. Martin möchte ganz sicher keine große, nutzlose Frau, denke ich. Und noch weniger möchte er eine große, nutzlose Frau, die stinkt. Aber es ist nicht Martin. Es ist Katja. Noch eine, die das Fenster aufreißt.

Katja schleppt mich ins Bad. Sie ist einen halben Kopf kleiner und weitaus zierlicher als ich, aber wenn's drauf ankommt, doppelt so stark.

Ich schicke sie raus und setze mich aufs Klo. Panik erfasst mich wie eine Tsunami-Welle. *Ichkannnichtichkannnichtichkannnicht.* Egal was, ich kann es nicht.

Ich stelle mich unter die Dusche und lasse das warme Wasser über meinen Körper laufen. Wenn sich doch alles so leicht entfernen ließe wie mein Schweiß.

Katja streckt ihren Kopf zur Tür herein. »Soll ich dir helfen?«, fragt sie.

Es wäre nicht das erste Mal, das wissen wir beide. Ich schüttle den Kopf und greife nach dem Duschgel und lasse sie kommen, die Erinnerung. Sie lässt sich ja sowieso nicht aufhalten.

Ich hatte mich übergeben, mehrere Male schon, meine Lehrerin, Frau Semmling, rief Ines an, damit sie mich abholte. Es dauerte mehr als eine Schulstunde, bis sie endlich kam. Frau Semmling schickte mich vor die Tür.

»Warte einen Moment draußen, ich möchte noch ganz kurz mit deiner Mutter reden.«

Mir ging es sehr schlecht, ich war so schwach, dass ich nicht stehen konnte. Der Nachbarraum war leer, die Tür unverschlossen. Es gab eine Verbindungstür zwischen den beiden Klassenräumen, die halb offen stand. Ich gab mir große Mühe, geräuschlos zu sein, und setzte mich auf einen Stuhl.

»Frau van Velsing, ich mache mir Sorgen um Ihre Tochter. Die letzten Klassenarbeiten waren miserabel.«

»Sie wird ihre kleinen Schwächen schon wieder aufholen.«

»Ihre Tochter hat keine kleinen Schwächen. Sie nimmt ganz einfach nicht am Unterricht teil.«

»Was soll ich machen? Ihr den Stoff ins Gehirn prügeln?«

»Frau van Velsing, das hat doch so keinen Zweck. Ihre Tochter braucht jemanden, der ihre Hausaufgaben kontrolliert und mit ihr bespricht, was sie nicht versteht. Alexa ist nicht dumm, für ihre Teilnahmslosigkeit ist sie sogar noch überraschend gut. Aber wenn wir ihr jetzt nicht helfen, wird sie das Schuljahr wiederholen müssen.«

»Dann wiederholt sie eben. Das ist anderen auch schon passiert. Davon geht die Welt nicht unter.«

»Nein, untergehen wird sie nicht, es wird sich aber sicher auch nicht positiv auf Alexas sowieso schon nur *geringes Selbstwertgefühl auswirken. Warum wollen Sie ihr denn nicht helfen?«*

»Ich arbeite. Ich bin neun Stunden am Tag unterwegs. Es geht hier nicht nur um Unterstützung in Sachen Schule, sie benötigt auch saubere Wäsche, Essen und ein Dach über dem Kopf. Außerdem habe ich noch eine Tochter.«

»Katja ist ein anderes Kaliber. Die braucht Sie nicht in diesem Maß.«

»Dann wird Alexa lernen müssen, mich auch nicht mehr in diesem Maß zu brauchen. Sie wiederholt die Klasse. Ich rede mit ihr. Wenn sie sich nächstes Jahr anstrengt, hat sie einfach nur ein Jahr verloren, das ist kein Beinbruch.«

»Sie sind ihre Mutter, die Entscheidung liegt bei Ihnen. Aber ich finde es schade, sie hätte es schaffen können. Mit nur ein wenig Unterstützung.«

»Wie weit bist du?«, fragt Katja.

»Gleich fertig«, sage ich. Wenn ich mich fertig erinnert habe.

Zu Hause schloss Ines sich ein. Mir ging es immer noch schlecht. Ich schaffte es nicht ins Bad, und Katja wischte meine Kotze weg. Ich sah, wie sie mit dem Küchentuch über den Boden fuhr und das Tuch mit viel Wasser im Waschbecken ausspülte, und ich hörte ihre »Iihs« und »Igitts«, aber ich fühlte mich viel zu schwach und zu elend, um mich zu schämen.

Katja rüttelte an der Tür. »Mama! Alexa hat schon wieder gekotzt«, rief sie. Nichts rührte sich. Ich kroch ins Bett.

»Ich mach dir Tee«, sagte Katja, und ich weinte.

Katja brachte mir Tee, und als es mir besserging, schleppte sie mich unter die Dusche. Wir zogen uns beide aus, und sie wusch mich.

Ich bin älter, aber Katja wäre eine viel bessere große Schwester gewesen, als ich es je war.

Das Schuljahr habe ich wiederholt.

* * *

Ich darf mich nicht wieder ins Bett legen, Katja erlaubt es nicht. Stattdessen treten wir vor die Haustür, und ich ertappe mich dabei, wie ich zum Nachbargrundstück schiele. Ob Nick schon weiß, dass Martin mich verlassen hat? Der Gedanke an meine Familie ist wie ein großer Finger, der sich unsanft in meinen Magen bohrt.

Tatsächlich kommt Nick gerade in dem Moment, als ich in Katjas Auto einsteige, mit dem Fahrrad um die Ecke.

»Hey«, sagt er und hält neben meinem Autofenster.

»Hallo«, sage ich.

»Fahren Sie in Urlaub?«

»Ja, ein kleiner Familienurlaub«, antwortet Katja an meiner Stelle, und ich erkenne ihren interessierten Blick.

Er wirft ihr einen kurzen freundlichen Blick zu. »Soll ich mich um die Post kümmern? Oder Blumen gießen?«, fragt er mit einem halben Lächeln in meine Richtung.

»Danke, nicht nötig. Solange sind wir nicht weg«, erwidere ich.

»Okay. Wenn doch ... warten Sie.« Er fingert in seiner Brusttasche und holt eine Karte heraus. »Da ist meine Nummer. Rufen Sie ruhig an.«

Ich nehme die Karte unbeholfen entgegen und stopfe sie in meine Handtasche »Danke«, sage ich verlegen.

»Melden Sie sich?«, fragt er leise.

Ich nicke. Obwohl ich nicht sicher bin, ob es mir ernst damit ist.

Katja startet den Motor und wirft Nick noch einen letzten Blick zu. Ganz offen und unschuldig, aber ich kenne diesen Blick. Nick ist ein Mann, der genau in ihr Beuteschema passt.

»Netter Mann«, sagt sie. »Vielleicht ein bisschen zu jung für dich, aber nett. Woher kennst du ihn?«

»Er ist mein neuer Nachbar.«

»Aha«, meint meine Schwester vielsagend.

»Wo fahren wir eigentlich hin?«, frage ich, um uns beide von Nick abzulenken.

»Zu einer Familienaufstellung.«

»Familien-was?«

»Familienaufstellung.«

»Was ist das?«

»So ein Psycho-Ding. Es soll helfen, die eigene Rolle in der Familie zu erkennen und zu verstehen, was sie bedeutet.«

»Geht's noch ungenauer?«, frage ich gequält. Die Dusche hat meine Lebensgeister wieder annähernd geweckt, aber nicht den heißen, brennenden Schmerz in mir getötet.

Sie fädelt sich in den laufenden Verkehr ein, zündet sich eine Zigarette an und öffnet das Fenster.

»Also, wo waren wir stehengeblieben? Familienaufstellung. Grob gesagt, geht es um ein Verfahren, bei dem fremde Personen stellvertretend für Familienmitglieder aufgestellt werden, um das Problem eines anderen zu lösen. Konkret sieht es so aus, dass man sich mit einer Gruppe Menschen trifft, und wer seinen Konflikt lösen möchte, meldet sich, um für sich eine Aufstellung durchführen zu lassen. Der therapeutische Leiter stellt dann Fragen zu seiner persönlichen Situation und seinem Anliegen, und man wählt die Stellvertreter für die betreffenden Familienmitglieder und den Klienten selbst. Sie werden dann in ihrer Beziehung zueinander positioniert, also aufgestellt, daher der Name. Das heißt: Bruder und Schwester, Eltern, Großeltern, Partner etc.«

»Aha«, sage ich und klinge, als wüsste ich, wovon sie redet.

»Das Ganze war die Idee von einem Bert Hellinger. Der Mann war Therapeut und Theologe und ist erst vor ein paar Jahren gestorben. Sein Weltbild war ziemlich einfach und klar: Die Frau folgt dem Mann, Alter geht vor Jugend etc. Er hat eine Struktur geschaffen, die er selbst Ordnung nannte und in der jedes Mitglied einer Familie oder Gruppe seinen Platz hat. Auch die Gestorbenen. Wer gegen diese Ordnung verstößt, muss nach seiner Darstellung damit rechnen, bestraft zu werden.«

Habe ich gegen irgendeine Ordnung verstoßen?

»Bestraft? Wie denn?«

»Na ja, er wird laut Hellinger krank. Physisch oder psychisch. Bei so einer Sitzung werden also die betreffenden Mitglieder durch Stellvertreter ersetzt, und man stellt das Problem vor. Es soll immer mit wenig

Worten gearbeitet werden, wichtig ist die Intuition. Der Stellvertreter soll aussprechen, was derjenige, für den er steht, fühlt oder meint. Auch, wenn der schon längst nicht mehr unter den Lebenden weilt. Ich weiß nicht, ob das alles wirklich so funktioniert. Es gibt keinen erkennbaren Beleg dafür. Hellinger sagt, man nehme lediglich wahr, was vorhanden sei, und Voraussetzung für diese Wahrnehmungsfähigkeit sei die Zustimmung zur Welt, ohne zu bewerten, wie sie ist. Diese Zustimmung nennt er Demut. Überhaupt: Ordnung und Demut sind seine absoluten Lieblingswörter. Besonders abstrus finde ich zum Beispiel, dass der Therapeut am Ende Sätze vorspricht, die nachgesprochen werden müssen. So etwas wie *Vater, ich liebe dich* oder *Mutter, ich verzeihe dir* oder *Ich lass dich gehen*. Dazu kommen Gesten wie sich verbeugen, sich umarmen und bedanken usw. Und dann wird so getan, als sei alles wieder gut und man sei geheilt.«

Ich habe fast nichts von dem verstanden, was Katja erklärt hat, aber der letzte Satz ist angekommen.

»Und das ist für dich unvorstellbar?«

»Für mich ist nichts unvorstellbar. Aber solange mir niemand das Gegenteil beweist, habe ich erhebliche Zweifel. Außerdem gibt es eine Unmenge von Widersprüchen.«

»Zum Beispiel?«

»Zum Beispiel in Bezug auf sexuellen Missbrauch und Misshandlung von Kindern. Ich habe von Missbrauchsopfern gelesen, die anhand der Familienaufstellung versucht haben, ihren inneren Frieden zu finden. Aber anstatt den Opfern das Gefühl der Mitschuld zu nehmen, unter dem die meisten nachweislich leiden, machen Hellingers Thesen genau das Gegenteil. Im sexuellen Missbrauch sieht er keine persönlich zu verantwortende Tat, sondern er sagt, dass den Tätern, also dem Vater oder Großvater oder Onkel, etwas vorenthalten wurde und dass sie mit ihrer Tat unbewusst wieder etwas ausgleichen wollten. Die Schuld liegt laut Hellinger sowieso immer bei der Frau beziehungsweise der Mutter.«

Ich wusste es.

»Und warum fahren wir dann hin?«

»Weil ich eine Reportage darüber mache und weil die beste Recherche der Eigenversuch ist.«

»Und warum ich?«

»Weil du einen Hang zur Esoterik hast, auf andere Gedanken kommen sollst und es dir am Ende wahrscheinlich sogar Spaß macht.«

»Spaß? Ich glaube nicht, dass mir im Moment irgendwas Spaß macht.«

»Na ja, dann verbuche es halt unter ›neue Erfahrung‹.«

»Glaubst du, er kommt zurück?«, stelle ich die Frage, die mich am meisten beschäftigt.

»Das glaube ich, aber ich hoffe es nicht.«

Das ist eine ihrer sehr typisch ehrlichen Antworten.

»Und was bringt mir das Ganze?«

»Das weiß ich nicht. Ich weiß noch nicht einmal, *ob* es dir etwas bringt. Beim Familienaufstellen geht es ja meistens um leidvolle Erfahrungen. Da ist zum Beispiel jemand aus der Familie früh gestorben oder alkoholkrank oder stark behindert oder so. Das sind Schicksale, die Spuren hinterlassen. Verstehst du?«

»Ja und?«

»Es geht im weiteren Sinn darum, das Leid erst einmal bewusst anzunehmen. Und dann, na ja … geheilt zu werden. Auf der seelischen Ebene.«

»Gilt das auch bei verlassenen Ehefrauen?« *Und für Versager-Mütter?*

»Warum nicht? Also, versteh mich nicht falsch. Ich bin überhaupt nicht überzeugt von der Methode, ich gebe nur weiter, was ich darüber gelesen habe.«

Sie sieht mich an und grinst: »Aber es klingt schon verdammt nach ›Alles wird gut‹, oder?«

4

Vom Erinnern

Alexa

Die Aufstellung findet in einer ganz normalen Wohnung statt, in einem ganz normalen Mietshaus mit acht ganz normalen, unauffälligen Klingelschildern an der Haustür.

Wir versammeln uns im Wohnzimmer. Alle Möbel sind an die Wände gerückt, in der Mitte stehen kreisförmig angeordnet acht Stühle, sechs davon sind schon besetzt. Es sind nur Frauen hier, und alle haben ein kleines Namensschild auf der Brust.

Ein Tisch an der Wand gegenüber ist voll beladen mit Kuchen und Leckereien, die andere mitgebracht haben, was mir sehr unangenehm ist, weil wir die Einzigen sind, die nichts dabeihaben, und weil mein Magen knurrt. Ich habe seit Tagen so gut wie nichts gegessen.

Neben dem Tisch liegen auf einem verbeulten Ledersessel zwei Yorkshireterrier. Ich denke zuerst, es sind Stofftiere, bis einer gähnt.

Ich fühle mich schwach und würde mich gerne auf das grüne Sofa vor dem Fenster setzen, aber Sarah, die hier so etwas wie die Chefin zu sein scheint, klebt Katja und mir ebenfalls ein Namensschild auf die Brust

und komplimentiert uns auf die beiden freien Stuhl-
plätze.

Ich sitze links von Katja und rechts von Viola. Neben Viola sitzt Tabea, dann kommen Doris, Helga,
Beate und Elke.

Ich beobachte die Frauen, aber mein Hauptaugen-
merk liegt auf Sarah. Diese Frau ist auf eine Art präsent, wie es nur sehr selbstbewusste Menschen sind.
Alles an ihr wirkt selbstverständlich und ruhig, ihre
Bewegungen sind sparsam und fließend. Ich weiß nicht
genau, was mich so sehr an ihr fasziniert, sie ist nicht
dick und nicht schlank, nicht groß und nicht klein, sie
ist einfach auf eine Art schön und wirkt so unaufgeregt
kompetent, dass es mich tief beeindruckt. Ihre langen,
dunklen Haare glänzen wie poliertes Holz, ihr Mund
ist voll und weich, die zarten Bögen der Brauen wöl-
ben sich perfekt über den dezent geschminkten Augen.
Ihre Nase ist zwar groß, aber gerade und genau pas-
send. Dieses Gesicht ist vollkommen widersprüchlich.
Einerseits ausdrucksstark und andererseits perfekt
gleichmäßig. Ich ertappe mich selbst beim Starren, als
Sarah mich anlächelt und das Ritual des Aufstellens in
knappen und verständlichen Worten erläutert.

»Ihr seht, ihr könnt also selbst aufstellen oder heute
einfach Zuschauerin sein, ganz wie ihr möchtet«, be-
schließt sie ihre Erklärungen. »Wer möchte denn beginnen?«

Sarah schaut erwartungsvoll in die Runde, aber da
tut sich nichts. Ihr Blick gleitet gleichbleibend aufmunternd über uns, ich weiche ihm ängstlich aus und
starre auf meine Füße. Acht Frauen, die sich nicht
kennen und nichts voneinander wissen außer ihren

Vornamen, das ist keine einfache Sache, wenn es um so private, fast schon intime Themen wie Beziehung und Familie geht.

Endlich kommt Bewegung in die Sache. Viola meldet sich. Sie hebt die Hand wie ein Schulkind auf der Schulbank.

»Viola. Was ist dein Konflikt?«, fragt Sarah freundlich.

»Ich habe seit einiger Zeit Probleme mit meiner älteren Schwester. Sie ist immer eifersüchtig auf mich, ständig tut sie, als würde ich ihr etwas wegnehmen, dabei hat sie überhaupt keinen Grund.«

»Jede von uns hat vor seinem inneren Auge ein Bild von der Familie«, doziert Sarah. »Und jede von uns trägt das in sich, was wir das Familiengedächtnis nennen. Möchtest du aufstellen?«

»Ja.«

»Dann suche dir jetzt die Stellvertreter für dich und die oder den Beteiligten aus, und wenn sie einverstanden sind, platzierst du sie hier in der Mitte. Und zwar an dem Platz, an dem sie für dich stehen sollen.«

»Aber ich würde auch meine Eltern dazunehmen wollen, und hier sind nur Frauen«, wirft Viola ein.

»Das ist kein Problem. Auch Frauen können stellvertretend für Väter oder Ehemänner, Brüder oder Söhne stehen. Immer wenn du eine der Damen hier ausgesucht hast, führst du sie in die Mitte und sagst ihr, wie sie heißt und wie alt sie ist.«

Viola steht auf und schaut mich an.

»Du heißt Judith und bist 35.« Sie nimmt meine Hand und stellt mich in die Mitte. Ich würde mich gerne weigern, aber ich traue mich nicht. Es ist mir unangenehm, weil die anderen Teilnehmerinnen mich jetzt ansehen und weil ich nicht weiß, was von mir erwartet wird.

»Gut«, nickt Sarah. »Weiter.«

Doris ist die Nächste.

»Du heißt Viola und bist 33.«

Doris-Viola hat graue Haare und wiegt schätzungsweise zwei Zentner.

»Schön. Wen brauchst du noch?«, fragt Sarah.

»Meine Eltern.«

Sie bleibt vor Katja stehen, aber die schüttelt den Kopf, und ich bin enttäuscht. Und ärgere mich einmal mehr über mich selbst. Es wäre so einfach gewesen. Ich hätte nur den Kopf schütteln brauchen.

Tabea und Helga übernehmen die Elternrollen.

Sarah schaut sich die *Familie* an und stellt um: zuerst der Vater, dann die Mutter, dann Judith, die Erstgeborene, und am Ende Viola. Ich schaue Katja an und weiß genau, was sie denkt: *So sieht eine geordnete Familienreihe nach Hellinger aus.*

* * *

Eine halbe Stunde später kommt Sarah mit einer großen Kanne Kaffee, während Helga und Elke den Kuchen aufschneiden.

»Ich gehe eine rauchen. Kommst du mit?«, fragt Katja mich und schnappt sich im Vorbeigehen ein Kuchenstück.

»Ich komm gleich nach. Ich muss mal«, sage ich und schiele nach einem Hinweis, wo sich die Toilette befindet.

Trotz meiner misslichen persönlichen Lage sitzt mir gerade ein kleines Lachen in der Kehle, weil ich daran denke, wie Katja bei der großen Versöhnung am Ende mit den Augen gerollt hat. Und trotz meiner anfänglichen Skepsis der Sache gegenüber und meiner derzeitigen Verfassung fand ich die erste Familienaufstellung meines Lebens sehr spannend.

Bevor ich mich wieder auf die Suche nach meiner Schwester mache, lade ich mir drei Stück Kuchen auf einen Teller.

Katja steht rauchend auf dem Balkon und wartet auf mich.

»Schönes Spektakel«, meint sie, als ich mich neben sie stelle.

»Ja, aber spannend. Ich meine, ich habe da wirklich etwas gefühlt«, sage ich.

»Ich auch«, sagt sie und schnappt sich ein Stück Kuchen von meinem Teller. »Nämlich, dass ich Hunger habe.«

Zum ersten Mal seit Tagen muss ich lachen. »Du hättest dich auch aufstellen lassen sollen.«

Katja lehnt sich zurück an die Hauswand.

»Nein. Das ist nichts für mich«, wehrt sie entschieden ab.

»Aber da passiert etwas mit einem. Ich habe wirklich etwas gespürt. Es war ein ganz blödes Gefühl, als Viola – alias Doris – hinter mir stand. Als wollte sie mir in den Rücken fallen. Und dann … es war ganz seltsam, plötzlich hatte ich den Eindruck, dass der Boden leicht schwankt. Hast du nichts bemerkt?«

Katja schüttelt mit schiefem Grinsen den Kopf. Sie steckt sich eine neue Zigarette an, nimmt einen tiefen

Zug und bläst den Rauch langsam in die Luft. »Aber vielleicht hast du recht. Deswegen sind wir ja schließlich hier«, meint sie.

Ich halte ihr das letzte Kuchenstück hin, und sie beißt zu. Wir kauen einen Moment schweigend nebeneinander.

»Komm«, sagt Katja schließlich und stößt sich von der Wand ab. »Vielleicht ist das ja tatsächlich eine Möglichkeit, etwas über Ines zu erfahren.«

* * *

Vater Stefan, Mutter Ines, Töchter Katja und Alexa – das ist die Aufstellung. Katja beschreibt in kurzen Worten unsere frühere Familiensituation. Fragen dürfen keine gestellt werden, nur Themen benannt. Themen unseres Konflikts: Der Vater hatte die Familie verlassen, als wir vier und sieben Jahre alt waren, und ab diesem Zeitpunkt keinen Kontakt mehr zu uns. Die Mutter war kalt und ohne erkennbare Emotionen.

Und was sagt die Psychologin dazu? Dass Ines uns möglicherweise unbewusst für den Verlust des Partners verantwortlich gemacht habe. Aha. »Klar. War alles unsere Schuld«, murmelt Katja so leise, dass nur ich es verstehe. Und selbst ich verstehe es nur, weil ich sie so gut kenne.

»Ich würde dich so gerne berühren«, sagt Tabea-Ines und schaut Elke-Alexa traurig an. Die streckt die Hand aus, aber die Distanz zwischen den beiden ist zu groß. Ich konzentriere mich und versuche, wirklich mich und Ines dort zu sehen.

»Dann komm doch zu mir«, bittet Elke, und das Bild wird unreell. Das bin nicht ich.

Tabea macht eine zaghafte Bewegung mit dem Fuß. »Ich kann mich nicht von der Stelle rühren.«

Sarah stellt Doris-Stefan mit dem Gesicht zu seinen Töchtern, also zu uns beziehungsweise den uns verkörpernden Frauen.

»Was ist mit dir?«, fragt Sarah. »Möchtest du deine Kinder in den Arm nehmen?«

»Ja, ich glaube schon. Aber es geht nicht.«

»Warum nicht? Nein, nicht umdrehen. Sieh dir deine Töchter an. Was hindert dich daran, dich ihnen zuzuwenden?«

»Ich weiß es nicht. Da ist etwas dazwischen. Ich kann sie nicht richtig sehen.«

Ich auch nicht. Vergeblich blinzle ich gegen meine Tränen an.

»Was ist dazwischen?«, fragt Sarah. »Eine Wand oder ein Mensch oder etwas anderes?«

»Ein Mensch. Ein Mann.«

»Aha, ein Mann. Und der nimmt dir die Sicht auf deine Kinder?«

»Ja.«

Sarah holt Helga dazu.

»Ich weiß nicht, wer du bist, ich weiß nicht, wie du heißt, aber du gehörst dazu«, sagt sie und stellt sie zwischen Doris-Stefan und seine Töchter.

Panik steigt in mir auf wie Luftblasen im Wasser und hindert mich am Atmen. Helgas aufrechte Gestalt beginnt fast unmittelbar kleiner zu werden. Es ist, als würde sie sich ducken.

»Was spürst du?«, fragt Sarah.

»Druck. Da ist ein unglaublicher Druck. Das nimmt mir die Luft zum Atmen.« Genau wie bei mir, denke ich.

Sarah nimmt Tabea-Ines an den Schultern und dreht sie zu Helga. Tabea wehrt sich.

»Was ist? Möchtest du ihn nicht ansehen?«

»Nein, NEIN!«, schreit Tabea und beginnt zu weinen. Ich weine auch.

* * *

Die Heimfahrt verläuft schweigend. Ich bin aufgewühlt, und ein Blick auf Katja zeigt mir, dass es ihr nicht anders ergeht. Ich erkenne es am leisen Beben ihrer Nasenflügel, am Zusammenziehen ihrer Augenbrauen, an ihrem Schweigen.

»Wir müssen noch einmal mit Esther reden. Sie weiß mehr, als sie uns gesagt hat«, bricht Katja das Schweigen.

»Das hat sie ja auch nicht bestritten.«

»Sie muss es uns sagen. Ich gebe nicht eher Ruhe, bis ich alles weiß.«

Das glaube ich ihr. Wir sind beide hartnäckig, wobei meine Hartnäckigkeit sich bei Fremden, also Personen, die nicht unmittelbar zu meiner Familie gehören, oft in Wohlgefallen auflöst. Mit Hartnäckigkeit ohne Durchsetzungsvermögen kommt man nicht sehr weit. Katjas Hartnäckigkeit dagegen ist gepaart mit Durchsetzungskraft. Je fremder die Personen und je abstruser das Vorhaben, desto mehr kommt sie in Fahrt. Meine Fahrt ist ausgebremst. Ich bin müde, diese emotionalen Achterbahnfahrten machen mich ganz leer. Den ganzen Tag habe ich weder etwas von Till noch von Elli gehört, von Martin ganz zu schweigen. Ich fühle mich schutzlos, familienlos, entwurzelt, unnütz, überflüssig. Sehr, sehr traurig.

»Lass uns morgen darüber reden«, sage ich und massiere meine Stirn.

»Warum morgen? Es ist noch früh, wir könnten ...«

»Ich will heim«, flüstere ich.

»Aha. Du willst heim.« Katja sieht mich von der Seite an. Ich schweige und schaue aus dem Fenster.

»Jetzt pass mal auf.« Sie schlägt einen milden Ton an, und ich bin auf der Hut. »Die Eindrücke sind noch frisch, es ist doch viel besser, wenn wir jetzt gleich ...«

»Jetzt gleich? Bis wir in Altweil sind, dauert es doch mindestens drei Stunden«, schaffe ich immerhin noch, dagegenzusetzen.

»Na und? Was sind schon drei Stunden?«

Solche Diskussionen habe ich schon so oft geführt. Und verloren. Nicht nur mit Katja.

»Also?«, fragt sie wieder.

Ich überlege, wie ich sie umstimmen kann, mir fällt nichts ein.

»Nein«, sage ich trotzdem und versuche entschieden zu klingen.

Sie wartet eine Weile und überlegt. »Na gut!«, sagt sie schließlich, aber der Ton ist nicht mehr mild. »Dann fahre ich eben allein. Ich lasse dich an der nächsten Bushaltestelle raus.«

WAMM! Ich falle zusammen wie ein Häuflein Elend und fange an zu weinen.

»Mein Gott!«, sagt Katja.

»Ich habe den ganzen Tag noch nichts von Till und

Elli gehört«, schniefe ich meinen Kummer in ein wenig frisches Taschentuch.

Sie sieht mich an und seufzt. Ihr Handy klingelt, und sie seufzt noch einmal.

Katja

»Wo bist du?«, dröhnt Eriks Stimme ihr aus dem Telefon entgegen.

»Weg. Mit meiner Schwester unterwegs«, sagt Katja knapp.

»Wann kommst du zurück?«

»Das weiß ich nicht.«

»Warum sagst du mir nie Bescheid?« Er klingt jetzt wirklich ärgerlich.

»Es hat sich halt spontan ergeben. Ich melde mich, wenn wir zurück sind«, sagt sie wenig freundlich und legt auf. Im gleichen Moment bedauert sie ihre barsche Zurückweisung. Er kann ja schließlich nichts dafür.

Ob sie ihn noch einmal anrufen soll? Er scheint im Moment der Einzige zu sein, der nicht GEGEN sie ist. Und ein kleines bisschen vermisst sie ihn ja auch. Trotzdem. Besser nicht. Wenn sie ihn jetzt anruft, dann wird er wissen wollen, was los ist, wo sie war und was sie vorhat. Und das kann sie nur beantworten, wenn sie ihm von der Familienaufstellung erzählt, von Ines, von früher und von dem Ärger mit Jonas. Nein wirklich. Besser nicht.

Der schöne Erik. Sie hat ein Faible für schöne Männer. Zu Erik fühlte sie sich von Anfang an besonders hingezogen. Vielleicht, weil er sie an jemanden erinnert? Es ist lange her, und er hieß Frank. Frank Meier. Herr Meier, so nannten ihn alle, auch sie, jedenfalls, wenn sie nicht allein waren. *Herr Meier, was kosten die Eier?*, lästerten ihre Mitschüler, wenn sie ihn von weitem sahen, aber alle Mädchen schwärmten für ihn.

Er war 38, ihr Geographielehrer und ihr Liebhaber. Sie war 17, eine durchschnittliche Schülerin ohne besonderen Ehrgeiz und zum ersten Mal verliebt. Bis über beide Ohren. Ihm zuliebe beschloss sie, entgegen ihren ursprünglichen Plänen doch bis zum Abitur durchzuhalten.

Schon in der ersten Stunde, die sie bei ihm hatte, setzte er sich auf den Rand seines Schreibtischs und sah sie mit seinen geheimnisvollen, dunklen Augen an.

»Was kannst du mir über Südamerika sagen?« Er sah unverschämt gut aus.

»Was genau wollen Sie denn wissen?«, fragte sie zurück, und die ganze Klasse lachte.

Er lachte mit, und dann wurde er ernst: »Kennst du die Hauptstadt von Peru?«

»Lima«, flüsterte ihr Banknachbar.

»Lima«, sagte sie laut.

»Sehr gut«, sagte er. »Deinem Nachbar würde ich jetzt eine Eins als mündliche Note eintragen, wenn ich ihn gefragt hätte.«

Sie erkannten sich, spürten das gegenseitige Interesse. Es war nur eine Frage der Zeit.

Es geschah wenige Wochen später, nach einer Aufführung für Weihnachten. Sie war stellvertretende

Schulsprecherin und mitverantwortlich für die Organisation. Auch für das Aufräumen. Deshalb blieb sie bis zum Schluss. Er bot an, sie nach Hause zu fahren, und sie liebten sich in seinem Auto. Es war nicht ihr erstes Mal, aber es war das erste Mal, dass sie wirklich liebte. Die Desillusionierung ließ nicht lange auf sich warten. Als sie erkannte, dass es nicht ihre Liebe war, die er wollte, ließ sie ihn bezahlen. Anfangs mit guten Noten, später nahm sie auch Geld. Um ihn dafür zu bestrafen, dass er nur ihren Körper wollte und sonst nichts. Als sie von seiner Verlobung erfuhr, stellte sie ihm eine Falle. Es war ein Kinderspiel, sie sorgte dafür, dass man sie erwischte. Wenig später wechselte er die Schule. Es brach ihr das Herz, aber sie wusste, dass es ihn nicht nur seine Stelle, sondern auch seine Verlobung gekostet hatte. Und das war ein gebrochenes Herz wert.

Sie hat nie wieder etwas von ihm gehört.

Sie schüttelt die Gedanken an ihn ab und gibt Gas. Es nutzt nichts, wenn man sein Leben damit verbringt, Wunden zu lecken.

Alexa weint immer noch. Anstatt ihre freien Tage zu genießen, leidet sie. Das ist typisch. Dabei kommen die Kinder sowieso früher oder später zurück, spätestens wenn sie nicht mehr jeden Tag Pizza essen wollen, keine frische Wäsche mehr im Koffer ist und ihnen klarwird, dass der private Chauffeurdienst wegfällt.

»Na gut«, sagt sie in Alexas Richtung und blickt dabei stur auf die Straße. »Dann fahren wir eben morgen früh. Ich hole dich um 10 Uhr ab.«

Alexa weint lautlos weiter. »Also morgen früh, 10 Uhr, okay?«, wiederholt sie vorsichtshalber noch einmal. »Rufst du Esther an und sagst ihr, dass wir kommen?«

»Hm«, schnieft Alexa.

»Hm ja oder hm nein?«

Schweigen.

»Schon gut. Ich mach's selbst.«

Sie steuert einen kleinen Parkplatz an und steigt aus. Bevor sie sich eine Zigarette anzündet, tippt sie mit flinken Fingern eine Nachricht ins Handy: *Tut mir leid, war nicht böse gemeint, bin in spätestens einer Stunde zu Hause. Kuss K.*

Alexa steigt aus und bleibt auf der anderen Autoseite stehen. Katjas Stimmung schwankt zwischen ungeduldiger Gereiztheit und schwesterlicher Zuneigung.

»Alexa?«

»Was?«, kommt es undeutlich zurück.

»Hey, jetzt komm, morgen sieht die Welt schon wieder besser aus.«

Alexa dreht ihren Kopf in ihre Richtung. »Mein Mann ist weg, meine Kinder sind weg, mein Leben ist ein Haufen Mist. Und das ist morgen noch ganz genauso.«

»Jedem Ende wohnt auch ein neuer Anfang inne«, zitiert Katja.

»Ich will keinen neuen Anfang. Ich will mein altes Leben wieder!«

»Mann, jetzt beruhige dich mal. Du bist nicht die erste Frau, die verlassen wurde. Außerdem ...«, sie unterbricht sich.

»Außerdem was?«, fragt Alexa.

157

»Außerdem hast du ja immer noch mich«, sagt Katja mit warmer Stimme und zaubert damit immerhin ein klitzekleines Lächeln auf das nasse Gesicht ihrer Schwester.

* * *

Als sie nach Hause kommt, sitzt Erik in ihrer Küche. Augenblicklich bereut Katja, ihr Kommen angekündigt zu haben. Müde stellt sie ihre Tasche ab und geht zum Kühlschrank.

»Was ist los?«, fragt er.

»Nichts. Ich habe nur viel um die Ohren«, sagt sie ärgerlich.

»Das habe ich auch. Trotzdem habe ich mich auf dich gefreut.«

Sie nimmt den Inhalt des Kühlschranks in Augenschein und entscheidet sich für eine Flasche Weißwein. Ein Moselriesling.

»Es tut mir leid, ich bin einfach fix und foxi. Mit mir ist heute nichts mehr anzufangen. Ich melde mich morgen bei dir.« Sie öffnet geschickt die Flasche.

»So wie gestern oder vorgestern?«, fragt er und zieht die Mundwinkel sarkastisch nach oben.

»Ich war ... ich hatte Ärger mit Jonas.« Sie schenkt sich ein Glas ein. »Du auch?«

»Nein, danke.« Er trommelt mit seinen Fingern auf den Tisch. »Katja, warum sprichst du nicht mit mir? Warum schließt du mich aus? Ich möchte dir doch nur helfen.«

»Das hier ist *mein* Leben. Wenn ich Hilfe brauche, sage ich Bescheid.«

Seine Augen ziehen sich zu schmalen Schlitzen zusammen.

Einen Moment bleibt er bewegungslos sitzen und starrt sie an. »Na gut«, sagt er schließlich. »Wenn das so ist. Ich hatte eigentlich ein Überraschungswochenende mit dir geplant. Dein Geburtstagsgeschenk. Vergessen wir's.« Er greift nach seiner Lederjacke. »Wenn wieder Platz in *deinem* Leben ist, kannst du dich ja melden.«

»Jetzt sei nicht sauer. Ich kann nicht noch mehr Probleme gebrauchen.« Sie trinkt und streckt müde ihre Füße aus.

»Nein. Ich will um Gottes willen kein weiteres *Problem* für dich sein.«

Sie stellt frustriert das Glas ab. »Hach verdammt, ich wusste es!«

»Was?«

»Dass es so kommt.«

»Wie?«

»Mein Gott, Erik. Dass wir zusammen sind, das muss doch nicht heißen, dass wir …«

»Was? Heiraten? Unzertrennlich werden? Nein, das muss es nicht.« Er zieht die Jacke an. »Aber mindestens einen gemeinsamen Nenner sollte es schon geben. Abgesehen vom Bett.«

Er sieht sie an, sie senkt den Blick. Sie weiß, was er hören will, natürlich weiß sie das, aber sie kann es ihm nicht sagen. An der Tür dreht er sich noch einmal um.

»Was ich will, weißt du, jetzt bist du dran. Du wirst dich entscheiden müssen.«

Seine wütenden Schritte hallen durch den Flur. Sie

wartet auf das dumpfe Zuschlagen der Wohnungstür, doch es bleibt aus.

Sie kann jetzt nicht darüber nachdenken, es gibt weiß Gott andere Probleme. Mit schnellen Schritten geht sie in Jonas' Zimmer. Es ist leer, der Vogel ist ausgeflogen. Ob er in dieser Nacht nach Hause kommen wird, weiß sie nicht. Allmählich ist es ihr egal. Sie atmet tief durch und legt ihm einen Zettel hin.

Muss noch mal für ein oder zwei Tage weg. Bin telefonisch erreichbar.

Zurück in der Küche, schenkt sie sich Wein nach.

In ihrem Bauch ballt sich Wut zusammen, die langsam in ihr hochkriecht. Die Brust wird eng, das Atmen schwer. Sie wirft das Glas an die Wand. »Scheiße!«, schreit sie. »Scheiße! Du wirst schon sehen.« Dabei ist ihr selbst nicht klar, ob sie Esther meint oder Erik oder Jonas oder Ines. Oder alle. Sie werden schon sehen.

Katja holt sich ein neues Glas und trinkt weiter. Der Wein vernebelt ihren Kopf. Das ist gut. Sie zündet sich eine Zigarette an. Zara ist nicht da. Max auch nicht. Aber sie braucht auch niemanden. Sie kommt alleine klar. So war es immer, so wird es bleiben.

Dann fällt ihr ein, was Erik gesagt hat: ein Überraschungswochenende. Zu ihrem Geburtstag. Die Wut knurrt, aber sie wird kleiner. Jetzt tut es richtig weh. Ein Geburtstagsgeschenk. Einen Moment muss sie überlegen, wie alt sie wird. 42. Sie trinkt weiter, bis die Flasche leer ist. Sie hat bald Geburtstag. Na und?

Benny. So hätte er heißen sollen, der kleine Kater. Ein schwarzes Fellknäuel mit weißen Pfötchen, hilflos und winzig. »Es stimmt nicht, ich bin nicht zu klein. Ich hätte immer auf ihn aufgepasst und mich um ihn ge-kümmert«, *weinte sie. Alexa strich ihr hilflos über den Kopf und versuchte sie zu trösten.*

»Freust du dich denn gar nicht über das Puzzle?«

»Nein!« *Jetzt schrie sie.*

»Psst, nicht so laut«, *sagte Alexa erschrocken und schaute ängstlich zur Tür.*

Aber die war zu.

Alexa

Am nächsten Morgen trete ich mutig um halb zehn aus dem Haus, um bei meinem Nachbarn zu klingeln. Dichter Nebel behindert die Sicht über die Straße, aber hinter dem Nebel schimmert die Sonne, und das bedeutet, dass es ein schöner Tag wird.

Ich denke an tausend Dinge. An die verblühten Rosen im Garten, die geschnitten werden müssten, an das schmutzige Geschirr, das sich allmählich über die ganze Wohnung verteilt, an die ungeöffnete Post von Martin auf dem Buffet, die mich jedes Mal vorwurfs-voll anzustarren scheint, wenn ich daran vorbeigehe. Ich denke an alles Mögliche, um nicht an mein Herz zu denken, das so weh tut und gleichzeitig holprig klopft.

Ein überraschter Nick öffnet mir die Tür.

»Guten Morgen?«

»Guten Morgen. Ich, äh, bin vielleicht ein oder zwei

Tage unterwegs. Könnten Sie ... also es wäre nett, wenn Sie die Post für mich aufbewahren könnten, bis ich wieder da bin«, sage ich verlegen.

»Kein Problem.«

Ich stehe an der Tür und fühle mich unsicher. Er ist nett und auch sehr attraktiv, und ich wünschte, ich wäre ein bisschen mehr wie Katja.

»Ich bin auch gut im Blumengießen«, lächelt er.

»Das ist wirklich nicht nötig, ich bin ja wie gesagt bald wieder da, ich wollte nur ...«

»Möchten Sie vielleicht reinkommen auf eine Tasse Kaffee?«, unterbricht Nick mich.

»Äh, nein, meine Schwester holt mich gleich ab, und ich muss noch ...«

»Die Blumen gießen?«

Wir lachen beide, und ich fühle mich besser.

»Ich melde mich, wenn ich wieder da bin«, sage ich.

»Also dann ...«

»Also dann.«

Ich drehe mich um und spüre, dass er mir nachsieht. Es macht mich nervös. Aber es gefällt mir auch.

* * *

Katja ist pünktlich. Wir gehen heute vorsichtig und höflich miteinander um.

»Hast du gut geschlafen?«, fragt sie.

»Danke, ja«, sage ich. »Und du?«

»Es geht. Ich war oft wach.«

Immerhin bin ich heute in besserer Verfassung als gestern, was auch daran liegen mag, dass ich am Abend noch mit Till und Elli telefoniert habe und dass die erste Silke-Euphorie bei meiner Tochter schon wieder verflogen zu sein scheint.

»Robert durfte nicht zum Abendessen bleiben«, hatte sie sich aufgebracht beschwert. »Die spinnt doch, es ist schließlich Papa, der die Einkäufe bezahlt.«

Ich schiele zur Seite. Katja sieht so gut aus wie immer. Sie wirkt sehr ruhig und souverän. Ich beobachte sie, und ein kleines warmes Gefühl breitet sich in mir aus.

Außerdem hast du ja immer noch mich.

»Hast du Esther Bescheid gesagt?«, frage ich.

»Nein.«

»Was, wenn sie nicht da ist?«

»Dann warten wir.«

Kein Problem. Es gibt ja niemanden, der auf *mich* wartet.

Die Fahrt verläuft ruhig und ohne Zwischenfälle. Zum Mittagessen gehen wir in das gleiche Café auf dem Marktplatz in Altweil, in dem wir schon beim letzten Mal waren, und um kurz vor zwei stehen wir vor Esthers Tür.

Esther ist da, und sie wirkt kein bisschen überrascht. Zumindest kann ich keine Überraschung erkennen. Höchstens Unbehagen.

Katja redet nicht lange um den heißen Brei herum:

»Sagen Sie uns einfach, was Sie wissen, dann sind Sie uns wieder los«, sagt sie, und ich sehe sie mit ihren imaginären Hufen scharren.

Arme Esther. Sie sieht unglaublich müde aus. Und alt. Aber trotzdem, irgendwie, ich weiß auch nicht wie, wirkt sie sehr ruhig. Ungebrochen, das ist das Wort, das mir dazu einfällt. Auf den ersten Blick und rein äußerlich ist sie die typische liebe Oma. Von solchen Omas erwarte ich nichts außer netter Hilfsbereitschaft. Auf den zweiten erkenne ich noch etwas anderes. Stärke vielleicht. Aufrichtigkeit. Etwas, um das ich sie augenblicklich beneide.

»Esch gibt doch niemanden, den wir schonscht fragen können«, nuschle ich mit meinem Pfefferminzbonbon im Mund. Esther tritt wortlos zur Seite, und wir betreten den kleinen Flur. Die Tür zum Keller ist geöffnet. Es riecht nach Keller. Auch nach frischer Wäsche und Rosen. Mit einer matten Geste gibt sie uns zu verstehen, ihr zu folgen, und lotst uns in ihre Küche.

»Wir waren bei einer Familienaufstellung. Wissen Sie, was das ist?«, fragt Katja beim Hinterhergehen.

Esther dreht sich überrascht um. »Ungefähr. Aber was ...«

»Wir sind auf der Suche nach Antworten«, kommt Katja ihr zuvor.

Esther zeigt auf vier klapprige Holzstühle am Küchentisch. »Setzt euch. Ist das nicht so eine Art Rollenspiel?«

»Ja. So ungefähr.«

Wir setzen uns, und Katja beschreibt, was *so ungefähr* bedeutet, und sehr genau, was wir selbst gestern erlebt haben.

»So. Und jetzt sind Sie dran. Was hat es mit diesem ominösen Mann auf sich? Gibt es ihn wirklich, und wenn ja, kennen Sie ihn?«

Esther wird ganz blass. Schlagartig sieht sie noch etwas älter aus, als sie ohnehin schon ist. Sie stützt sich schwer auf den Küchentisch.

»Ich mache uns eine Kanne Kaffee«, sagt sie. »Ich habe schlecht geschlafen in den letzten Nächten.«

Das Problem kenne ich.

»Helfen Sie uns?«, fragt Katja mit ungewohnt weicher Stimme.

Esther sieht sie lange an. Und dann tut sie etwas sehr Seltsames. Sie hebt die Hand und streicht Katja sanft über das Gesicht. Und Katja bleibt ganz ruhig. Lässt sich streicheln und sagt kein Wort. Wir schweigen gemeinsam.

»Ich erzähle euch, was ich weiß. Aber, bitte, drängt mich nicht«, sagt sie schließlich.

»Wir haben Zeit«, sagt Katja, die Sanfte, und lächelt.

Esther sucht ihren Blick. Ihre Stimme klingt plötzlich ganz brüchig. »Wir waren eine ganz normale Familie, wisst ihr? Meine Eltern, Thomas und ich.« Sie räuspert sich und fährt mit festerer Stimme fort. »Thomas ist mein großer Bruder. Ihr habt ihn ja schon kennengelernt.«

»Allerdings«, sagt Katja.

»Er arbeitete damals schon auf dem Hof mit und war mit Ingrid verlobt, der einzigen Tochter von unserem Nachbarn, dem Weißtalbauern.« Das habe der Mutter ziemlich gut gepasst, erzählt sie weiter. Der Sohn vom Wilmerhof und die Tochter vom Weißtalhof. Dass Thomas sich so gut mit Ines verstand, passte ihr dagegen weniger. Esther hebt ihren Blick in unsere Richtung. »Tja, Ines. Sie gehörte damals ja praktisch zu unserer Familie.« Sie schüttelt den Kopf. Siamesische Zwillinge habe die Mutter sie immer genannt. »Wir haben uns nie gestritten. Wenn die eine etwas wollte, wollte die andere es auch. Ach, Ines hatte immer so verrückte Ideen.«

Ines soll verrückte Ideen gehabt haben? Das klingt nach lustigen Mädchenstreichen und Spaß, nicht gerade etwas, das ich mit unserer Mutter in Verbindung bringen kann.

Dabei seien sie sehr verschieden gewesen. Die eine blond, blauäugig und naiv, die andere schön, extrovertiert und mutig. Sie sei die Naive gewesen.

»Tja, und dann kam der Sommer 1963«, fährt Esther fort. Ein unbeschreiblich heißer Sommer sei es gewesen. Sie tupft sich mit einem Papiertuch den Schweiß von der Stirn, als würde sie die Hitze dieses Sommers noch immer spüren.

»In diesem Sommer fing es an. Ich erinnere mich noch an den Tag, als wir ...«

Esther unterbricht sich. Das tut sie ständig. Vielleicht, weil sie sich an so vieles gleichzeitig erinnert.

Ich verbrenne mir die Zunge am Kaffee und denke sehnsuchtsvoll an ein Stück Kuchen oder Schokolade. An irgendetwas, das die Leere in mir füllt. Dann fallen mir Martin und die Kinder ein, und ich schäme mich, dass ich an etwas so Profanes wie Schokolade denke.

»Und was ist nun so Schreckliches passiert?«, fragt Katja jetzt schon wieder mit gewohnter Ungeduld.

Esther schüttelt vage den Kopf. Ihre Hand, mit der sie die Kaffeetasse hält, zittert leicht, die andere streicht nervös über die weichen Falten ihres Rocks. »Langsam. Ich will euch ja alles so genau wie möglich erzählen. Aber dazu muss ich es auch für mich erst noch einmal im Kopf sortieren. Also, wo fange ich an?«

»Na, vielleicht mit dem Tag, von dem Sie gerade gesprochen haben«, schlägt Katja vor.

»Ja, richtig. Wir haben Kartoffelkäfer gesammelt.«

Es war die heißeste Phase des Sommers. Die Luft war zäh wie ranziges Öl, und die Krähen sangen ein schäbiges Lied. Seit Wochen hatte es kaum geregnet. Sie kniete auf dem rissigen Lehmboden und suchte die Blätter nach Kartoffelkäfern ab. Blatt für Blatt, Pflanze für Pflanze, Reihe für Reihe, Käfer für Käfer, Stunde um Stunde. Drei Reihen vor ihr arbeitete Ines. Ihre Haare glänzten in der Sonne, ihr schmaler Rücken war gebeugt, aber ihre Bewegungen waren kraftvoll und sicher. Esther strich sich müde eine Strähne aus dem Gesicht. Thomas stand schon wieder bei ihr, den Wasserkanister in der Hand. Sie hatte auch Durst, ihr Mund war voller Staub.

»Abends blieb Ines zum Essen. Wir haben gebetet. Und dabei ...« Esther runzelt die Stirn. »Ich habe überhaupt nichts bemerkt.«

»Was denn bemerkt?«, fragt Katja.

»Das war der Anfang«, fährt Esther mit ihren kryptischen Bemerkungen fort.

»Der Anfang wovon?«

»...«

»Esther?«

Ein leichter Ruck geht durch ihren geraden Oberkörper. »Sie liebte dieses Ritual, wisst ihr. Bei ihr zu Hause ...«

»Bei ihr zu Hause? Sie meinen, bei unseren Großeltern?«

Ein düsterer Raum, vollgestellt mit dunklen Möbeln, die Oberflächen glänzten matt, und es roch nach verkochtem Kohlgemüse.

»Bei ihr zu Hause …?«

»Bei Ines zu Hause … Ich war nur selten dort. Die Wohnung, die Enge. Ich war ja unseren Hof gewöhnt. Und dann ihr Vater …« Wieder unterbricht sie sich.

Und dann ihr Vater.

Unser Großvater, Werner Hartmann, kam Ende 1946 aus der Kriegsgefangenschaft zurück. Da hatte schon längst keiner mehr an seine Rückkehr geglaubt, am wenigsten seine Frau. Und dann stand er eines Tages vor der Tür, und eigentlich hätte man sich doch freuen müssen. Aber er war nicht mehr der, den man kannte. Er war nicht mehr der junge, freundliche Mann, der an den Führer geglaubt hatte und siegesgewiss in den Krieg gezogen war. Er war ein Fremder. Ein schmutziger, abgemagerter Mensch, der schlecht roch und sich kaum auf den Beinen halten konnte. Er hatte seinen rechten Arm verloren. Und seinen Verstand. Irgendwo in Südfrankreich. Für das deutsche Vaterland. Was sollte man mit so einem?

Und neun Monate später wurde Ines geboren.

»Ich sehe ihn noch in seinem Sessel sitzen«, sagt Esther. »Dort saß er immer, Tag für Tag saß er da und starrte aus dem Fenster.«

Zu nichts mehr zu gebrauchen. Was für ein Leben. Das hatte man sich nicht ausgesucht.

»Ines schämte sich für ihr Zuhause, das wusste ich, aber sie liebte ihren Vater. Sie hat sich immer um ihn gekümmert. Sie schnitt ihm das Essen klein, und abends las sie ihm oft etwas vor. Ihre Mutter dagegen ... die beiden hatten kein gutes Verhältnis.«

Mit Ines ein gutes Verhältnis zu haben war auch schwierig, wie ich aus eigener Erfahrung wusste.

»Einmal, als ich dort war, hat Ines' Mutter ihren Mann einen unnützen Esser genannt«, fährt Esther fort. »Sie hat leise gesprochen, aber er saß keine zwei Meter vor ihr in seinem Sessel und starrte aus dem Fenster. Ich bin sicher, er hat es gehört.«

Ihre Stimme ist wieder leiser geworden, ihr gehen die Worte aus. Katja verschluckt sich, hustet ihre Verlegenheit in die Hand.

Ich habe meinen Großvater nicht mehr gekannt, aber ich erinnere mich nur noch ganz schwach an unsere Großmutter. Eine kleine, dunkle Frau, die mir Marmeladenbrote strich. Als wir wegzogen, war ich sieben, danach habe ich sie nicht mehr gesehen. Als sie starb, zwei Jahre später, durften wir nicht mit zur Beerdigung. Ich habe nicht gelitten oder sie vermisst, und unsere Mutter hat danach nie wieder von ihr gesprochen.

Jetzt würde ich gern mehr über sie erfahren.

»Erzählen Sie uns noch etwas von ... von unserer Großmutter«, bitte ich Esther.

Sie nickt.

Hildegard Hartmann. Eine kleine Frau mit rauen, immer unruhigen Händen und einem schmalen, bitteren Mund.

Eine strenge Frau. Die Hand saß ihr ziemlich locker. Ganz egal, wie sehr Ines sich auch bemühte, sie habe es ihr nie recht machen können. Kalt sei sie gewesen, und für niemanden habe sie ein gutes Wort gehabt.

Am wenigsten für ihre Tochter und ihren Mann. »Ich erinnere mich noch an Ines' fünfzehnten Geburtstag. Es war der letzte, den wir gemeinsam bei ihr zu Hause feierten«, sagt Esther. »Na ja, eine richtige Feier war es eigentlich nicht.«

Die Luft war stickig und heiß, es roch nach Zwiebeln und Tabak, und sie tranken dünnen Kaffee. Er war so dünn, dass Esther bis auf den Boden ihrer angeschlagenen Tasse sehen konnte. Die Tafel war lieblos gedeckt, der Kuchen lieblos gebacken. 80 Gramm Zucker statt 100, zwei Eier statt drei, und er würde doch schließlich trotzdem schmecken, meinte Ines' Mutter mit ihrer unfreundlichen, dunklen Stimme.

Die Küchenuhr tickte in monotoner Gleichgültigkeit, der Vater schmatzte, sonst war es ruhig.

»Bei Stanbergs gibt es kleine Katzen«, sagte Ines irgendwann in die ungemütliche Stille.

»Die haben ja auch Platz für so was«, sagte Frau Hartmann, als wäre Esther nicht im Raum. Dann schaute sie auf die Uhr und begann, das Kaffeegeschirr zusammenzustellen. In einer halben Stunde musste sie wieder in der Fabrik sein.

»Warum?«, fasse ich mit einem Wort alles zusammen, was mich bewegt.

»Warum?«, wiederholt Esther meine Frage und beantwortet sie auch gleich: »Ines' Vater war im Krieg. Und Krieg hört nicht einfach auf, nur weil er vorbei ist. Deshalb.«

»Und sonst?«, frage ich enttäuscht. »Fällt Ihnen sonst nichts ein?«

Esther überlegt einen Moment, dann lächelt sie.
»Eure Großmutter soll als junges Mädchen sehr gut
Gitarre gespielt haben. Und auch schön gesungen.«

»Oh, dann hat meine Tochter ihr musikalisches
Talent ja vielleicht von ihrer Urgroßmutter geerbt?«
Ein kleiner, freundlicher Fleck im schwarzen Univer-
sum.

Esther nickt. »Bestimmt. Ich habe sie allerdings
selbst nie spielen und singen gehört. Das muss ganz
früher gewesen sein. Noch bevor sie verheiratet war.«

»Wie schade.«

»Später hatte sie dazu sowieso keine Zeit mehr. Sie
musste den Lebensunterhalt für die Familie verdienen.
Deshalb arbeitete sie als Näherin in der Polsterei Velsing. Ihr Mann konnte ja nicht mehr arbeiten. Und er
bekam auch nichts, weil er in der Partei war.«

*Der Vater dämmerte in der Hölle, aber die Mäuler der
Lebenden mussten gestopft werden.*

»Das war sicher schwer.«

»Ja. Das war sicher schwer.«

Katja hat sich in den letzten Minuten nicht mehr
an dem Gespräch beteiligt, jetzt trommelt sie nervös
mit den Fingerspitzen auf den Tisch. »Gut«, sagt sie.
»Alles klar. Unsere *Oma*«, das Wort Oma sagt sie mit
sehr ironischem Unterton, »unsere Oma war klein,
verbittert und unhöflich. Sie konnte Gitarre spielen
und schön singen, und sie hatte es verdammt schwer.
Können wir uns jetzt auf das Wesentliche konzentrieren?«

»Auf das Wesentliche?«, fragt Esther irritiert.

»Darauf, wie *ES* begann«, sagt Katja mit einer ungeduldigen Handbewegung.

»Ach ja, wie es begann«, besinnt sich Esther und kommt auf den Anfang zurück. »Gut. Also, wir hatten Käferlese. Und danach aßen wir alle gemeinsam zu Abend.«

Wieder legt Esther eine Pause ein.

Ich starre in die Schwärze ihrer Iris. »Und dann?«, frage ich.

»Bei uns wurde vor dem Essen immer gebetet, wisst ihr?«

Das hatten wir schon.

»Dazu bildeten wir einen Kreis und nahmen uns an der Hand. Dann sprach meine Mutter das Gebet, und wir dankten dem Herrn für die guten Gaben.«

Katja und ich sehen uns an, und Katja seufzt. Esther seufzt auch. »Ich glaube, damit hat es angefangen«, sagt sie.

Ines ging regelmäßig in die Kirche und kümmerte sich um ihren Vater, wenn der sich selbst vergaß. Sie war fleißig und intelligent, die Schule machte ihr keine Probleme, und wenn sie nach Hause kam, erledigte sie zuerst die Hausarbeit, und danach half sie für ein paar Groschen bei den Stanbergs auf dem Feld.

Aber sie verlor, wenn sie etwas unbedingt wollte, bisweilen die Menschen aus den Augen, denen sie wichtig war. Obwohl es zugegebenermaßen nicht viele davon gab. Sie hätte mehr nachdenken, ihre Gefühle besser kontrollieren müssen. Aber kann man das, wenn man sechzehn ist und verliebt?

Unsere Mutter war sechzehn. Und verliebt. Beides fühlt sich falsch an. Aber so war es, sagt Esther. Und sie wollte ihn. Unbedingt. Am Ende habe sie ihn auch bekommen. Oder auch wieder nicht, denn als es so weit war, wollte sie ihn nicht mehr.

Ich denke an Thomas, diesen gut aussehenden Mann, den wir so wütend und böse erlebt haben. Warum wollte sie ihn nicht mehr?

»Ist Ihr Bruder deshalb immer noch so wütend?«, frage ich.

Esther sieht mich verwirrt an. »Nein«, sagt sie.

»War er auch in sie verliebt? Oder war es einseitig?«

»Ja. Thomas war in sie verliebt. Sehr sogar. Und das war das zusätzlich Tragische an der Geschichte. Das fanden meine Eltern beide nicht gut. In dem Punkt waren sie sich mal einig.«

Maria, Esthers Mutter, sei nicht so streng und lieblos gewesen wie Ines' Mutter, aber auch sie hatte ihre Vorstellungen und erzog ihre Kinder nach klaren, unverrückbaren Regeln. Sie war immer fleißig, ihr ganzes Leben hat sie hart gearbeitet, aber sie war zufrieden. Jedenfalls früher. Später habe sich das geändert. Da habe sie etwas Freudloses, Gehetztes gehabt. Da haben ihre abgearbeiteten Hände nicht mehr geruht, da waren sie unruhig, mussten immer etwas halten oder tun: Socken stopfen, Kartoffeln schälen, Gemüse schneiden. Und wenn sie nichts hielten, dann waren sie zum Gebet gefaltet, so wie vor diesem Essen.

Sie saßen mit demütig gesenkten Häuptern vor ihren Tellern, hielten sich an den Händen und segneten die Speisen auf dem Tisch. Maria sprach die Worte, ohne nachzudenken. Tausendmal gesagt, tausendmal ge-

dankt: Komm, Herr Jesus, sei unser Gast und segne,
was du uns bescheret hast.

Er hielt Ines' Hand, und sein Daumen fuhr zart
über ihren schmalen Handrücken.

Maria verstummte, sie fingen an zu essen, aber er
ließ die Hand nicht los. Bis Maria abrupt den Stuhl
nach hinten schob und das Brot weiterreichte.

Wieder unterbricht Esther sich und starrt auf ihre
Hände. Sie räuspert sich kurz, bevor sie fortfährt.

Als Ines hochschaute, trafen sich ihre Augen. Er lä-
chelte ihr zu. Ihr junger Körper war schön, das wuss-
te sie. Ihre Haare glänzten im Schein des Lichts, den
Mund hatte sie in scheinbarer Atemlosigkeit leicht ge-
öffnet. Ohne Eile folgten seine Augen der zarten Linie
ihres Halses bis hin zu den Schultern.

Marias Augen sagten etwas anderes: Wage es ja
nicht, sagten sie. Sie meinte beide, aber er war es, der
den Blick auffing und erkannte.

Esther greift nach ihrer Tasse. Der Kaffee ist nicht
mehr heiß. Sie trinkt ihn trotzdem mit spitzen Lippen,
als hätte sie Angst, sich zu verbrennen.

»Ines' junges Herz war in Aufruhr, aber der Sommer
ging vorbei, ohne dass etwas geschah«, erzählt sie.

Maria war stark. Sie hatte die Fronten geklärt, und
er hatte sich gebeugt. Vorerst. Als Ines klarwurde,
dass er sie mied, begann sie ihn zu verfolgen. Sie hatte
ein schlechtes Gewissen, aber was nutzt das schon,
wenn man verliebt ist? Als der Sommer fast vorbei
war, lockte sie ihn unter einem Vorwand in den Stall.

Ihre Haare waren frisch gewaschen und vom Wind zerzaust, die Wangen frisch und rot. Er trat dichter an sie heran, ganz dicht. Er atmete sie. Und dann vergaß er sich. Alles andere vergaß er auch.

Ein kurzer Moment, ein kleiner Augenblick, in dem er unaufmerksam war und schwach.

Esther stellt die Tasse auf den Tisch. Das leise Klirren holt uns zurück in die Gegenwart.

»Ja und? Was ist dann passiert?«, fragt Katja mit der ihr eigenen Ungeduld.

»Was passiert ist?« Esther sieht uns an. »Meine Mutter hat die beiden zusammen gesehen. Das ist passiert.«

Maria betrat den Stall in dem Moment, als er sie küsste. Sie schrie und tobte und weinte, während er versuchte, die Wogen wieder zu glätten.

»Maria, es ist nichts ... ich ...«, stammelte er.

»Halt deinen Mund«, schrie sie. »Wir reden später. Erst soll die da verschwinden.« Dabei zeigte sie mit dem Finger auf Ines.

Ines war ganz ruhig und gefasst. Sie glaubte fest an den Sieg. Bis sie nach seinem Arm griff und »Hektor?« sagte – und er sie wegstieß.

Ich stelle überrascht fest, dass meine Hand zittert, ganz leicht nur, aber ich kann es nicht abstellen. In meinen Ohren rauscht es.

»Hektor? Das war doch ... Ihr Vater?«, sagt Katja überrascht.

Esther antwortet nicht.

»Wow«, meint meine Schwester in ihrer unsensiblen Art. »Das ist ja ein Ding.« Ich werfe ihr einen angestrengten Blick zu.

»Sie hatte also etwas mit Ihrem VATER?«

Esther schweigt weiterhin, und ich falte meine zitternden Hände im Schoß.

»Und dann?«, frage ich vorsichtig. »Wie ging es weiter?« Ich bemühe mich, einfühlsam zu klingen, aber mein Hals kratzt, und kratzig klingt auch meine Stimme.

»Es hat uns entzweit. Ich konnte ihr das nicht verzeihen«, sagt Esther leise. »Meine Mutter hätte es auch gar nicht erlaubt.«

»Aber hatten sie … ich meine, was ist denn …«

»Sie meint, ob sie Sex hatten«, schaltet Katja sich wieder ein. Das habe ich nicht gemeint, aber bevor ich etwas erklären kann, wird Esthers Blick ganz verschlossen.

»Ines war gerade sechzehn geworden«, sagt sie.

»Ja und?«, fragt Katja.

Ich hole tief Luft. In mir ist alles in Aufruhr. Wie bei einem Verkehrschaos ohne Ampel oder Polizei. Alles wirbelt durcheinander.

»War es damit vorbei? Das mit Ines und … ihm?«

Esther seufzt. »Vorerst ja. Aber es war nicht das Ende.«

»Sie haben sich also wiedergetroffen?«, fragt Katja, aber es klingt nicht wie eine Frage.

»Ja.«

»Und dann hatten die beiden eine richtige Affäre?«

»Ja.«

»Eine Affäre? Das kann nicht sein«, widerspreche

ich mit zuerst kleiner, dann immer hektischer und lauter werdender Stimme. »Ines hatte keine Affären. Nie. Solange ich denken kann, war sie schlecht auf Männer zu sprechen. Katja, das weißt du doch auch. Wenn ich nur an den armen Kerl denke, wie hieß er gleich, unser Vermieter damals. Immer wenn etwas zu regeln war, wenn Heizöl bestellt werden musste oder ein Wasserhahn defekt war, dann war sie ganz freundlich. Einmal ließ sie sich sogar zu einem Picknick überreden, weißt du noch? Aber wenn es erledigt war, dann ging sie nicht mal mehr ans Telefon. Sie war eiskalt und überhaupt nicht der Typ für Affären.«

Je mehr ich mich in Rage rede, desto mehr glaube ich, was ich sage. Sie war wirklich nicht der Typ. Obwohl das Quatsch ist, sie war schließlich verheiratet, und die Sache mit unseren Eltern musste ja auch irgendwie einmal angefangen haben.

Esther wirkt noch müder als am Anfang, aber sehr gefasst und entschlossen. »Mit meinem Vater hatte sie eine, das könnt ihr mir glauben.«

»Aber ... der war doch uralt und ... und ...«, mache ich noch einen Versuch.

»Und was? Ich war ihre beste Freundin.«

Es hat sich etwas verändert an ihrem Ton. Und das gefällt mir ganz und gar nicht. Meine Schwester sitzt nachdenklich zwischen uns.

»Was war er denn für ein Mensch, Ihr Vater?«, fragt sie. Ich kenne sie. Es ist Katja, die Journalistin, die jetzt spricht.

Es dauert eine Weile, bis Esther darauf antwortet.

»Er war zuerst einmal mein Vater«, meint sie schließlich und atmet hörbar aus. »Die Frage, was er für ein Mensch war, stellte ich mir als Kind nicht. Das habe ich erst getan, als er längst tot war.«

Hektor, der Mensch, war zweiundzwanzig Jahre älter als Ines und vier Jahre jünger als Maria. Maria, so jung und bereits Witwe. Sie verlor ihr Herz an den schönen Hektor. Wer hätte ihr das verdenken können?

Er war aus gutem Haus, verfügte über Bildung und Manieren, war belesen und klug. Und arm. Sehr arm. Seine Mutter half auf dem Wilmerhof, dafür bekamen sie Kost und Logis, sonst hatten sie nichts. Oder nichts mehr. Der Vater, ein Intellektueller, ein Dichter, war tot. Gefallen für das deutsche Vaterland, und dabei konnte er doch kein Blut sehen.

Am Ende waren nur Hektor und seine Mutter übrig, vom Vermögen gar nichts mehr. Kurz vor Ende des Krieges sollte er eingezogen werden. Er war 18 und wollte leben. Also desertierte er und flüchtete mit seiner Mutter in den Westen.

Als Mutter und Sohn im September 1945 in Altweil ankamen, besaßen sie nichts, außer den Kleidern am Leib und ihrer Würde. Hektors Mutter Anna war eine stolze Frau. Zu Hause, in Breslau, hatte sie ein großes Haus geführt und viele über die Breslauer Grenzen bekannte Feste gegeben. Dort war sie eine Muse, eine Künstlerin, die sich zeit ihres Lebens nur mit schönen Dingen beschäftigt hatte und deren schrecklichstes Erlebnis die Geburt ihres Kindes war, weshalb ein zweites nicht zur Debatte stand. Und dann kam der Krieg.

Ein Leben in Armut und demütiger Abhängigkeit stand außerhalb ihrer Vorstellungskraft, und Anna war nicht gewillt, dieses Schicksal klaglos hinzuneh-

men. Sie weinte und sagte, sie wolle lieber sterben, als so zu leben. Und das tat sie dann auch.

Es begann mit einer leichten Schwäche und Fieber, dann kam der Husten, er hörte sie bellen, wenn er beim Melken im Stall war. Ein Fall von Diphtherie, sagte der Arzt, davon gab es viele in dieser Zeit, und stellte sie unter Quarantäne. Als sie starb, war Hektor gerade 19. Er hatte sich gut auf dem Hof eingearbeitet und seine Chancen ausgerechnet. Es gab nicht viele. Der Bauer hatte zwar keinen Sohn, nur Maria, aber die war versprochen und verlobt, der zukünftige Schwiegersohn stand parat. Die Heirat folgte überstürzt, ein Kind wurde geboren, es war ein Siebenmonatskind. Allerdings mit erstaunlich gut entwickelten Lungen. Aber auch die halfen ihm nicht, als er im zarten Alter von fünf Monaten an Typhus erkrankte. Maria war untröstlich.

Hektor hatte nach ihrer Heirat den Wilmerhof verlassen und sich Arbeit in der Stadt gesucht. Nebenbei holte er das Abitur nach.

Auch Marias Ehe stand unter keinem guten Stern. Fünf Jahre später war sie wieder allein und ihr Mann tot. Er sei betrunken mit dem Auto gegen einen Traktor gefahren, hieß es. Der alte Dickschädel.

So kam Hektor zurück.

Mir schwirrt der Kopf von all den Namen und Ereignissen. Und so spannend ich das alles auch finde, will ich doch eigentlich nur eines wissen: »Wann haben sie sich denn wiedergesehen? Ich meine, im Mai 1967 haben meine Eltern geheiratet. Was ist denn dazwischen geschehen?«

»Nicht viel«, sagt Esther.

Die Geschichte hatte sich in Windeseile im Ort herumgesprochen. Auf dem Wilmerhof konnte Ines sich nicht mehr blicken lassen, und die Leute tuschelten hinter ihrem Rücken. Keiner wusste etwas Genaues, aber alle redeten mit. Es entstand das Gerücht, Ines habe versucht, Thomas seiner Braut auszuspannen.

»Ja, aber Sie haben doch gesagt, dass es noch nicht zu Ende war«, beharre ich auf Fortsetzung.

»Das stimmt. Es war noch nicht zu Ende. Aber erst einmal lernte Ines Stefan kennen.« Sie sieht mich an, und ich richte mich unwillkürlich auf.

»Anfang 1964 hatte Ines begonnen, in der Polsterfabrik zu arbeiten. In der Buchhaltung«, fährt Esther fort.

Damals habe sie Stefan ab und zu gesehen, aber er sei außerhalb ihrer Welt gewesen. Und nach der Sache mit Hektor wahrscheinlich auch außerhalb ihres Interesses. Aber irgendwann habe sie mit ihrem platten Fahrrad zwischen Ottmansburg und Altweil gestanden und Stefan sei vorbeigefahren.

»Er erkannte sie, fuhr zurück und packte Ines und ihr Fahrrad ein. Und von da an wich er nicht mehr von ihrer Seite.«

Und vielleicht weil er das so selbstverständlich und unaufgeregt tat und vielleicht auch weil er sie so behandelte, als hätte es diesen Vorfall auf dem Wilmerhof niemals gegeben, ließ sie es zu. Als er ihr knapp drei Jahre später einen Antrag machte, sagte sie *Ja*.

»Und ... was war mit Ihrem Vater?«

»Was danach geschah, weiß ich von Ines. Sie hat es mir erzählt, als sie mich vor ihrem Tod besuchte.«

Sie blickt Katja in die Augen. »Soll ich weiterreden?«

In dem Maß, in dem Katja sich nach vorne beugt,
beuge ich mich zurück.

»Ja. Bitte«, sagt Katja mit fester Stimme.

*Die Hochzeit war ein großes Fest, mehr als zwei-
hundert Gäste waren eingeladen. Stefans Mutter hatte
es organisiert, und sie hatte an alles gedacht. Das sei
man den Leuten schuldig, sagte sie.*

*Der Sekt half Ines, sich weniger steif und unbehol-
fen zu fühlen, deshalb trank sie mehr, als ihr guttat.*

*So konnte sie das laute, joviale Gehabe ihres Schwie-
gervaters besser ertragen und die übertriebene Freund-
lichkeit ihrer Schwiegermutter. Auch das aufgesetzte
Benehmen ihrer eigenen Mutter und die Tatsache, dass
ihr Vater nicht mehr dabei war. Werner Hartmann, der
arme Soldat, war im letzten Herbst gestorben. Weil der
Tod ihn mehr gelockt hatte als das Leben.*

*Nach dem Essen hatte Ines schreckliche Kopf-
schmerzen. Die Musiker spielten den Hochzeitswal-
zer, und weil Stefan nicht tanzen konnte, führte ihr
Schwiegervater sie auf das Parkett. Ein Fiasko. Seinem
schleudernden Gang, seiner zupackenden Art und
seiner brachialen Forderung der Unterwerfung war
sie nicht gewachsen. »Du hast überhaupt kein Rhyth-
musgefühl«, hatte er gedonnert. Sie glaubte ihm.*

*Als das Fest seinen Höhepunkt erreichte, nahm sie
eine Tablette und schlüpfte durch eine Nebentür nach
draußen.*

*Die Luft war klar und mild. Sie setzte sich auf eine
der Stufen und blickte zu den Pappeln auf der anderen*

Straßenseite. Ihre Silhouetten schoben sich dunkel vor
den nachtklaren Himmel. Dazwischen nahm sie eine
flüchtige Bewegung wahr. Wie ein Schatten, der sich
zu verändern schien. Sie kniff die Augen zusammen.
Da war etwas. Da war JEMAND. Und dann erkann-
te sie ihn. Er stand dort, an eine der Pappeln gelehnt,
seine Haare glänzten golden im Schein der Laterne,
und ihr Herz setzte aus.

Esther hört auf zu reden und reibt sich mit der Hand
über die Stirn.

»Und dann?«, fragt Katja und beantwortet sich
die Frage gleich darauf selbst: »Dann hat sie unseren
Vater betrogen. An ihrer Hochzeit. Das ist doch echt
nicht zu glauben.«

»Sie hat ihn betrogen. Aber nicht an der Hochzeit.«

Ich nicke innerlich und schweige. Beobachte mein
Inneres. Ines war eine Ehebrecherin. Was löst diese
Erkenntnis in mir aus? Ich seziere meinen Gefühls-
zustand und wundere mich. Keine Entrüstung, keine
moralische Verurteilung, nur Staunen. Grenzenloses
Staunen.

»Und wie lange …?«, fange ich an, aber Katja unterbricht mich spöttisch. »Na, was glaubst du wohl,
warum unser Vater gegangen ist?«

Katja entrüstet sich. Ausgerechnet Katja, die sich
nicht festlegt und ihre Männer wechselt wie andere
Leute die Strümpfe.

»Es stimmt. Als Stefan davon erfuhr, ist er … es war
das Ende.«

»Hat sie es ihm gesagt?«, frage ich.

»Ja. Sie hat es ihm gesagt.« Esther unterbricht sich,

lenkt ihren Blick kurz zum Fenster, bevor sie sich wieder uns zuwendet.

»Ich erzähle euch, wie es weiterging, aber gönnt uns eine Pause. Ich habe gleich einen Augenarzttermin, lasst uns morgen weiterreden.«

»Was? Sie können uns doch jetzt nicht …«, fängt Katja an, aber ich lege meine Hand auf ihren Arm und schüttle den Kopf.

Ich entscheide, dass wir gehen – und meine Schwester beugt sich.

* * *

Wir sind wieder im ›Hasenstall‹ gelandet. Katja pfeffert die leichte Reisetasche auf das Bett und reißt das Fenster auf.

»Ich brauche frische Luft«, sagt sie. »Und eine Zigarette.« Sie bläst den Rauch ins Freie. Sie ist wütend, das spüre ich. Warum ist sie eigentlich so wütend?

Ich lasse mich auf das Bett fallen und trete mir die Schuhe von den Füßen. Katja sieht mich an.

»Was ist mit dir? Bist du gar nicht geschockt?«, fragt sie.

»Doch, klar«, sage ich und lasse mich zurückfallen.

»Ist dein sauberes Weltbild jetzt nicht schrecklich angekratzt?«

Im Moment habe ich das Gefühl, dass unsere Rollen vertauscht sind. Katjas Weltbild scheint mir viel angekratzter als mein eigenes. Außerdem ist mir schlecht.

»Ich glaube, mir ist schlecht.«

»Dieses verlogene Miststück«, schimpft Katja. Sie drückt ihre Kippe auf der Fensterbank aus.

Die ist zwar aus Stein und voller Vogelkacke, aber ich finde es trotzdem nicht in Ordnung.

»Katja!«, rufe ich.

»Was? Ist doch wahr.«

Sie schließt das Fenster und wirft sich neben mich auf das Bett. »Es war scheiße von Esther, uns mit diesem Halbwissen stehen zu lassen«, lenkt Katja ihre Wut in eine andere Bahn. »Den blöden Termin hätte sie ja wohl verschieben können.«

»Ach, du weißt doch, wie das ist mit Arztterminen. Da wartet man Monate drauf«, verteidige ich Esther matt.

Mir war die Unterbrechung ganz recht. Ich muss erst einmal verarbeiten, was Esther uns erzählt hat. Und begreifen, was es mit mir zu tun hat. Oder ob.

Früher. Was verbinde ich eigentlich selbst mit diesem Wort? Nichts Gutes, glaube ich.

Unsere Kindheit war ein ziemliches Fiasko. Ich glaube, da sind immer noch viele halbverheilte Wunden. Damit meine ich jetzt keine äußerlichen. Die gab es natürlich auch, aber anders als bei anderen Kindern unseres Alters, die ihre aufgeschürften Knie oder Ellbogen wie stolze Trophäen herumzeigten, konnten wir mit blutenden Löchern oder herabhängenden Hautfetzen nicht punkten. Im Gegenteil. Aufmerksamkeit von Ines war nichts, was wir freiwillig forderten. Und so entstanden dann wohl die Wunden in uns drin.

Ob es Ines als Kind genauso erging? Ist sie deshalb so geworden, wie sie war? Und sind wir deshalb auch so geworden, wie wir sind? Müssen unsere Kinder jetzt ausbaden, was unsere Eltern und Großeltern verbockt haben, und geht das dann so weiter und immer so weiter?

Ich versuche Katja zu erklären, was ich denke. Sie sieht mich von der Seite an und sagt nichts. Eine Weile schweigen wir vor uns hin.

»Ich weiß es nicht«, sagt Katja schließlich und setzt sich wieder auf. »Aber wenigstens weiß ich jetzt, warum unser Vater gegangen ist.«

»Was meinst du?«, frage ich.

»Er ist gegangen, weil Ines eine Schlampe war.«

* * *

Am nächsten Tag stehen wir schon kurz nach Mittag wieder vor Esthers Tür. Ältere Leute halten gerne Mittagsschlaf, weswegen ich zuerst Bedenken angemeldet habe, aber nachdem Katja mich zum hundertsten Mal anblafft und es für sie sowieso schon beschlossene Sache ist, gebe ich nach. Das alte Rollenverhalten ist wiederhergestellt.

Esther sieht weder so aus, als hätte sie geschlafen, noch so, als würde sie uns zum Teufel wünschen. Sie sieht vielmehr aus, als hätte sie auf uns gewartet. Vielleicht will sie sich jetzt, nachdem sie die Schleusen nun einmal geöffnet hat, den ganzen Schlamassel endlich von der Seele reden.

Wie schon am Vortag folgen wir ihr in die Küche, wo sie sich an der Kaffeemaschine zu schaffen macht.

»Für mich bitte nicht«, sage ich.

Ich vertrage so viel Kaffee nicht mehr, mein Magen stöhnt, wenn ich mein Zwei-Tassen-pro-Tag-Pensum überschreite. Und an Schlaf ist auch nicht mehr zu denken.

Katjas Handy klingelt. Sie schaut auf das Display.

»Jonas? Was ist?«

Mit dem Handy am Ohr verlässt sie den Raum, gibt uns aber gleichzeitig zu verstehen, dass sie gleich wieder bei uns ist.

»Jonas. Ist das Katjas Sohn?«, fragt Esther.

»Ja«, sage ich. Und dann aus einer Eingebung, vielleicht weil ich hoffe, dass meine Offenheit belohnt wird, erzähle ich von den Problemen, die Katja mit Jonas gerade hat, von den Tabletten und davon, dass er sich mit gerade einmal fünfzehn nichts mehr sagen lässt. Auch, dass sein Vater sich nicht um ihn kümmert, sich nie gekümmert hat, das arme Kind, und dass Katja mit ihm in einer Wohngemeinschaft lebt.

Dabei schiele ich nervös zur Tür. Ich weiß, dass Katja es nicht mag, wenn ich über sie rede, aber mir scheint es aus irgendeinem Grund wichtig, dass Esther das alles erfährt. Esther hört zu und nickt. Als ich mit meinen Ausführungen am Ende bin, fragt sie: »Und du? Was ist mit dir? Hast du keine Familie?«

»Doch. Natürlich«, sage ich eifrig. »Ich habe eine wunderbare Familie, zwei Kinder, Elli und Till und …« Ich unterbreche mich. Erstens hatte ich bis vor wenigen Jahren drei Kinder, und zweitens habe ich keine wunderbare Familie mehr. Das hatte ich mal. Bis vor ein paar Wochen.

»Ja?«

»Nichts. Ich habe … wir haben … uns getrennt«, sage ich verlegen und ertappe mich dabei, wie ich nervös auf meinem Fingernagel kaue.

»Ist das nicht seltsam?«, fragt Esther.

»Was?«

»Es ist doch irgendwie so, als würden wir mit den alten Lasten unserer Eltern weiterleben. Als würden sie uns wie Schatten begleiten und sich bis heute auf unser Leben auswirken.«

Ich weiß sofort, was sie meint. Ähnliche Gedanken habe ich mir ja selbst auch schon gemacht.

»Aber warum lassen wir das zu? Als hätten wir keine Wahl? Als könnten wir nicht anders?«, fragt Esther. Sie sitzt vor mir mit gebeugtem Rücken und wirkt sehr verletzlich.

»Quatsch.« Katja steht in der Tür. »Jeder Mensch hat eine Wahl. Jeder Mensch ist für sein Leben selbst verantwortlich. Ines war es, Hektor war es, und wir sind es auch. Können wir weitermachen?«

Als der Sommer des Jahres 1967 sich dem Ende zuneigte, hatte Ines sich bereits an ihr Doppelleben gewöhnt. Sie war Stefans Partnerin, seine Gefährtin. Sie diskutierte mit ihm über politische Themen, lachte über seine Witze und schmiedete mit ihm Zukunftspläne. Einmal in der Woche kochte sie ihm den Gemüseeintopf nach dem Rezept seiner Mutter, den er so liebte, und mindestens zweimal in der Woche schliefen sie zusammen. Es war nicht schwer, nichts war schwer, sie mochte ihn, und sie mochte das Zusammenleben mit ihm.

Bei Hektor aber, da war sie die Frau, die liebte.

Sie trafen sich entweder montags oder donnerstags. Montags, vor den Sitzungen des Bauernverbandes, dessen Vorsitzender er war. Und donnerstags, weil

Stefan da länger in der Schreinerei war, die er gegen den Willen seines Vaters gegründet hatte.

Sie trafen sich am Waldrand oder in der alten, leerstehenden Ziegelei. Und wenn er sie von oben bis unten ansah, während seine Hand bereits den Gürtel seiner Hose öffnete und sie sich dem Schwindel hingab, den diese Bewegung in ihr auslöste, dann blendete sie alles andere aus, ihr ganzes anderes Leben. Sie wollte nur fühlen, nicht denken, seine Hände auf ihrem Körper spüren, seine Hände, die nur für sie zu solcher Zärtlichkeit fähig sein konnten. So lebte sie von einem Tag zum anderen, von einer Woche zur nächsten. Die Zukunft lag schwer und dunkel in der Ferne, es gab nur das Heute und dieses nie ganz gestillte Verlangen, die Gewissheit ihrer Liebe und das Warten auf das nächste Mal.

Als Ines schwanger wurde, veränderte sich alles. Obwohl sie natürlich wusste, dass trotz vager Schutzmaßnahmen diese Möglichkeit bestand, hatte sie sie ausgeblendet. Es konnte nicht sein, was nicht sein sollte. Sie rechnete nach und sagte es beiden. Wer der Vater war, wusste sie nicht mit Bestimmtheit, aber die Wahrscheinlichkeit sprach für Stefan. Als offizieller Vater kam sowieso nur er in Frage.

Alexa Josefine kam am 24. April des Jahres 1968 zur Welt. Sie war dünn und lang, hatte den Kopf voll dunkler Haare und das gleiche energische Kinn wie Stefan. Ines atmete auf, und Stefan war im siebten Himmel. Er vergötterte seine Tochter. Seine Frau dagegen verfiel in eine schwere Depression.

Sie fühlte sich elend und erschöpft, war am Tag müde und konnte nachts nicht schlafen. Sie verschloss sich, redete kaum noch, und wenn, schimpfte und klagte sie. Es fiel ihr schwer, sich und das Kind in einen geregelten Alltag zu installieren. Es fiel ihr schwer, sich zu kümmern. Um Alexa, ihren Mann, ihren Haushalt.

Hektor traf sie jetzt nur noch selten, und wenn, dann weinte sie, was bei ihm zu hilfloser Überforderung führte.

Ihr Leben hatte sich in eine emotionale Achterbahnfahrt verwandelt, mit weiten Strecken bergab und nur wenig bergauf. Sie weinte stundenlang, ohne die tiefe Traurigkeit, die sie in sich trug, abstellen oder auch nur begreifen zu können.

Auch andere ihr bekannte Mütter hatten weinerliche Phasen, waren mal erschöpft oder schlecht gelaunt. Aber es ging vorbei. Warum nicht bei ihr?

Sie erkannte, dass es so nicht weitergehen konnte, und beschloss, etwas zu ändern. Sie tat die Dinge, die von ihr erwartet wurden, lachte, wenn Stefan ihr etwas Lustiges von seiner Arbeit erzählte, und weinte nur noch, wenn sie allein war. Tagsüber fütterte und wickelte sie ihre Tochter, schob den Kinderwagen über den Marktplatz und weiter durch die Bahnhofstraße bis zu der Wohnung ihrer Mutter und wieder zurück, ging mit Alexa zum Arzt, wenn das Kind fieberte, und stand nachts auf, wenn es weinte. Den Rest der Nacht lag sie wach im Bett und wünschte sich, sie könnte ihr Leben und ihren Körper abgeben wie ein gebrauchtes, nicht mehr benötigtes Utensil. Sie spürte nichts, außer Überforderung und dem Wunsch, das Kind möge sich in Luft auflösen.

Trotz aller Mühe war die Leichtigkeit ihrer Ehe einer Gereiztheit gewichen, die ihren Mann auf harte

Proben stellte. Er wurde auf eine Weise anhänglich, die sie zusätzlich entkräftete und oft ungerecht werden ließ. Nur dank seiner unerschütterlichen Liebe und seiner Gutmütigkeit überstanden sie diese Talfahrt, die mehr als zwei Jahre anhielt, ohne größere Blessuren.

Dann begann sie sich langsam zu erholen. Als es ihr besser ging, traf sie eine Entscheidung: Sie wollte mit dem Mann leben, den sie liebte, und dazu gab es nur einen Weg: Sie musste Stefan die Wahrheit sagen. Und ihn verlassen. Aber bevor sie diesen Gedanken in die Tat umsetzen konnte, wurde sie ein weiteres Mal schwanger. Und dieses Mal war es nicht Stefans Kind.

Jetzt erst recht, dachte Ines und verabredete sich mit Hektor an der alten Ziegelei. Ohne Umschweife konfrontierte sie ihn mit ihrer neuen Schwangerschaft und der Tatsache, dass es sein Kind war. Kein Zweifel. Er hatte getrunken und ließ sich schwer auf eine Stufe sinken. »Ich kann nicht«, stammelte er. Alles, alles würde Maria gehören, er hätte nichts, wenn er ginge.

Aber Ines war zu allem entschlossen. Er müsse sich entscheiden, sonst würde sie ihn verlassen, sagte sie, denn so könne es nicht weitergehen.

Er klammerte sich an sie und weinte, sie weinte auch, aber eine Lösung fanden sie nicht. Als sie sich trennten, sagte Ines noch einmal: »Es kann so nicht bleiben. Entweder Maria oder ich.«

Er antwortete nicht und sah sie nicht an.

»Hektor! Hast du mich gehört?«

Er hatte sie gehört. Aber seine Entscheidung war längst gefallen.

Katja ist blass. »Was ist das jetzt für ein Mist, den Sie hier erzählen?«, presst sie hervor.

»Ja«, sage ich, obwohl ich genau weiß, dass es kein Mist ist.

»Es tut mir leid. Die Wahrheit ist nicht immer bequem. Ich hätte sie auch lieber anders gehabt.« Esther seufzt schwer. Katja starrt sie aus großen, blauen Augen an. Blaue Augen treffen auf blaue Augen. Natürlich. Von Anfang an war ich irritiert, weil sie mir auf unbestimmte Weise bekannt vorkam. Ein Altersunterschied von einem Vierteljahrhundert, aber die gleiche hohe Stirn, das gleiche Profil und – die gleichen Augen. Ich greife nach Katjas Hand. Sie zieht sie weg, und ich sehe die Wut, die in ihnen blitzt. Auch Fassungslosigkeit. Und Schmerz.

»Wie ging es weiter?«, fragt sie böse.

»Zuerst einmal gar nicht«, sagt Esther. »Sie hat vier Jahre nichts mehr von ihm gehört.«

Die folgenden Monate waren schrecklich. Ines suchte alle Plätze auf, an denen sie sich getroffen hatten, lief die Straßen auf und ab und hielt Ausschau nach seinem alten Ford. Sie fuhr, Alexa im Kindersitz und das Baby im Bauch, alle ihr bekannten Feldwege in der Nähe mit dem Fahrrad ab, nur dem Wilmerhof, dem näherte sie sich nicht, aus Angst vor Maria. Und vor Esther.

Es war jetzt keine Freude mehr in ihr, nur dieses Kind, das sie nicht wollte. Nicht so. Aber das Baby wuchs trotz aller Widrigkeiten unbeirrt in ihr heran, und schließlich überstand Ines sowohl Schwangerschaft als auch Geburt ohne äußerlich sichtbare Ver-

letzungen. Ihre zweite Tochter, Katja Aurelia, wurde am 25. September 1971 geboren. Sie hatte einen hellen weichen Flaum auf dem Kopf, strahlend blaue Augen und ein sonniges Gemüt.

Die nächste Depression ließ nicht auf sich warten. Ines konnte sich diesem eisigen Griff der Traurigkeit nicht entziehen, der sie packte und erbarmungslos nach unten zog. Sie konnte es nicht ändern, aber sie schwor sich, nie wieder ein Kind zu bekommen. Und sie beschloss, den Mann, den sie liebte, für immer aus ihrem Leben zu streichen.

Alexa und Katja merkte man die Umstände ihrer Zeugung und Geburt nicht an. Sie waren aufgeschlossene Kinder, die viel Zeit mit ihrem Vater verbrachten und früh lernten, sich ihrer Mutter nur dann zu nähern, wenn diese, wie Stefan es nannte, ihre hellen Tage hatte. Er war eine Frohnatur, die Launen seiner Frau ertrug er mit nahezu stoischer Geduld. Seine Kinder waren gesund, er liebte seine Frau, und beruflich war er glücklich mit seiner kleinen Schreinerei. Er lernte, Ines so zu nehmen, wie sie war. Es gab gute Tage, und es gab schlechte. An den guten Tagen nahm er sie mit Liebe, an den schlechten mit Humor.

Abends schloss Ines sich oft ein und manchmal, am Tag, auch ihre Kinder. Aber irgendwann begann sie sich zu erholen. Ein stetiger, unaufhaltsamer Prozess. Sie war jung, ihr Körper gesund, das Leben ging weiter. Sie freute sich, wenn die Sonne schien, und registrierte die Veränderungen ihrer Kinder. Alexa lutschte noch immer am Daumen, dafür hatte Katja das Laufen gelernt. Die schlechten Tage wurden weniger, und Ines begann wieder zu arbeiten.

An Hektor zu denken hatte sie sich längst verboten, und jetzt, da sie wieder arbeitete und sie, Stefan und die Kinder einen gemeinsamen Alltag entwickelt hatten, fiel es ihr zunehmend leichter. Es folgte eine relativ ruhige Zeit. Die einzige.

Im Sommer des Jahres 1975, fast vier Jahre nach Katjas Geburt, wurde Stefan krank. Erst verlor er an Appetit, dann an Gewicht. Der Hausarzt überwies ihn an einen Internisten, der Internist schickte ihn zum Gastrologen, der Gastrologe ins Krankenhaus. Dort stellte man einen fast faustgroßen Tumor im Darm fest. Bösartig, aber verkapselt. Der Tumor wurde samt betroffenem Darmstück entfernt, die Ärzte waren, was die Heilungschancen anging, zuversichtlich. Die ersten fünf Jahre seien kritisch, danach könne er sich als geheilt betrachten, sagten sie.

Stefans Krankheit erschreckte Ines zutiefst. Ihn zu verlieren schien ihr, die ihn vor wenigen Jahren noch verlassen wollte, mit einem Mal unerträglich. Sie begann, initiativ zu werden und sich um ihre Familie zu sorgen. Sie wollte sie schützen. Vor allem. Auch vor der Wahrheit. Sie war endlich angekommen.

Und dann lebten sie glücklich und zufrieden bis ans Ende ihrer Tage, hätte jetzt kommen sollen. Das wäre mein persönlicher Favorit für die Geschichte. Aber so war es nicht. Das wussten wir alle.

»Er hat es irgendwie erfahren?«, frage ich, und es ist klar, dass ich von meinem Vater rede. »Hat sie es ihm gesagt?«

»Nein. Oder doch. Aber nicht ...«, sagt Esther.

»Nein. Oder doch. Mein Gott! Was denn jetzt?«,

ätzt Katja. Sie ist jetzt in allem, was sie sagt und tut, unfreundlich, fast aggressiv.

»Ja, sie hat es ihm gesagt. Aber erst später. Am 14. November. Ich erinnere mich deshalb so genau, weil das der Tag war, an dem mein Vater starb.«

Es war Ende September 1975, als sie ihn wiedertraf. Über vier Jahre war er ihr aus dem Weg gegangen, hatte sie mit dem Kind und dem Wissen um seine Vaterschaft allein gelassen, und jetzt tauchte er plötzlich und unerwartet an einem Mittag vor ihrer Wohnung auf und beschwor sie, sich mit ihm zu treffen. Er wolle nur reden, nur reden, sonst nichts. Er liebe sie noch immer, er könne sie einfach nicht vergessen, und wenn sie ihm noch eine Chance geben würde, nur noch diese eine, dann würde er mit Maria sprechen. Er würde alles, alles dafür tun, wenn sie ihm nur vergeben könnte.

Sie sagte, es sei vorbei, es sei zu spät, und das war es auch. Niemand war darüber überraschter als sie selbst. Daran änderten auch seine Liebesschwüre nichts. Vielleicht weil er sich so verändert hatte. Wo war sein feines, asketisches Aussehen geblieben, die sehnigen Muskeln und geschmeidigen Bewegungen? Vor ihr stand ein aufgedunsener, ungepflegter Mann. Ein Bauer. Seine Beteuerungen waren unterwürfig, sein Atem roch nach Schnaps, seine Fingernägel hatten schwarze Ränder. Er stieß sie ab. Er war entzaubert. Endgültig.

Von diesem Tag an begann er ihr aufzulauern, und sie begann sich vor ihm zu verstecken. Wenn er durch die Straßen der Stadt fuhr, mit angestrengtem Blick, dann verbarg sie sich in Hauseingängen und Geschäften. Oft blieb sie minutenlang bewegungslos dort ste-

hen. So lange, bis sie endlich das erlösende Geräusch seines davonfahrenden Autos hörte.

An einem Dienstag, sie hatte die Kinder nach Büroschluss abgeholt, Stefan war nach der Operation noch zu schwach, stand er plötzlich neben ihr. Sie erschrak, weil er so finster schaute und weil die Kinder dabei waren. Wäre sie nur aufmerksamer gewesen, dann hätte sie die Begegnung vermeiden können. Unter seinen Augen lagen dunkle Ränder, und als er das Fenster herunterkurbelte und sie ansprach, roch sein Atem nach Bier.

»Du gehst mir aus dem Weg«, sagte er.

Eine Hand lag auf dem Lenkrad, die andere schlaff auf der fleckigen Hose. »Du gehst mir aus dem Weg. Weißt du nicht, was das mit mir macht? Was du mit mir machst?«

»Ich mache nichts mit dir. Ich habe doch genug mit mir zu tun. Ich muss wieder ein normales Leben haben. Das geht so nicht mehr.«

»Du quälst mich, ich gehe vor die Hunde.«

»Du gehst vor die Hunde, weil du zu viel trinkst. Das hat nichts mit mir zu tun.«

»Ich trinke, weil du mich so quälst.«

»Du hast vier Jahre nicht nach mir und dem Kind gefragt. Was willst du jetzt?«

»Reden.«

»Das geht nicht. Ich habe die Kinder. Außerdem könnte uns jemand hier sehen.«

»Dann komm in die alte Ziegelei. Oder willst du, dass ich deinen Mann besuche?«

Die Leute begannen sie zu beobachten. Sie musste ihn beruhigen.

»Gut, ich komme. In einer halben Stunde. Warte da auf mich.«

Sie brachte die Kinder zu ihrer Mutter und schob ein Arztgespräch vor.

»Ich hole sie nachher wieder bei dir ab. Mach ihnen einfach ein Brot, heute Abend bekommen sie Suppe.«

Er wartete auf sie. Die Haare waren jetzt gekämmt, die Hose sauber. Er saß auf den Stufen vor der Ziegelei und sah ihr entgegen. Der beginnende Herbst hatte die ersten Blätter der Bäume bunt gefärbt, aus den Ritzen sprießte Unkraut, die Kanten der Stufen waren gebrochen, alles hier schmeckte nach Verfall und Vergänglichkeit.

»Du liebst mich nicht mehr«, sagte er. Es sollte nicht klingen wie ein Vorwurf, aber das tat es.

»Stefan ist krank. Ich muss arbeiten und mich um die Kinder kümmern. Ich bin so müde. Ich kann dir nichts mehr geben.«

»Doch. Doch, das kannst du. Wir beide können uns so viel geben.« Unsicher stand er auf und trat auf sie zu. Sie roch die Seife, und sie wusste, dass er sich für sie gewaschen hatte. Aber sie roch auch den Schnaps. Er streckte die Hand nach ihr aus, und sie wich zurück. In seinen Augen blitzte Wut auf.

»Ekelst du dich vor mir?«

Er packte ihren Arm. Sie riss sich los, und er verlor fast das Gleichgewicht. Er war betrunken, sie sah erst jetzt, wie betrunken er war.

Sie ließ ihn stehen und ging, einfach so, ohne ein Wort. Als sie sein Keuchen hinter sich hörte, drehte sie sich nicht um, sondern zwang sich, ruhig weiterzugehen. Er überholte sie und stellte sich ihr in den

Weg. Sein Blick war drohend. Sie versuchte nach
links auszuweichen, er hielt sie fest. Er war stark,
viel stärker als sie, auch jetzt noch. Sich gegen ihn zu
wehren war zwecklos. Sie tat es trotzdem. Da warf
er sie zu Boden und setzte sich auf sie, hielt sie wei-
ter fest, immer weiter, bis sie sich nicht mehr rührte.
Seine Kraft war unvermindert, seine Bewegungen ge-
wannen an Sicherheit. Sie sah, wie er mit einer Hand
nach dem Gürtel seiner Hose griff, und schloss die
Augen.

Katja sieht angestrengt auf ihre Füße. Dann blickt sie
auf, die blauen Augen blitzen spöttisch. »Sie meinen,
der Mann, der mein … *unser* Vater war, war nicht nur
ein dummer Bauer und Alkoholiker, er war auch noch
ein Vergewaltiger?«

Katja ist zynisch, manchmal arrogant oder übertrie-
ben lässig. Aber so böse habe ich sie noch nie erlebt.

»Nein«, sagt Esther und schaut meine Schwester
an. »Er war ein Bauer und ein Alkoholiker. Vielleicht
hat er eure Mutter vergewaltigt, ich weiß es nicht, ich
kenne nur ihre Version. Aber er war ganz sicher nicht
dumm. Im Gegenteil. Er war ein sehr belesener, kluger
Mann.«

»Mir kommen die Tränen vor Rührung«, schnauzt
Katja. »Ich glaube, ich brauche einen Schnaps. Bin ja
schließlich die Tochter eines Säufers.« Ihre Stimme
trieft vor bösem Sarkasmus.

Esther steht auf und holt eine Flasche und drei Gläser. »Ich denke, unter diesen Umständen dürfen wir
uns alle mal einen genehmigen.«

Mir fällt etwas ein. »Sie haben gesagt, er starb am

14. November. Wir haben gehört, dass er bei einem Feuer umkam. Was ist passiert?«

»Dazu komme ich noch.« Sie hebt ihr Glas. »Prost!«

Ich trinke in kleinen Schlucken, Katja und Esther kippen den Schnaps wie Wasser, und Katja gießt sich nach.

Esther beugt sich zu Katja. »Katja, ich bin …«, fängt sie an, aber Katja fällt ihr ins Wort. »Ist mir egal, was du bist. Erzähl einfach weiter«, sagt sie und benutzt ohne Umschweife das vertraut klingende Du. »Mich kann jetzt nichts mehr umhauen.«

»Also gut.« Esther richtet sich auf. »Ihr wolltet doch unbedingt die Wahrheit hören. Dann müsst ihr sie jetzt auch aushalten.«

»Mama hat gekotzt.« Katja hatte wieder ein neues Wort gelernt.

»Ist sie krank?« Ihre Großmutter wandte sich an Alexa, die über den Schulaufgaben saß. Sie war erst vor wenigen Wochen eingeschult worden und noch voller Eifer.

»Ich glaub schon. Sie kotzt jeden Morgen. Aber sie hat gesagt, das geht vorbei.«

Ines betrat die Küche, und ihre Schwiegermutter sah sie an.

»Seit wann bist du schwanger?«

»Heißt das, Mama kriegt ein Baby?«, fragte Alexa.

»Ich weiß es erst seit zwei Wochen.«

»Kriegst du ein Baby, Mama? Krieg ich einen Bruder?«

»Es kann auch eine Schwester werden, mein Engel. Und Stefan? Was sagt Stefan?«

»Er weiß es noch nicht.«

»Habt ihr euch das denn gut überlegt?«

»Was sollen wir denn gut überlegt haben?«, fragte Ines gereizt. Es war schwer genug.

»Wie willst du mit drei Kindern noch arbeiten gehen? Es ist doch so schon kaum zu schaffen. Ich kann nicht noch mehr übernehmen, und Stefan ist noch nicht über den Berg. Ihr könnt auf dein Gehalt im Moment nicht verzichten.«

»Es ist, wie es ist. Ich bekomme ein Baby. Verstehst du? Ein Baby!«, sagte sie schroff und wunderte sich, wie bitter dieses Wort schmeckte. Sie schüttete die eingeweichten Erbsen in den Topf und gab Speck und Suppengrün dazu.

»Ich spreche mit Norbert. Vielleicht kann er euch finanziell ...«

»Nein!«

Auch wenn Stefans Prognosen gut waren, es gab ein Problem: Sie hatten seit mehr als vier Monaten nicht miteinander geschlafen. Da konnte auch das Geld ihres Schwiegervaters nicht helfen. Sie stellte den Topf auf den Herd. Was sollte sie Stefan sagen? Dass ihr ehemaliger Liebhaber sie vergewaltigt hatte? Er hatte geweint danach. »Ich wollte das nicht. Bitte glaub mir, ich wollte das nicht«, hatte er gestammelt. Sie verachtete ihn. Für die Gewalt, aber noch mehr für das Weinen. Sie holte Teller und Besteck aus dem Schrank. Die Teller klapperten in ihren zittrigen Händen. Seit sieben Wochen versuchte sie, nicht an diesen Nachmittag zu denken. Ihn auszulöschen aus ihrem Gedächtnis.

»Ich muss jetzt gehen. Ruf mich an, wenn du es

dir anders überlegst«, bot ihre Schwiegermutter an.
Sie meinte es ja nur gut. Seit sieben Wochen hatte sie
nichts mehr von ihm gehört. Aber sie traute ihm nicht.
Und in ihr wuchs sein Kind. Noch ein Kind.

»Was soll Ines sich anders überlegen?« Stefan
streckte den Kopf zur Tür herein. »Hhm, riecht gut.
Was gibt's denn?«

»Na ja, wegen des Kindes. Ich dachte, vielleicht
kann dein Vater euch mit etwas Geld über die Runden
helfen. Sie wird weniger arbeiten können.«

»Was für ein Kind?«

»Es gibt Erbsensuppe, und ich bin schwanger.« Ines
sah ihren Mann an, und binnen Sekunden fühlte sich
ihr ganzer Körper taub an. Sie sah sein Gesicht und
wusste, dass es zu Ende war.

Natürlich. Ich erinnere mich. Sie war schwanger. Und
an dem Tag, als wir davon erfuhren, verließ uns unser,
immer noch unser, Vater. Eben deswegen.

»Was ist aus dem Kind geworden?«, frage ich.

»Ines hat es verloren.«

»Oh. Und ... Hektor? Wieso ist er gestorben?«

»Wie du vorhin schon richtig gesagt hast: Er kam
bei einem Feuer um.«

Sie weicht unseren Blicken aus. »Ich habe ihn gefunden. Aber Stefan ...« Jetzt sieht sie mich an. »Stefan
war der Letzte, der ihn lebend gesehen hat.«

Das Bügeleisen lag schwer in ihrer Hand. Esther näss-
te das Laken und ließ das Eisen sanft darübergleiten.
Der Geruch des Waschmittels und ein Hauch Laven-
del stiegen ihr in die Nase.

Der Blick aus dem Fenster war zufällig.

Sie sah den Rauch, der aus dem Stall quoll, ehe sie ihn roch. Sie sah die lodernden Flammen hinter den schmutzigen Scheiben, ehe sie ihr Knistern hörte. Es brannte. Das Erste, woran sie dachte, waren die Tiere.

Sie stellte das Bügeleisen zur Seite und riss am Stecker. Dann stürzte sie nach unten, zog sich Gummistiefel an und rannte laut rufend über den Hof. Sie rief nach ihrem Bruder und dem Vater, aber niemand antwortete ihr. Sie hatte Angst, als sie das brennende Gebäude betrat.

Draußen leckten die Flammen an der kalten Luft, aber hier drinnen nahm ihr die Hitze sofort den Atem. Das knirschende Getöse des Feuers übertönte alles andere, der dichte, zähe Qualm verschluckte ihre tastenden Arme und verbarg die vertraute Umgebung.

Die Kühe schrien panisch, als sie versuchte, die Ketten zu lösen. Ihre Finger verbrannten sich an dem glühenden Metall, und sie seufzte vor Erleichterung, als es ihr gelang, die erste Kuh zu befreien. Sie schöpfte wieder Mut. Aber es waren noch weitere zweiundzwanzig Kühe, und ihre verbrannten Fingerkuppen schmerzten höllisch.

Eine Hand legte sich auf ihre Schulter. Thomas. »Geh zu den Kälbern, ich mache hier weiter«, sagte er.

Sie stolperte zum Laufstall. Das Tor hatte sich verkeilt. Ihr Mund war voller Hitze und Asche, und sie spürte, wie ihre Kräfte nachließen. Sie zerrte verzweifelt am Griff und trat gegen das Holz, immer wieder, immer wieder, bis etwas splitterte und ein Brett nachgab. Sie sprang zur Seite, die Kälber stürmten kopflos an ihr vorbei.

*Ein knirschendes Geräusch ließ sie nach oben bli-
cken. Ein Balken über ihr hatte sich verbogen. Mit
letzter Kraft schleppte sie sich zurück. Sie hustete und
würgte, und dann, kurz vor ihrem Ziel, stolperte sie
und fiel auf die Knie.*

*Da sah sie ihn. Sein Gesicht war blutverschmiert,
der Körper seltsam verdreht. Es roch nach verbrann-
tem Fleisch. Sie schaute in seine blauen, blicklosen
Augen und schrie.*

Tränen laufen über Esthers Wangen. Sie lässt sie laufen.
Ich würde sie gern trösten, das Richtige sagen, aber
ich weiß nicht, wie oder was. Außerdem irritiert mich,
was sie vorhin noch gesagt hat: dass Hektor an dem
Tag ums Leben kam, an dem mein Vater uns verließ.
Und dass der der Letzte gewesen sein soll, der Hektor
lebend sah. Das konnte doch kein Zufall gewesen sein?
Ist es das, was Esther mir damit sagen will?

»Du sagst, mein … äh …Vater hat … er war der
Letzte, der ihn gesehen hat?«, versuche ich hilflos etwas Unerklärliches zu erklären.

»Thomas hat beobachtet, wie Stefan auf den Hof
kam und gleich in den Stall ging. Da brannte es noch
nicht«, sagt Esther schnell.

Stefan. Sein Name klingt in mir. An meinem Fami-
lienbild hat sich nichts geändert. Er ist noch immer
mein Vater. Er war so großartig, jedes Jahr hat er einen Adventskalender für uns gebastelt. Aus Balsaholz.
Und einmal eine Krippe mit kleinen Krippen-Figuren.
Er hat mir Schwimmen beigebracht und Pfeifen auf
zwei Fingern. Er war ein guter Mensch. Er *ist* ein guter
Mensch.

»Weißt du, wohin … ehm, was aus ihm geworden ist?«, frage ich mit einem zaghaften Blick auf meine Schwester.

»Nein«, sagt Esther. Sie schaut mich nicht an, als sie weiterspricht. »Ich habe meinen Vater damals gefunden. Er hatte eine große Wunde am Kopf. Als die Feuerwehr und der Rettungsdienst kamen, lag er unter einem herabgestürzten Balken. Deshalb gab es keine Ermittlungen. Verstehst du?«

Ich verstehe, was sie mir damit sagen will. Dass Stefan voller Wut zum Hof kam, Hektor zur Rede stellte und ihn dann im Affekt – oder vorsätzlich oder wie auch immer – erschlug. *Das* will sie mir sagen. Aber ich glaube es nicht. Ich bin mir sicher, dass es eine andere Erklärung geben muss. Nur welche?

Während jetzt ich kurzzeitig selbst zur Salzsäule werde und mich wie gelähmt fühle, löst Katja sich gerade halbwegs aus ihrer Erstarrung.

»Und unsere … Mutter? Warum hat sie das Baby verloren?«, fragt sie mit ruhiger Stimme.

Esther seufzt tief auf. Ihre Lippen sind zu einem schmalen Strich zusammengepresst, ihre Augen rot und verquollen. Ich sehe neue Tränen.

Mit dem ersten Licht des Tages wurde Esther wach. Sie ging nach unten in die Küche und traf ihre Mutter. Maria saß mit leerem Gesicht am ungedeckten Tisch. Es duftete nach Kaffee und nach Schinken und nach anderen Dingen, die ihr vertraut waren, und es waren diese Gerüche, die sie beruhigten. Aber es roch auch nach Feuer. Und nach Tod. »Mama?«

Maria rührte sich nicht.

»Mama?« Sie berührte ihre Schulter. Keine Reaktion. »Mama«, sagte Esther wieder und weinte. Es war noch dämmrig, im fahlen Licht der Laterne sah sie die arbeitenden Menschen auf dem Hof. Thomas und einige Nachbarn, die gekommen waren, um zu helfen. Sie erkannte den alten Langenhof-Bauern an seiner gebückten Haltung. Und den uralten Melkschemel ihrer Großmutter. Beide standen unbrauchbar herum. Thomas rief den Leuten Anweisungen zu. Sie liefen dahin und dorthin, räumten Gegenstände aus dem Weg und löschten letzte Feuernester.

Esther hörte die Geräusche des Treibens dort draußen und fühlte sich, als wäre sie in einem luftleeren Raum. Aus den verbrannten Resten des Stalls stiegen noch immer Rauchsäulen und schwebten verloren in den Himmel. Der Stall, oder das, was von ihm übrig war, ragte wie Teile eines Skeletts in die Luft. Sie roch das Öl und den Rauch und musste würgen. Wochen später noch sollte sie dieser Geruch quälen. Er hatte sich festgesetzt, überall, in jedem Raum, jedem Stein, jedem Balken.

Am Nachmittag kam der Bestattungsunternehmer. Er hieß Rudolf Neumann, legte Formulare auf den Tisch und pries die Vorteile einer Sargbestattung. Weder ihr Bruder noch die Mutter waren fähig, Entscheidungen zu treffen und geschäftliche Konditionen zu verhandeln, und so war sie es, die das helle Eichenholz aussuchte, den Beerdigungstermin abstimmte, mit dem Pfarrer sprach und die Zeremonie organisierte.

Danach kochte sie eine dicke Suppe und zwang sich und die anderen dazu, etwas zu essen. Während sie die Suppe austeilte, beobachtete sie ihren Bruder, der teilnahmslos am Tisch saß, sah ihre Mutter, die so grau und alt geworden war, und fragte sich, was aus ihnen werden sollte. Und doch glaubte sie, das Schlimmste sei überstanden. Bis Thomas den Kopf hob und aus dem Fenster schaute. Sie folgte seinem Blick.

Die Suppe spritzte nach allen Seiten, als er den Löffel hineinfallen ließ und der Stuhl polternd zu Boden ging. Ehe sie begriff, was er vorhatte, war er schon losgestürmt.

Ines stand im Hof. Unbeweglich und mit steinernem Gesicht. Sie wehrte sich nicht, als er sie schlug. Sie hob ihre Hände nicht zum Schutz, und sie versuchte auch nicht wegzulaufen. Sie blieb einfach stehen und ließ sich schlagen. So lange, bis sie zu Boden stürzte und Herr Neumann den rasenden Thomas festhielt.

Erst viel später, lange nachdem der Krankenwagen mit Ines vom Hof gerollt war, sah Esther das Kind. Es kauerte hinter der großen Linde. Sie näherte sich ihm vorsichtig. Es hatte ein kleines Gesicht mit einem spitzen Kinn. Das einzig Große darin waren die Augen. Sehr blaue Augen. Niemals würde sie diesen Blick vergessen, den Blick vollkommener Verlassenheit.

Es war nicht älter als drei, vielleicht vier Jahre, und es zitterte vor Kälte. Sie nahm es auf den Arm und wiegte es, immer weiter, bis es ruhig wurde und das Zittern nachließ. Dann wickelte sie es in eine Decke, setzte es in den alten Leiterwagen und brachte es ins Dorf zu seiner Großmutter. Wortlos übergab sie der verstörten Frau das Kind und kehrte zurück zu dem Ort, der früher ihr Zuhause war.

5

Vom Finden

Alexa

Katja sitzt mir gegenüber. Sie liest, und dazwischen schaut sie sich Fotos an. Wir sehen uns wirklich nicht sehr ähnlich. Das ist an sich nichts Neues, neu ist nur der Grund dafür. Wer hätte das ahnen können?

Wir sind bei mir zu Hause, diskutieren familienbedingte Ähnlichkeiten, nicht nur äußerliche, und dazwischen überlegen wir, wie es weitergehen kann oder soll. Weiter geht es ja immer irgendwie, aber die Richtung ist uns noch nicht klar. Bis auf eins: dass ich meinen Vater suche. Katja meint, das sei ich uns schuldig.

Gerade beugt sich meine Schwester über ein paar alte Zeitungsberichte. Daneben liegt meine Fotocollage mit Fotos von Katja und mir und von unseren Kindern. Kein Foto von Martin. Kein Foto von Katjas Männern. Natürlich auch kein Foto von Ines. Nur wir.

Die Collage ist mein Geburtstagsgeschenk für sie. Auf dem Tisch liegt noch ein anderes Bild. Es ist das Bild von Hektor, das aus Ines' Kiste. Er war ein wirklich gut aussehender Mann. Und er hatte große Ähnlichkeit mit Thomas, das ist mir jetzt klar. Auch mit Esther. Und natürlich mit Katja. Sogar bei Jonas entdecke ich Ähnlichkeiten. Sie alle haben das gleiche schmale, ebenmäßige Gesicht, um das ich Katja seit jeher beneide. Und den gleichen vollen und sinnlichen Mund. Nur dass Jonas keine blauen Augen hat. Seine sind braun. Wie die *seines* Vaters. Offensichtlich sind in unserer Familie die Väter die starken Vererber. Ich betrachte meine Schwester beim Betrachten.

»Du bist so schön«, sage ich in ihre Richtung, und die Worte purzeln aus meinem Mund, bevor ich darüber nachdenken oder sie zurückhalten kann.

Ihre ach so blauen Augen wandern gerade flink über eines der Blätter. Ich kann nicht erkennen, was sie da liest, aber ihre spöttisch verzogenen Lippen lassen vermuten, dass es etwas mit unserer Mutter zu tun hat. Vielleicht auch mit ihrem Vater. Oder meinem. Herrje, ist das alles ein Durcheinander. Jetzt sieht sie überrascht auf.

»Du auch«, sagt sie matt.

»Nein«, sage ich und meine es auch so.

»Quatsch«, beharrt Katja. »Natürlich bist du das.«

»Hast du noch etwas entdeckt?«, frage ich, um das Thema zu wechseln.

»Nein.« Vor uns liegt ein ganzes Sortiment alter Zeitungsartikel, darunter ein großer Bericht über das Feuer, datiert auf den 15. November 1975.

Feuer auf dem Wilmerhof – Landwirt kommt unter tragischen Umständen ums Leben –, steht dort.

Er sei vermutlich von einem der herabstürzenden Balken erschlagen worden, ein Unfall, heißt es darin. Ich wünschte, Esther hätte uns nicht so detailliert geschildert, wie sie ihn gefunden hat.

»Es ist auf jeden Fall richtig, dass du ihn suchst«, sagt Katja. Sie schiebt ihre Worte zwischen mich und meine Befürchtungen, und ich schiebe den Bericht zwischen zwei schmutzige Kaffeetassen. So ungewohnt wie die Stille, so ungewohnt ist auch die Unordnung. Wie ein ungezogenes Kind, das sich den starren Regeln der Eltern widersetzt, lasse ich den Klavierdeckel offen, zerdrücke die Kissen auf der Couch und verteile schmutziges Geschirr auf Tischen und Schränken.

»Ich bin mir da gar nicht so sicher«, sage ich leise.

»Er ist dein Vater.«

»Ob er das noch weiß?«

Ich spüre ihre leichte Ungeduld. Immerhin hast du noch einen, sagt ihr Blick. Zumindest wahrscheinlich.

Es ist wirklich unbegreiflich. Bis vor wenigen Tagen hatten wir denselben. Jetzt ist Katjas Vater nur noch eine Vision. Hektor Stanberg. Was war er für ein Mensch? Ein Alkoholiker und ein Vergewaltiger? Nein, er war noch viel mehr. Ich bin sicher, Esther hat recht. Er war klug und belesen. Und vermutlich unglücklich in seiner Ehe mit Maria. Ein Mann in einer Sackgasse.

Ich schaue mir das Zeitungsbild mit dem abgebrannten Stall an. Dort hatte Esther ihn gefunden. Esther, Hektors *andere* Tochter, Katjas Halbschwester und früher einmal die beste Freundin unserer Mutter.

Esther hat uns einiges von Hektor erzählt. Er war mit seiner Mutter 1945 als Flüchtling auf den Wilmerhof gekommen, wo seine Mutter als Aushilfe arbeitete. Es muss schrecklich gewesen sein, für diese kultivierte und aus wohlhabenden Verhältnissen stammende Frau. Ihr Mann, Hektors Vater, war im Krieg gefallen. Aber Esther erzählte auch, dass Hektor sein Abitur nachholte, und zwar mit bestem Ergebnis.

Aber trotz seiner guten Noten war er vor allem eins: ein leidenschaftlicher Bauer. Und etwas anderes wollte er auch nie sein. Er sei wirklich sehr klug gewesen, meinte Esther. Und sehr unglücklich. Schon lange. Er habe getrunken und seine Frau betrogen. Nicht nur mit Ines. Hektor mit den zwei Gesichtern. In eines hatte Ines sich einmal unsterblich verliebt. Und jetzt ist er tot, verbrannt und vergessen. Sogar das Grab ist aufgelöst und neu belegt. Weil auch die Ruhezeit nach dem Tod begrenzt ist und käuflich.

Katja nimmt Hektors Bild und studiert sein Gesicht. Ihr eigenes ist seit unserem Besuch bei Esther verschlossen.

Alles an mir ist schwer und müde, am schwersten ist mein Herz. »Ich mache uns mal einen Kaffee«, sage ich und stehe auf. Ich fühle mich ganz steif vom langen Sitzen.

In der Küche muss ich aufpassen, mich nicht wieder zu verlieren. Es passiert mir jetzt ab und zu, dass mir die Zeit entgleitet, dass mir alles entgleitet und ich vergesse, wo ich bin und warum.

»Wenn unsere ... wenn deine Großeltern noch leben würden, wäre es einfacher«, ruft Katja mir mit lauter Stimme hinterher. Auch das ist eine Erkenntnis, die an uns beiden nagt. Die unterschiedlichen Wurzeln, der abweichende Stammbaum. Meine Großeltern sind nicht mehr automatisch auch ihre, die Ausgangsbedingungen nicht mehr die gleichen. Oder nur zum Teil.

Immerhin: Stefan van Velsing ist ein relativ seltener Name. Dreimal haben wir ihn in Deutschland gefunden, davon einmal in der Umgebung von München.

Mit zwei dampfenden Kaffeetassen komme ich wieder zurück ins Wohnzimmer. »Am besten, du rufst jetzt an«, sagt Katja und hält mir das Blatt mit den Telefonnummern vor die Nase.

»Jetzt? Einfach so? Wir wissen doch gar nicht, ob eine der Nummern passt.«

»Eben.«

Jetzt wird mir mulmig. Was, wenn ER sich meldet?

»Er ist vielleicht wieder verheiratet und hat eine neue Familie. Und Kinder. Ich kann doch nicht nach all der Zeit aus der Versenkung auftauchen, um mal eben kurz hallo zu sagen.«

»Du kannst aus der Versenkung auftauchen und ihm sagen, dass es dich noch gibt. Und dass er als Vater komplett versagt hat.«

»Und wenn er …«

»Alex! Hör auf mit deinem Wenn und Aber!«

»Es könnte doch auch sein, dass er gar nicht mehr lebt. Er hatte Krebs«, setze ich zaghaft nach.

Früher war es eine Ahnung, nicht mehr. Ines hatte ihnen nichts davon erzählt, aber irgendetwas war mir immer im Gedächtnis. Und jetzt hatte Esther es bestätigt.

»Er hat ja offensichtlich lange genug gelebt, um nach Bayern zu ziehen. Und mehr erfährst du vielleicht, wenn du dort anrufst. Du erfährst aber garantiert nichts, wenn du jetzt den Schwanz einziehst.«

»Ich kann nicht«, stöhne ich und meine es auch so. »Warum soll ich mich bei ihm melden? Nach all den Jahren?«

»Weil …«, fängt Katja wieder an und stockt. »Weil du jetzt weißt, dass er nicht wegen dir gegangen ist, sondern wegen mir«, flüstert sie so leise, dass ich es kaum verstehe. So kenne ich sie gar nicht.

»Rede doch keinen Mist. Er ist wegen IHR gegangen, nicht wegen DIR.«

Ihr Blick gleitet an mir vorbei zum Fenster, das Gesicht ist wieder verschlossen.

»Na gut«, sagt sie mit fast normaler Katja-Stimme. »Ich erledige den Anruf für dich. Aber wenn ich ihn finde, dann bist du dran. Dann fährst du hin und redest mit ihm.«

Ich nicke. Gut. Dann bin ich dran. Aber wie genau soll das aussehen? Da sind so viele offene Fragen. Über eine haben wir gestern Abend noch lange gesprochen: Was ist wirklich geschehen, damals auf dem Wilmerhof? Darauf gibt es nur eine schlüssige Antwort. Und die gefällt mir überhaupt nicht.

Es klingelt. Ich schrecke hoch und bin mir plötzlich sicher, dass es Martin ist. Mit den Scheidungspapieren. *Hier. Du musst nur noch unterschreiben.*

Aber es ist nicht Martin. Es ist Nick. Und er hält keine Scheidungspapiere in der Hand, sondern meine Post.

»Oh«, sagt Katja. »Besuch?«

»Ja, äh, Nick war so nett, sich um die Post zu kümmern, während …«

»Möchten Sie einen Kaffee?«, fragt meine Schwester lächelnd. Mit dem Gesicht, das ich gerade eben noch vermisst habe.

»Gern«, sagt Nick.

Er sieht die ausgebreiteten Dokumente auf dem Tisch. »Wenn ich allerdings störe …«

»Nein«, sage ich schnell. »Sie stören überhaupt nicht.«

Ich lasse die beiden allein und gehe in die Küche, um Nick einen frischen Kaffee aufzubrühen. Eine fette Fliege schwirrt um meinen Kopf. Fette Fliegen erledige ich nicht mit der Fliegenklatsche. Das hinterlässt ekelhafte Spuren. Ich nehme einen Becher. Plapp, macht der Becher, als ich ihn an die Stelle der Wand drücke, wo gerade eben noch die Fliege saß.

Plapp, plapp, plapp.

Die Fliege summt lauter, der Becher bleibt leer. Sie ist gewarnt, aber ich gebe nicht auf.

Zu nichts mehr zu gebrauchen. Unnützer Esser.

Plapp, plapp, plapp.

»Was um alles in der Welt machst du hier?« Katja starrt mich entgeistert an.

»Da ist eine Fliege«, sage ich. »Der Kaffee ist gleich fertig.«

Katja öffnet das Fenster. Die Fliege fliegt raus.

»Vergiss den Kaffee. Er ist weg.« Sie lacht böse. »Ich glaube, du hast ihm Angst gemacht.«

* * *

Es ist dann tatsächlich Katja, die sich um den Anruf kümmert. Sie kennt mich. Ich habe meine Grenzen. Sie sei von der Stadtverwaltung Altweil, es gäbe Unklarheiten wegen des Verkaufs der Liegenschaften der früheren Polsterei Velsing, sagt sie. Das könne gar nicht sein, es sei schließlich mehr als fünfzehn Jahre her, sagt er, und damit ist die wichtigste Frage beantwortet: Er lebt. Und zwar am Ammersee. Dießen heißt der Ort, ich kenne ihn nicht, aber es soll sehr schön dort sein, meint meine Schwester.

Der Lautsprecher ist aktiviert, ich kann ihn hören, was sich sehr seltsam anfühlt. Die Stimme scheint mir vertraut, obwohl ich mir natürlich nicht ganz sicher bin, ob ich mir das nur einbilde, weil ich es so gerne möchte, oder ob etwas in mir sich tatsächlich erinnert.

Ich würde ihm lieber einen Brief schreiben, aber Katja meint, ich müsse ihn besuchen. Ihn vor vollendete Tatsachen stellen und damit konfrontieren, dass er eine Tochter hat. Immer noch.

»Es ist ja schließlich nicht deine Schuld«, sagt sie. Und da hat sie recht. Ich will trotzdem nicht, aber Katja lässt nie locker, wenn sie sich etwas in den Kopf gesetzt hat, da sind wir uns ähnlich. Es gibt eben doch Ähnlichkeiten, wenn auch nicht äußerlich. Irgendwann gibt einer von uns auf, meistens ich.

»Aber nur, wenn du mitfährst«, sage ich. »Allein fahre ich auf keinen Fall.«

Sie nickt.

»Würdest du, ehm, Nick noch einmal fragen? Wegen der Post?«, fällt mir noch ein. Ich weiß, dass sie ihn interessant findet. Ich finde ihn auch interessant. Ich finde ihn sogar ausgesprochen nett, gut aussehend und anziehend. Und das macht mir Angst.

* * *

Zwei Tage später sind wir auf dem Weg nach Dießen. Wie immer fährt Katja, und wie immer bestimmt sie auch. Abfahrtzeit, Pausen, Streckenführung.

Gestern Abend waren Till und Elli noch bei mir, und ich habe ihnen erzählt, was in meinem Leben gerade los ist. So ungefähr. Ich habe von Esther und Ines erzählt und von Stefan. Und davon, dass wir herausgefunden haben, wo ihr Großvater wohnt, und dass wir ihn besuchen wollen. Ich habe ihnen auch erzählt, dass Esthers Vater Ines' Liebhaber war und dass Katja seine Tochter ist.

Weder Ines' Fremdgehen mit dem Vater ihrer besten Freundin noch die Nachricht, dass daraus resultierend Katja nur noch meine Halbschwester ist, hat Entrüstungsstürme ausgelöst oder die beiden sichtbar beeindruckt. Sie sind ziemlich gelassen mit dieser Nachricht umgegangen, die doch schockierend und unbegreiflich für sie sein müsste. Wie Kinder eben. Elli war allerdings sofort Feuer und Flamme, als ich von meinem Vater erzählte. Ich zeigte ihnen das Foto und habe eine Kopie für Elli gemacht.

Till war schweigsam und blass, seine langen Haare hingen ihm in die Augen. Er braucht dringend einen Friseurtermin, es sieht nicht so aus, als würde Martin sich darum kümmern.

Beim Abschied durfte ich ihn umarmen.

* * *

Weil wir schon um halb fünf am Morgen gestartet sind, sind wir schon ein gutes Stück vorangekommen, aber mittlerweile ist es halb acht, und wir stecken irgendwo zwischen Nürnberg und München mitten im Berufsverkehr. Das ständige *Stop-and-go* macht mich ganz verrückt, und ich bin heilfroh, dass Katja fährt, auch wenn sie nicht ganz so konzentriert zu sein scheint wie gewohnt. Einmal fährt sie beinahe auf ein Auto auf, das vor uns bremst.

»Dein Sicherheitsabstand ist zu kurz«, mahne ich.

»Wenn's dir nicht passt, dann fahr doch selbst«, brummt sie. »Außerdem krümelst du alles voll.«

Ich sage nichts mehr und tüte mein angebissenes Croissant wieder ein.

»Ich brauche eine Pause«, sagt Katja nach weiteren schweigenden zehn Minuten. »In zwei Kilometern kommt eine Raststätte. Da fahre ich raus.«

Nach der Pause – mit viel Kaffee und Zigaretten für Katja und zwei Brötchen für mich – geht es uns beiden besser. Trotzdem rutsche ich immer unruhiger auf meinem Sitz hin und her, je mehr wir uns dem Ziel nähern. Der Verkehr rollt jetzt, der Tacho klettert zeitweise auf über 180 km/h, aber wenn ich könnte, würde ich die Autobahn auf der Stelle verlassen und im langsamen *Über-Land-Tempo* weiterfahren. Vielleicht auch einfach in eine andere Richtung. Ich erwäge einen Moment, Katja darum zu bitten, sage aber dann doch nichts. Zum einen, weil ich Angst davor habe, mir wieder eine Abfuhr einzuhandeln, zum anderen, weil ich Angst davor habe, dass sie wirklich umkehrt und das vielleicht die falsche Entscheidung wäre. Das ist typisch. Das mit der Angst, meine ich.

Ich habe vor so vielem Angst. Früher hatte ich Angst vor Ines, wenn sie von der Arbeit nach Hause kam, später davor, dass Martin mich verlässt, was er jetzt ja auch getan hat. Zwischendurch habe ich Angst vor Krebs, vor MS, vor Parkinson oder Alzheimer, je nachdem, was ich gerade irgendwo über irgendeine Krankheit gelesen habe. Am meisten Angst habe ich, dass einem meiner Kinder etwas passiert, obwohl ich finde, dass dieses Konto mit Clara schon erfüllt ist, aber man kann sich ja nicht darauf verlassen. Und jetzt gerade habe ich eine Heidenangst davor, dass Katja einen Unfall baut. Und davor, bald meinem Vater gegenüberzustehen. Und genauso viel Angst, ihm nicht gegenüberzustehen.

Auf der Ablage klebt das Foto von ihm. Es ist die alte Schwarzweißfotografie aus Ines' Kiste, die ich gestern für Elli fotokopiert habe. Ein anderes Bild habe ich nicht. Die Haut ist blasser, die Brauen sind kräftiger und die Augen tiefer versunken, als ich es in Erinnerung habe, aber es ist ja auch eine sehr alte, verblichene Aufnahme. Mein Leben lang habe ich meinen Erinnerungen nicht getraut und Muster entwickelt, um mich vor ihnen zu schützen. Ablenkung durch Aktionismus. In letzter Zeit klappt das nicht besonders gut, ich muss mir eine neue Strategie überlegen.

Wenn ich an meinen Vater denke, erinnere ich mich zuerst an einen großen und starken Mann. Einen Mann, bei dem ich mich immer sehr beschützt gefühlt habe. Wenn ich ins Detail gehe, dann fallen mir seine Lachfältchen ein, sein großer, weicher Mund und sein verschmitzter Blick. Und natürlich seine schwarzen und wirren Locken. Ich habe die gleichen.

Ich sehe mir das Foto an und versuche das Gesicht meines Vaters auf einen alten Männerkopf zu transportieren. Auf einen Kopf ohne Haare, mit konturlosen Wangen und faltiger Haut. Es funktioniert nicht. Immer wieder drängt sich vor das alte Gesicht meiner Vorstellung das junge Gesicht meiner Erinnerung. Als ich ihn das letzte Mal sah, war er noch nicht einmal dreißig. Über fünfzehn Jahre jünger, als ich es jetzt bin.

Wie wird es sein, wenn ich vor ihm stehe? Was wird

er sagen? Oder tun? Ganz früher, als ich noch sein Kind war, liebte er mich.

»Wir sind gleich da«, sagt Katja in meine Überlegungen hinein und steuert die nächste Ausfahrt an.

»Hmm«, brumme ich und schaue aus dem Fenster. Die Landschaft hier ist sehr schön. Bayerisch schön. Gehört die Gegend um den Ammersee nicht zu den Top Ten der deutschen Ferienregionen?

»Betrachten wir es als Kurzurlaub«, meint meine Schwester. Manchmal glaube ich, sie kann meine Gedanken lesen. »Ganz egal, wie es ausgeht.«

Genau das ist Katjas Stärke: Dem Leben das Beste abzutrotzen, das Glas ist immer halbvoll, nie halbleer.

Und sie hat recht. Egal, was daraus wird, ich habe die letzten fast vierzig Jahre ohne ihn gelebt, ich schaffe es auch weiterhin.

Wir können in der Sonne spazieren gehen, am Ammersee im Café sitzen oder uns eine Shoppingtour in München gönnen. Wie hat Martin gesagt: *Finanziell musst du dir keine Gedanken machen.* Korrektur: *Finanziell musst du dir VORERST keine Gedanken machen.*

Das Navi funktioniert perfekt und führt uns direkt vor das Haus. Es ist ein atemberaubendes Haus auf einem atemberaubenden Grundstück. Natürlich direkt am See. Eine große Hecke schützt vor allzu neugierigen Blicken, aber da das Tor an der Einfahrt weit offen steht, nutzt auch die Hecke nichts.

Katja parkt ein, und ich betrachte das Gebäude genauer. Es ist kein neues und auch kein sehr großes Haus, aber es ist wunderschön. Und bei dieser exponierten Lage ganz sicher auch nur etwas für gut Betuchte.

Die Fenster werden links und rechts von grünen Holzklappläden flankiert. An einer Giebelseite wuchert wilder Wein. Eine breite Kiesauffahrt führt zu einer großzügig dimensionierten Doppelgarage, daneben schlängelt sich ein schmaler Weg mit Kopfsteinpflaster und von Buchsbäumen gesäumt bis zum Eingang. Die mächtigen Kronen zweier Ahornbäume reichen bis weit über das Dach hinaus. Sie erinnern mich ein bisschen an zwei gutmütige, verlässliche Beschützer. Aber auch an Äste, die im Sturm knicken, und an feuchtes Laub, auf dem man im Herbst ausrutscht.

Der Garten ist riesengroß und, so weit ich es von dem jetzigen Standpunkt aus überblicken kann, tipptopp gepflegt. Nicht langweilig deutsch gepflegt, mit fernsehantennenartigen Koniferen und Feinschnittrasen, sondern großzügig wie ein alter Park. Ein Gartenpark. Ein Gartenparadies. Vor allem für Kinder. Ich denke an das kleine Haus und die chronische Geldnot in meiner Kindheit.

Unser Dorf war klein, unser Haus auch. Es lag in einer Sackgasse. Hierher verirrte sich niemand. Ich mochte unseren Garten nicht, er war mir zu wild, und Unmengen stechender Insekten krabbelten darin.

Wir hatten eine Tankstelle und einen kleinen Supermarkt im Dorf. Sonst nichts. Zur Schule fuhren wir mit dem Bus. Es gab kein Schwimmbad und kein Kino, aber das machte nichts, für Kinobesuche hätte uns sowieso das Geld gefehlt. Es gab noch nicht mal einen Spielplatz, aber eine Kirche mit Friedhof, und manchmal, wenn jemand vergessen hatte, das Tor zu schließen, stattete ich ihm einen Besuch ab. Die meisten Gräber waren hübsch bepflanzt. Manchmal war ein Bild auf dem Grabstein, und manchmal waren es Kinder, die gestorben waren. Die schaute ich mir besonders interessiert an.

Im Sommer lag ich oft neben Katja auf einer Wiese am Waldrand, und sie erzählte mir Geschichten. Das konnte sie gut, ihre Geschichten waren immer alles: aufregend und schön, traurig und lustig und manchmal alles gleichzeitig.

Wir steigen aus, und ich nehme einen tiefen Zug kühle, feuchte, bayerische Luft. Dünner Morgennebel bedeckt den See wie ein leichtes Tuch, und ich reibe mir frierend die Arme. Katja greift in ihre Jackentasche – ein obligatorisches, zerdrücktes Päckchen Zigaretten kommt zum Vorschein – und wendet sich dem See zu.

»Ich gehe ein bisschen spazieren, melde dich, wenn du fertig bist«, sagt sie und gibt mir den Autoschlüssel.

»Wenn ich fertig bin? Das ist doch kein Arztbesuch«, sage ich vage.

»Melde dich einfach.«

»Komm mit«, flehe ich. Sie schüttelt den Kopf und geht.

Ich stehe geschlagene zehn Minuten vor der Haustür. Als ich mir endlich ein Herz fasse und den Klingelknopf drücke, löst der laute Glockenton, der durch das Haus schallt, fast einen Herzstillstand bei mir aus. Ich fühle mich an diese Sendung erinnert, die es früher einmal gab: *Herzblatt.* Am Ende stand auf der anderen Seite immer der oder die Auserwählte, und wenn man Pech hatte, ging die Überraschung ins Auge.

Die Tür wird geöffnet, und er steht vor mir. Das erste Wort, das mir einfällt, ist *Papa*. Er sieht noch so aus, wie ich ihn in Erinnerung habe. Kein alter haarloser Männerkopf mit konturlosen Wangen, sondern ein unglaublich großer, nicht dicker, aber kräftiger Mann, mit zu langen, sich im Nacken kringelnden, grauen Locken und braungebrannter Haut. Er trägt Jeans, ein halbgeöffnetes Hemd mit Streifen und Badelatschen. Ein Riesenbaby in Späthippiekleidung.

An dem kurzen Moment des Erschreckens sehe ich, dass er mich erkennt.

»Schatz, wer ist es denn?«, ruft eine Frauenstimme von irgendwoher.

Er starrt mich an, und ich starre zurück.

»Ist es für mich?«, höre ich die Stimme fragen.

»Nein. Es ist nicht für dich«, ruft er, und seine tiefe Stimme klingt brüchig. Er räuspert sich. »Alexa?«, fragt er mit ungläubigem Staunen.

Ich habe noch gar nichts gesagt, nicht weil ich unhöflich sein möchte, aber ich habe einen dicken Kloß im Hals.

»Was meinst du?« Ein roter Haarschopf taucht auf. Er gehört zu der Frau mit der Stimme. Eine schöne Stimme und eine schöne Frau, ich schätze sie auf Mitte vierzig. Höchstens. Mein Alter.

»Helena, das ist, äh, also ... das ist ... Alexa«, stellt er mich vor. »Meine Tochter«, setzt er leise nach.

»Na, so was«, meint der Rotschopf. Sie streckt mir die Hand entgegen. »Hallo«, sagt sie freundlich. »Ich freue mich, Sie kennenzulernen.«

Ich schüttele stumm ihre Hand.

»Du hast mir ja gar nicht erzählt, dass ihr wieder Kontakt habt?«, wendet sich die Dame an ihren ... ja was? Ihren Mitbewohner, ihren Lebensabschnittsgefährten, ihren Freund, ihren Mann?

Er sieht mich an. »Ist Kat...«, fängt er heiser an und bricht ab. Er hustet und räuspert sich. »Ist Katja auch da?«

»Nein«, sage ich. Mein erstes Wort.

Wir stehen uns gegenüber. Nicht feindselig, aber auch nicht freundschaftlich. Er macht es mir nicht leicht, ich ihm vermutlich auch nicht. Obwohl es nicht meine Absicht ist, ihm etwas schwerzumachen.

»Ehm, ja, dann komm doch herein«, sagt er endlich und tritt zur Seite. Ich betrete eine Art Diele, und ein alter Dackel kommt schwanzwedelnd auf mich zu. Er springt an meinem Hosenbein hoch.

»Pfui, Moritz«, sagt die schöne Helena, und der Dackel gähnt. Ich streichle seinen Kopf und folge den beiden ins Wohnzimmer. Jede Menge Zeitschriften und Hundespielzeug verteilen sich auf dem gepflegten Parkettboden. Auf der großen, hellen Eckcouch mitten im Raum liegt eine aufgeschlagene Wolldecke, vermutlich hat er gerade noch dort gelegen, und vermutlich ist der Platz noch warm.

Ich schaue aus dem Fenster auf das weitläufige Grundstück und auf den See.

»Möchtest du etwas trinken?«, fragt er.

»Ein Glas Wasser, danke«, sage ich. Ich bücke mich wieder. Um den Hund zu streicheln, aber auch und vor allem, um ihn nicht ansehen zu müssen.

»Ich geh schon«, sagt Helena und lässt uns allein.

Er bietet mir keinen Platz an, und so stehe ich unbehaglich im Raum, bis Helena mit einem Wasserglas zurückkommt. »Danke«, sage ich und trinke es in einem Zug leer. »Danke«, sage ich noch einmal und gebe ihr das Glas zurück. Und plötzlich ist sie da, die Wut, die sich jetzt mit fast massiver Gewalt von unten nach oben durchdrückt.

»Es war schön, dich wiederzusehen. Nach ... wie lange? ... 38 Jahren? Ein schönes Leben noch.«

Ich rausche hinaus. In den Flur und zur Haustür. Durch den Garten, zum Auto. Ich setze mich hinters Steuer und schaue zum Haus zurück. Er kommt mir nachgerannt.

»Alexa«, ruft er. »Alexa, warte.«

Ich lasse das Fenster herunter. »Ach, Ines ist tot. Falls du das fragen wolltest. Hektor sowieso, aber das wusstest du vermutlich schon. Und mir und Katja geht es gut.«

»Deine Telefonnummer«, sagt er. »Bitte gib mir die Nummer. Ich rufe dich an. Ich ... Es tut mir leid, ich war einfach überhaupt nicht darauf gefasst, dass ...«

»Null, eins, sieben, eins, neun, neun, neun, sieben, eins, vier, eins«, sage ich.

»Ich habe nichts zu schreiben. Hast du denn keine Karte?«

Ich fische einen Zettel aus der Ablage und notiere meine Handynummer.

Erst als er schon an der Haustür ist, fällt mir ein, dass ich a) nicht ohne meine Schwester fahren kann und sie b) anrufen muss.

* * *

Die Pension liegt etwas außerhalb und ist schlicht. Auch wenig Luxus kostet hier Geld. Aber die Wirtin, Frau Schollbach, ist sehr nett und die Ferienwohnung geräumig. Es gibt ein Schlafzimmer mit Doppelbett, eine große Küche mit einer Schlafcouch, und vom Bad aus haben wir, wenn wir uns auf Zehenspitzen stellen, einen wunderbaren Blick auf den wenige Kilometer entfernt liegenden Ammersee. Im Prospekt steht »*Ammersee vor der Haustür*«.

Wir haben eine Kleinigkeit gegessen, und jetzt liege ich im Bett und versuche zu schlafen. Oder mich wenigstens auszuruhen. Ich habe Katja erzählt, dass er mich erkannt hat und dass wir uns nichts zu sagen hatten, was ja auch kein Wunder sei, nach der langen Zeit. Und dass er nach ihr gefragt hat, aber ganz offensichtlich ein völlig neues Leben mit einer neuen Frau in einem schönen Haus führt und dass er mich oder uns dort überhaupt nicht gebrauchen kann.

Ich liege auf der rechten Betthälfte und rede mir ein, dass alles gut ist. Kein Grund zur Panik. Am besten, ich versuche einfach, etwas von dem versäumten Schlaf nachzuholen.

Katja arbeitet. Aus der Küche höre ich das leise Klackklack der Laptop-Tastatur. Ich finde Geräusche aus Nebenzimmern beruhigend. Wenn ich etwas klackern oder klappern oder jemanden reden höre, dann weiß ich, ich bin nicht allein.

Nach sieben Minuten gebe ich auf und greife nach dem Handy auf dem Nachttisch. Ich habe noch immer die Hoffnung, dass Martin mich anruft oder mir eine Nachricht schickt, weil es ihm leidtut und er augenblicklich zu mir zurückkommen möchte. Aber die einzige Nummer auf dem Display ist die von Till. Sofort überkommt mich meine mütterliche Sorge. Ich rufe ihn an und bin zutiefst erleichtert, seine Stimmbruchstimme zu hören. Mal Sopran, mal Bass.

»Till, ist alles in Ordnung?«, frage ich.

»Ja, ich will nur am Wochenende bei Sascha übernachten, und Papa hat gemeint, ich muss dich erst fragen.«

»Am Wochenende? Aber da wollten wir doch ...« Ja, was eigentlich? Ins Kino gehen? In den Zoo? Wandern? Es ist nichts geplant, nur dass die Kinder bei mir sein sollten, und vielleicht sollte ich mir einmal klarmachen, dass die Kino-, Zoo-, Wanderzeiten vorbei sind.

»Klar kannst du bei Sascha schlafen. Was ist mit deiner Schwester?«, frage ich leichter, als ich mich fühle.

»Keine Ahnung. Die hängt doch dauernd bei ihrem Typen rum.«

»Kocht Papa heute für euch?«

»Mama!«

»Ja was? Ich kann doch mal fragen.«

»Wir bekommen genug zu essen, und er hilft mir abends mit den Hausaufgaben. Beruhigt?«

Nein. Ich hätte lieber gehört, dass er sich nach einer vernünftigen, von mir gekochten Mahlzeit sehnt und dass sein Vater keine Zeit für ihn hat.

»Ja, mein Schatz. Aber nächstes Wochenende dann bei mir, okay?«, sage ich stattdessen.

Ich schnappe mir die Fernbedienung und zappe mich durch alle Fernsehprogramme, blättere in der aktuellen Fernsehzeitung und schalte das Gerät wieder aus.

Draußen scheint noch immer die Sonne. Kleine Schäfchenwolken verzieren den hellblauen Himmel und ziehen wie Sahnehäubchen vorbei.

Ich könnte mir ein Fahrrad aus dem Schuppen nehmen. Frau Schollbach hat gesagt, das sei im Preis inbegriffen. Ich nehme meine Handtasche.

»Was?«, fragt Katja, ohne hochzusehen, und ich höre den leichten Anflug von Gereiztheit.

»Ich fahre ein Stück mit dem Rad, kommst du mit?«

»Keine Zeit. Der Artikel muss bis heute Abend fertig sein.« Ich bin nicht der Typ für Alleinunternehmungen, aber ich kann jetzt schlecht wieder einen Rückzieher machen, und außerdem fällt mir wirklich die Decke hier auf den Kopf.

»Dann bis später. Kannst mich ja anrufen, wenn du fertig bist.«

* * *

Die Pension liegt außerhalb. Ich folge der Beschilderung Richtung Ort und See, fahre vorbei an Gehöften und Ferienhäusern, an einem Kindergarten und an Unmengen von Restaurants und überquere am Ortsende Bahngleise. Direkt danach biege ich rechts ab. Der Weg endet an der Uferstraße, ich muss mich entscheiden. Ich halte an und schaue mich um. Rechts führt die Straße zu parkähnlichen Grundstücken mit sehr schönen Villen, in einer davon wohnt mein Vater. Links geht es zum nächsten Ort.

Ich wende mich nach links und trete in die Pedale.

Der Ammersee präsentiert sich in verträumter Stille von seiner schönsten Seite. In einem kleinen Hafen liegen Segelboote und kleine Yachten Seite an Seite wie abgestellte Spielzeuge, einige schon vertäut und winterfest gemacht. Außer ein paar Spaziergängern und einem Jogger begegnet mir kein Mensch.

Die offene Straße wird zu einer Allee mit großen Bäumen, die ihre Schatten auf mich werfen. Der kühle Fahrtwind dringt durch meine dünne Bluse. Ein Stück vor mir entdecke ich ein Schild mit dem Aufdruck »Seehofcafé«, und ich beschließe fröstelnd, die Fahrradtour zu beenden.

Auf der Caféterrasse suche ich mir einen geschützten Platz und halte mein Gesicht in die untergehende Sonne. Das wollte ich doch: die Tage hier genießen. Sie wie einen unerwarteten Kurzurlaub nehmen und das Beste daraus machen. Ich bin am Ammersee, die Sonne scheint, niemand wartet auf mich, und ich fange an zu heulen. Als der Kellner kommt, erzähle ich etwas von einer allergischen Reaktion und bestelle mir einen Milchkaffee und einen Bienenstich.

Unfassbar, dass ich vor etwas weniger als vier Stunden mit meinem Vater gesprochen habe. Mein Vater. Mein Papa. Stefan. Als Kind war er mein Gott. Er hat mich auf seine Füße gestellt und mit mir zur Musik von *America* getanzt. Zu *Horse with no name*.

Unfassbar auch, dass er mein Vater ist, aber nicht der von Katja. Mir kommt das Bild aus dem alten Zeitungsbericht in den Sinn. Ein verbrannter Haufen Schutt und Asche, der einmal ein Stall war. Und der Mann, der darin umkam, war Hektor, war der Mann, mit dem Ines meinen Vater betrog, Katjas Vater.

Und alles deutet darauf hin, dass mein Vater, mein Papa, Stefan – wie um alles in der Welt soll ich ihn nennen? – ein Mörder ist. Sein Mörder. Nein! Er kann kein Mörder sein. Er sieht überhaupt nicht wie ein Mörder aus. Wie sehen Mörder aus?

Aus meiner Handtasche kommt ein schrilles Klingeln, und ich zucke zusammen. Sofort fängt mein Herz an zu klopfen, und mein Kopf malt sich schreckliche Dinge aus. Ich krame zwischen Taschentüchern, Portemonnaie und alten Kaufbelegen und sehe eine Festnetznummer auf dem Display. Ich erkenne sie, weil die Nummer die Vorwahl dieser Gegend hat.

»Alexa?«

»Ja.«

»Wo bist du?«

»Im Seehofcafé. Auf der Terrasse.«

»Könntest du … ich möchte … warte da. Ich komme zu dir.«

»…«

»Alexa?«

»Ja?«

»Wartest du?«

»…«

»Bitte.«

»Ich warte.«

* * *

Mittlerweile dämmert es, die Kellnerin hat ein Windlicht angezündet und uns Decken gegen die Kälte gegeben. Gerade hat Katja angerufen. Sie hat sich Sorgen gemacht, und Stefan – ich habe beschlossen, ihn jetzt so zu nennen – hat durch mich fragen lassen, ob sie zu uns kommt. Aber das wollte Katja nicht. Das hätte ich ihm auch sagen können, ich kenne meine Schwester.

Am Anfang war ich noch ziemlich wütend, aber ich kann nie lange wütend sein, jedenfalls nicht auf andere.

Jetzt gerade bin ich damit beschäftigt, mein Heulbedürfnis unter Kontrolle zu halten. Es ist schlimm: Er sagt nur meinen Namen, und ich fange an zu weinen. Andererseits: Er ist mein Vater, und ich habe seine Stimme seit Jahrzehnten nicht mehr meinen Namen sagen hören. Es ist also wahrscheinlich ganz normal.

Unser Gespräch ist ziemlich ehrlich und direkt, ich habe ihm gleich zu Beginn gesagt, dass er als Vater versagt hat, jedenfalls so ungefähr, und er hat mir nicht widersprochen. Nur als ich ihm vorwerfe, sich nie gemeldet zu haben, erzählt er mir etwas von Briefen, die er uns geschrieben hat, und das finde ich seltsam. Es seien viele gewesen, sagt er. Ich habe nie einen gesehen, sage ich, und wir schweigen. Ich kann nicht glauben, dass Ines uns seine Briefe vorenthalten hat, ich kann oder will aber auch nicht glauben, dass er mich jetzt und hier belügt. Aber bevor ich weiter über die Briefe und Ines nachdenke und wieder richtig wütend werde, sagt er etwas, was ich fast verdrängt hatte.

»Ich hatte Krebs.«

Er sei im Krankenhaus gewesen. Das war in dem Sommer, bevor er ging. Daran erinnere ich mich.

»An dem Tag damals war ich beim Arzt, bei Dr. Holstein. Zur Nachsorge. Er hat mir gesagt, dass ich ein Glückspilz sei.« Er sieht jetzt nicht mehr zu mir,

228

sondern in das Glas in seiner Hand. »Nicht nur wegen der überstandenen Krankheit, sondern auch wegen dir und Katja.«

Jetzt schaut er mich wieder an. »Die Untersuchungen hatten nämlich ergeben, dass meine Samenqualität ziemlich miserabel war und meine Chancen, Vater zu werden, verschwindend gering.«

Er blickt zur Seite. »Und als ich dann nach Hause kam und erfuhr, dass Ines …«

Ich lege mir eine zweite Decke um die Schultern und nippe an meinem Tee. Er ist nicht gut, aber heiß. Ich friere, seit Tagen ist in mir eine Kälte, die im Kopf anfängt und in den Zehen aufhört. Und seit ein paar Wochen fühle ich mich zudem wie in einer Achterbahn. Immer neue emotionale Berg-und-Tal-Fahrten, alles in rasantem Tempo. Ich meine, mein Leben war vorher auch nicht glatt und rosa, aber es lief doch – wenigstens meistens und bis auf Clara – irgendwie in geregelten Bahnen.

»… dass Ines von Hektor schwanger war«, vervollständige ich den Satz.

»Das weißt du?«

»Ja.«

»Woher?«

»Von Esther Stanberg. Also jetzt heißt sie Esther Koch, sie war …«

»Alexa, ich weiß, wer Esther ist. Aber wieso, ich meine … wann habt ihr miteinander gesprochen?«

Ich erzähle ihm von dem angefangenen Brief, von unserer Suche, den Begegnungen mit Thomas Stanberg und Esther und schließlich von der Familienaufstellung und Esthers Enthüllungen.

Stefan seufzt. »Es gab von Anfang an Gerüchte, weißt du. Schon vor unserer Hochzeit ...« Er fischt sich eine Zigarette aus der Schachtel und zündet sie an. »Du auch?«, fragt er. Ich rauche eigentlich nicht, aber ich nicke. Ich möchte mich ihm näher fühlen, und vielleicht gelingt mir das, wenn wir beide rauchen.

»Ich habe nichts darauf gegeben. Ich wollte es einfach nicht glauben. Was ich wollte, war Ines.« Wieder seufzt er. »Ich wollte sie so sehr.«

Eine junge begehrenswerte Ines, die ein Mann wie mein Vater *so sehr wollte*, kann ich mir beim besten Willen nicht vorstellen. Ich versuche ihn nicht anzustarren. Er hat noch immer etwas Jugendliches, etwas Leichtes und Fröhliches. Und er sieht auch noch immer wirklich gut aus. Ich kann ihm unmöglich ähnlich sehen.

»Ich hätte ihr alles verziehen. Aber das ...« Er nimmt einen tiefen Zug. »Katja sah ihm so ähnlich. Ihr Gesicht, die blauen Augen. Und trotzdem wäre ich im Traum nicht darauf gekommen ... Ich dachte ... selbst meine Mutter hat ihr Aussehen ja immer auf meine Großmutter Wilhelmine zurückgeführt. Die hätte die gleichen blauen Augen gehabt. Zu erfahren, dass ich nicht euer Vater bin ... Das war das Schlimmste ...«

»Ich bin deine Tochter«, sage ich und versuche die Tränen wegzublinzeln. Ich will nicht mit einem Taschentuch herumtupfen, das wirkt immer gleich so theatralisch.

Ein kurzes Lächeln huscht über sein Gesicht.

»Ja, du bist meine Tochter, das lässt sich kaum

leugnen. Sogar Helena fand die Ähnlichkeit sehr überzeugend.«

»Und Katja war es auch. Wenigstens die ersten vier Jahre.«

»Ines sagte mir damals, Hektor wäre euer Vater. Auch deiner. Und gerade hatte mir der Arzt erklärt, dass die Wahrscheinlichkeit einer Vaterschaft beinahe einem Lottogewinn gleichkäme. Was hätte ich denn denken sollen? Oder tun?«, fragt er.

Ich muss jetzt doch mit dem Handrücken über meine Augen wischen. Der Kanal läuft über.

»Alexa«, Stefan legt seine große, warme Hand auf meine. Ich ziehe sie weg.

»Du hast ja keine Ahnung«, murmele ich. »Du hast einfach keine Ahnung, wie es war.«

Erinnerungen sind keine runde Sache. Sie sind kantig und sie sind rau, sie sind Teile von etwas Ganzem, das man ahnt, aber nicht mehr zu fassen bekommt. Und sie tun weh. Weshalb man sie besser vermeiden sollte, wie ich finde.

»Ich will aber mein Fahrrad mitnehmen!« Katja *stampfte wütend mit ihrem Fuß auf den Boden.*

»Jetzt hör endlich auf mit dem Theater. Ich habe dir doch gesagt, es geht nicht.«

Katja tobte. Das Fahrrad war vorher meins, es war ein Geburtstagsgeschenk von unseren Großeltern. Ich hätte auch toben können.

»Du bekommst später ein neues«, sagte Ines.

Ich stand an der Hauswand, und mein Herz war schwer vor Angst und vor Sorge. Wie sollte Papa uns finden, wenn wir nicht mehr hier wohnten?

»Ha! Glaub ihr kein Wort«, murmelte ich unge-
wohnt aufsässig. »Sie hat auch gesagt, dass Papa zu-
rückkommt.«

Mama funkelte mich wütend an. »Jetzt fang du
nicht auch noch an. Katja, nimm deine Puppenkiste
und bring sie nach unten. Sonst hast du nicht nur
kein Fahrrad, sondern auch keine Puppenkleider, kein
Puppengeschirr und keine Puppe. Und du zieh endlich
deine Jacke an, es ist kalt draußen.«

Ich wollte nicht weg. Ich wollte meine Angst und
meine Wut loswerden.

»Von mir aus kannst du wieder abhauen. In das
blöde Krankenhaus«, sagte ich.

Einen Moment starrten wir uns an, und es sah
so aus, als würde sie mich schlagen. Ich hob mei-
ne Hände vor das Gesicht, um mich zu schützen,
aber sie drehte sich einfach um und ging. Ohne ein
Wort.

»Es tut mir so leid.«

»Wie kann man mehr als sieben Jahre Töchter
haben und dann genügt ein Streit, eine Information,
und alles ist anders? Ich kapiere das nicht«, sage ich
wieder wütend.

»Ich … ich war wie gelähmt.«

»Und ich war sieben. Katja war vier. Wir konnten ja
schließlich nichts dafür.«

»Das weiß ich. Aber in dem Moment …«

»Du hast dich nie wieder gemeldet.«

»Das stimmt so nicht. Ich habe euch Briefe …«

»Du hast uns einfach gnadenlos aus deinem Leben
gestrichen.«

»Nein! Es war Ines, die euch aus meinem Leben gestrichen hat.«

»Du hast zugelassen, dass sie mit uns wegzog, einfach weit weg. Alles war fremd und schrecklich.«

»Alexa, es tut mir unendlich leid, aber es hat Monate gedauert, bis ich überhaupt wusste, wo ihr wohnt. Und von da an habe ich euch geschrieben.«

Bevor wir in das Haus umzogen, wohnten wir mitten in der Stadt. Es war eine sehr kleine Wohnung, mit einem Zimmer für Ines, einer Art Rumpelkammer für Katja und mich, einer winzigen Küche und einem ebenso winzigen Bad. Immerhin mussten wir nicht abschließen, wenn wir auf dem Klo saßen, weil unsere Füße die Tür automatisch blockierten.

Uns gegenüber wohnte Frau Rosenbauer. Sie hatte einen Hund, der hieß Kaktus. Vermutlich weil er ein sehr struppiges und drahtiges Fell hatte, aber er hätte ebenso gut Kacktus heißen können, er machte jedes Mal vor den Hauseingang, und wenn wir nicht aufpassten, traten wir hinein, und dann gab es Ärger.

Sonst wohnte niemand in dem Haus. Unter uns gab es ein Büro, Kanzlei Romann & Söhne stand auf einem Schild am Hauseingang, und im Erdgeschoss war ein Geschäft für Frauenwäsche mit Hauskitteln und Nachthemden im Schaufenster. Die Nachthemden waren schön, sie hatten Blümchenmuster oder Spitze an den Ärmeln, und ich fand, sie sahen ein bisschen aus wie Brautkleider.

Morgens ging ich zur Schule, und Ines brachte Katja in den Kindergarten. Mittags brachte sie Essen aus der Kantine mit. Es gab oft Eintopf, der uns nicht schmeckte. Wenn sie nach dem Essen wieder zur Arbeit ging, schloss sie die Wohnungstür ab. Die Tür zu ihrem Zimmer auch. Wir hatten insgesamt dreiundzwanzig Quadratmeter, in den Ferien waren wir neun, manchmal zehn Stunden am Tag allein. Wenn sie nach der Arbeit nach Hause kam, schmierte sie uns ein Brot, und dann schloss sie ihr Zimmer wieder ab. Wir hörten sie manchmal dort weinen, aber wir durften nicht stören. Wenn wir es doch taten, dann schimpfte sie, manchmal schrie sie uns an, und wenn sie einen ganz schlechten Tag hatte, schlug sie uns.

»Vielleicht war der Grund deiner Flucht aber auch gar nicht der Zweifel an der Vaterschaft«, nehme ich das Gespräch wieder auf. Wütend zu sein ist definitiv besser, als traurig zu sein. Oder ängstlich. Oder depressiv.

»Ich habe doch gesagt, dass ich euch Briefe geschrieben habe und ich …«, er stockt. »Was meinst du damit?«

»Katjas Va… Hektor ist unter sehr mysteriösen Umständen ums Leben gekommen. Und soweit ich informiert bin, wolltest du mit ihm reden.«

»Was willst du mir damit sagen? Dass ich ihn *umgebracht* habe?« Stefan starrt mich ungläubig an.

»Du bist wahrscheinlich der letzte Mensch, der ihn lebend gesehen hat. Und du hattest allen Grund.«

»Sag mal, spinnst du? Ich könnte noch nicht mal unseren Dackel schlagen, wenn der auf den Teppich kackt. Und das macht mich auch ziemlich wütend.«

»Aber du bist zu ihm gegangen?«

»Ja. Ich wollte mit ihm reden.«

»Und?«

»Nichts und. Es war unmöglich.«

»Hast du ihn nicht getroffen?«

»Doch. Aber er war so besoffen, dass er kaum stehen konnte. Geschweige denn reden. Er hat geheult wie ein kleines Kind. Als ich ihm zu Ines' neuer Schwangerschaft gratulierte, ist er vor mir auf dem Boden zusammengebrochen.«

Es ist Katjas Vater, von dem wir hier sprechen, und mein Kopf schwirrt von all den unbeantworteten Fragen und verworrenen Gedanken.

»Hat Ines dir erzählt, wie …«

… wie es zu der Schwangerschaft kam?, denke ich den Satz zu Ende.

»Was?«

»Diese Schwangerschaft, das Kind, sie hat … das war …«, stottere ich hastig.

»Was meinst du?«

»Er hat …«

»Was? Alexa, was?«

»… sie vergewaltigt«, werfe ich die Wörter in den Raum.

»WAS?«

»Er hat sie vergewaltigt, weil sie ihn nicht mehr wollte.«

»Woher weißt du das? Von Esther?«

»Ja. Sie hat …«

»Scheiße!«, brüllt Stefan und knallt sein leeres Glas auf den Tisch. Ich zucke zusammen. Es überrascht mich, dass das Glas heil bleibt.

»Was? Hättest du uns nicht verlassen, wenn du es gewusst hättest? Oder hättest du ihn dann doch umgebracht?«, frage ich, und meine Stimme hat einen tiefen, sarkastischen Unterton, der mich selbst erstaunt. Sarkasmus ist Katjas Liga, nicht meine.

Er blickt mit starren Augen und verkniffenem Mund auf das unversehrte Glas.

»Dieser Kerl. Er war so was von erbärmlich. Ich begreife bis heute nicht, was sie in ihm gesehen hat.«

Typisch Mann. Das Einzige, was auch nach all den Jahren noch zählt, ist die verflixte Eifersucht. Oder der blöde verletzte, männliche Stolz. Dabei kann man schon mal vergessen, dass man seine Kinder im Stich gelassen hat.

Ihr Gesicht ist ganz weiß. Sie liegt in ihrer Kotze. Es stinkt fürchterlich. Katja schreit, und Oma kommt und sperrt uns ins Kinderzimmer. Durch das Fenster sehe ich den Krankenwagen. Die Männer nehmen Mama mit. Oma telefoniert mit Papa, ich höre sie reden, und ich freue mich, weil ich denke, jetzt wird alles wieder gut, jetzt kommt er zurück.

»Weißt du eigentlich, dass sie versucht hat, sich umzubringen?«, frage ich ihn.

»Ja, das weiß ich«, murmelt er. »Ich war im Krankenhaus, aber sie wollte mich nicht sehen.«

»Und wir? Was war mit uns? Du hast uns nie besucht. Nicht ein einziges Mal.«

Er schaut mich wieder an. »Ich war so durcheinander. Ich dachte, dass ihr bei Hilde gut aufgehoben seid.«

»Dachtest du?«

»Alexa, ich weiß, dass da vieles …«

»Und das Feuer?«, fahre ich dazwischen. »Es fängt ja nicht ohne Grund an zu brennen.«

»Das Feuer?« Er wirkt verwirrt.

»Ja. Das Feuer. Er ist im Feuer umgekommen, du erinnerst dich?«

»Ich weiß es nicht. Ich meine, ich weiß es natürlich schon, aber ich weiß nicht, wie es zu dem Feuer kam. Als ich ging, brannte es noch nicht.«

»Glaubst du, er hat sich selbst …«

Er schüttelt den Kopf und zieht ein letztes Mal an der Zigarette, bevor er sie umständlich im Aschenbecher ausdrückt. Mir wird bewusst, dass ich meine noch immer in der Hand halte. Ich habe kein einziges Mal daran gezogen. Ich schnippe den langen Aschekegel ab, nehme einen vorsichtigen Zug und huste.

»Ich habe beim besten Willen keine Ahnung«, sagt Stefan. »Die Einzige, die uns das vielleicht noch beantworten kann, ist Esther.«

Er sieht traurig aus, und plötzlich ist meine Wut dahin. Er tut mir leid. Ich würde ihn gerne berühren, meine Hand auf seine legen, um ihm zu zeigen, dass ich trotzdem, trotz allem, was war, jetzt und in diesem Moment glücklich bin.

»Ich habe euch so schrecklich vermisst. Sogar Ines, aber vor allem dich und Katja. Jeden Tag, jede Stunde, jede Minute. Es hat so weh getan.« Er sieht mich an.

»Ich habe dich auch vermisst«, sage ich, aber das war nur die Spitze des Eisbergs.

Sie waren alle weg. Erst Papa, dann Mama und jetzt auch noch Katja. Ich legte mein Ohr an die Wand und lauschte. Die Wand war kalt und klamm, so wie ich

in mir drin. Ich hörte die Stimme meiner Großmutter,
die telefonierte, aber ich konnte nicht verstehen, was
sie sagte. Dann war es still. Ich presste mein Ohr noch
fester an die Wand, bis der Schmerz heftig und wohl-
tuend war. Irgendetwas rauschte. Es dauerte einen
Moment, bis ich begriff, dass es die Toilettenspülung
war. Vielleicht war Katja ja längst zurück. Ich ging
zur Tür und bewegte den Griff. Sie war zu. »Damit
du nicht auch noch verschwindest«, hatte die Groß-
mutter gesagt. Und: »Du bist einfach zu nichts zu ge-
brauchen.« Ich hatte Angst. Was, wenn Mama auch
weg war, so wie Papa? Und was, wenn Katja etwas
passiert war? Dann war es meine Schuld, weil ich
nicht aufgepasst hatte.

Katja war nichts passiert. Außer einer Erkältung. Sie
war Ines nachgelaufen zum Wilmerhof. Jetzt, nach Esthers Erklärungen, weiß ich das. Damals habe ich es
nicht begriffen. Das Leben, unser Leben, ist wie ein
großes Puzzle. Allmählich schließen sich die Lücken.

»Es tut mir leid. Es tut mir so schrecklich leid. Verzeih mir.«

Was genau, will ich ihn fragen, weil ich finde, das
ist ein breites Feld, aber ich kann jetzt nicht reden. Ich
brauche ein neues Taschentuch.

»Ich war so sehr damit beschäftigt, meine eigenen
Wunden zu lecken, dass ich nicht an euch gedacht
habe. Oder nicht genug. Ich dachte damals, es geht
euch doch gut, bei Ines und eurer Großmutter. Mir
war nicht klar, dass ...«

Er bricht ab, den Blick immer noch auf mich gerich-
tet. Ich wünschte, er würde mich in den Arm nehmen.

Ich bin doch dein Kind!, will ich sagen. Aber dann denke ich an meine Körpergröße, mein Gewicht, mein Alter und bin still.

Nein, denke ich. *Dir war nicht klar, dass uns außer dir keiner wollte. Und dann wolltest du uns auch nicht mehr.*

Was für ein heilloses Durcheinander. Für uns alle. Und weshalb? *Und alles nur, weil ich dich liebe.* Liebe. Die schönste Sache der Welt, das schönste aller Gefühle. Ha! Ines liebte Hektor, Stefan liebte Ines, Hektor liebte Ines auch, und irgendwann liebte Ines Stefan. Aber da war es zu spät. Liebe, die mit Tod und Verzweiflung endet, oder mit Traurigkeit und Hass oder bestenfalls mit Langeweile. Was soll daran schön sein? Ich denke an Martin. Nein. Daran ist nichts schön.

* * *

Stefan – mein Vater, mein Vater, mein Vater – hat mich zurückgebracht. Es ist stockdunkel, ich hätte den Weg nie mehr im Leben gefunden. Jetzt holt er das Fahrrad aus dem Kofferraum. Er meinte, ich soll es morgen am Café abholen, aber damit war ich nicht einverstanden, es ist schließlich nur geliehen, und am Ende wird es geklaut, und dann habe ich noch ein Problem.

Ich suche nervös nach dem Schlüssel in meiner Tasche. Es dauert endlos, bis ich ihn mit meinen zittrigen Fingern endlich ertaste, und kaum halte ich ihn in der Hand, lasse ich ihn schon wieder fallen, und die Suche geht auf dem Boden weiter. Ich ärgere mich über meine Ungeschicktheit und darüber, dass es so finster ist und man nichts erkennen kann, und nebenbei zittere ich vor Kälte. Er hält mir währenddessen geduldig das Fahrrad hin, aber es dauert eine Weile, bis ich so sortiert bin, dass ich es ihm abnehmen kann.

»Danke«, sage ich und warte einen Moment. Er bleibt still, und weil mir auch nichts mehr einfällt, drehe ich mich weg und gehe Richtung Haus.

»Gute Nacht. Bis morgen«, sagt er endlich, und ich bin unendlich erleichtert, das zu hören.

»Gute Nacht«, rufe ich über die Schulter und verschwinde mit dem Fahrrad in der Dunkelheit des Hofs.

Auch in der Wohnung ist es dunkel, es ist auch schon sehr spät. Ich schleiche auf Zehenspitzen und mache nur im Flur Licht. Als ich die Tür zum Schlafzimmer öffne, rieche ich es sofort: Katja hat im Zimmer geraucht.

»Puuh«, sage ich ärgerlich, aber dennoch darum bemüht, möglichst leise zu sein. Ich öffne das gekippte Fenster ganz weit.

»Mach das Fenster zu. Es ist kalt«, mault Katja mir aus dem Bett entgegen.

»Aber hier stinkt's. So kann ich nicht schlafen.«

»Dann schlaf in der Küche«, sagt meine Schwester schroff.

»Ich will nicht in der Küche schlafen. Ich lüfte hier kurz durch, und dann mach ich das Fenster wieder zu.«

Sie brummt etwas, was ich nicht verstehe, aber es hört sich böse an. Sofort meldet sich mein schlechtes Gewissen. Ich habe sie den ganzen Abend allein gelassen. Und als wäre das nicht schon schlimm genug, habe ich mich auch noch mit meinem Vater getroffen und damit an ihrer schlimmsten und noch sehr frischen Wunde gerührt.

»Es tut mir leid«, sage ich und meine damit alles.

»Mach einfach das Fenster wieder zu und lass mich schlafen«, murrt sie.

Meine Füße sind eiskalt, mein Herz klopft dumpf. Ich bin aufgeregt und froh und voller Zweifel und sehne mich nach ihrer Nähe und ihrem Verständnis. Ich möchte ihr alles erzählen, sie teilhaben lassen an dem Wunder des Wiedersehens, und so lege ich mich neben sie und strecke meine Füße vorsichtig unter ihre warme Bettdecke.

»Hey, nimm die weg.« Sie tritt gegen mein Bein.

Auf einmal muss ich weinen. Ich weiß nicht genau warum, vielleicht weil sie mich getreten hat und ich sie so sehr liebe, oder wegen der Traurigkeit, die mich von innen ganz hohl macht, oder wegen all der Jahre, in denen ich meinen Vater so dringend gebraucht hätte. Ich weine leise, nur ab und zu entwischt mir ein kleines Schluchzen. Ich wünsche mir, dass sie mich tröstet, für was auch immer, aber sie rührt sich nicht, und wieder muss ich an das Haus denken, dieses kleine alte Haus in dem kleinen verlassenen Dorf, in das wir nach zwei Jahren in der Stadtwohnung zogen.

Unser neues Domizil hatte einen großen Garten mit einer Wiese und viel wucherndem Dickicht. Ganz hinten im Garten wuchsen wilde Brombeeren. Um dorthin zu gelangen, musste man sich vorher durch das Dickicht kämpfen, was einem nahezu ausweglosen Unterfangen gleichkam. Auf der Wiese vor dem Haus standen zwei große Apfelbäume, die im Frühherbst

241

*voller Früchte waren. Die Äpfel waren klein und fle-
ckig und voller Würmer, aber wir aßen sie trotzdem.*

*An einem der Äste hing eine Schaukel. Katja liebte
es zu schaukeln. Sie schaukelte sich immer in diese
kurze Phase des freien Falls, und manchmal weinte
ich vor Angst um sie, und dann lachte sie.*

*Der Garten hatte viele Gerüche. Er roch nach
feuchter Erde und verrottendem Gras, nach Zitronenmelisse und Frühlingsflieder und manchmal auch nach
faulen Äpfeln oder, wenn der Hund von den Nachbarn da war, nach Hundescheiße.*

*Auch das Haus roch. Es war der muffige Geruch
seiner ehemaligen Bewohner. Ein Geruch, der nichts
mit uns zu tun hatte und dessen Ursprung immer wie
ein Geheimnis zwischen uns stand.*

*Über eine schiefe Steintreppe betrat man einen win-
zigen Flur. Links davon führte eine Tür in den Keller,
rechts drei Stufen auf ein Treppenpodest, und von da
ging es in den Wohnbereich oder hoch zu den Schlaf-
räumen. In der Küche gab es eine Küchenzeile aus
Eiche mit eingebautem Kühlschrank und Herd. Sehr
modern.*

*Die rosa marmorierten Fliesen im Bad waren auch
modern, und man konnte darin, wenn man sie nur
lange genug anschaute, Gesichter erkennen.*

*Jede von uns hatte ein eigenes Zimmer. Das Zimmer
vor dem Bad war das größte, es gehörte Ines. Gegenüber waren unsere Zimmer, etwa gleich groß.*

*In der ersten Zeit lief ich abends barfuß durch den
dunklen Flur zu Katja, um mich bei ihr aufzuwärmen.
Nach ein paar Wochen begann sie mich wegzuschi-
cken. »Geh in dein Zimmer«, sagte sie, wenn ich mei-*

ne Hand vorsichtig unter ihre Bettdecke steckte. Egal, was ich tat oder sagte, sie ließ mich nie wieder bei sich schlafen.

Als ich die Augen öffne, ist sie weg. Es ist neun Uhr, einen Moment habe ich Angst, dass sie ohne mich nach Hause gefahren ist, aber das Auto steht im Hof. Vielleicht holt sie nur Brötchen.

Ich ziehe meine Jeans an und das T-Shirt von gestern und bereite das Frühstück vor. Das heißt, ich decke den Tisch und koche Kaffee. Kaffeepulver und Filtertüten sind im Schrank. Katja kommt nach über einer Stunde, und sie bringt tatsächlich Brötchen mit. Auch Butter, etwas Wurst und Käse und Marmelade.

»Ich war am See joggen«, sagt sie. »Tolle Luft heute Morgen.«

Ich nippe an meiner zweiten Tasse Kaffee. »An Milch hast du nicht zufällig gedacht?«, frage ich überflüssigerweise.

»Nein«, faucht sie. »Im Dorf ist ein Discounter, wenn du unbedingt welche brauchst, dann geh halt noch mal los. Ich dusche in der Zeit.«

»Ist nicht so wichtig«, nuschle ich und schnappe mir ein Brötchen. Sie weiß genau, dass mir Kaffee ohne Milch nicht schmeckt.

Gerade als ich mir das letzte Stück Brötchen in den Mund schieben will, klopft es. Ich gehe zur Tür und lausche. Alles, was ich höre, ist das Plätschern und Wasserrauschen aus dem Bad.

Ich öffne mit Herzklopfen. Stefan steht vor mir. Er hat ebenfalls eine Tüte Brötchen in der Hand. Ich laufe verlegen vor ihm in die Küche und stelle ihm einen Teller und eine Tasse hin.

»Milch haben wir leider nicht, aber der Kaffee ist noch heiß, und es gibt jede Menge Brötchen.«

Er lächelt mich verhalten an und setzt sich an den Tisch.

»Ist Katja …«

»Sie kommt gleich, sie ist noch unter der Dusche«, falle ich ihm etwas atemlos ins Wort. Wir sitzen uns gegenüber, sein Blick wandert zwischen der Tür und mir hin und her. Er scheint auf etwas zu warten. Vielleicht auf Katja oder darauf, dass ich etwas sage, ich bin mir nicht sicher. Ich suche krampfhaft nach einem Thema, das so freundlich ist wie ein Gespräch über sonniges Wetter oder so nichtssagend wie die Einrichtung hier oder so allgemein wie der letzte Bahnstreik.

Aber dann wird mir zunehmend klarer, dass er heute nicht wegen mir hier ist. Er will Katja sehen. Er will mit ihr reden, so wie er gestern mit mir geredet hat. Und mir wird auch klar, dass ich nicht dabei sein möchte. Katja ist wütend, sie hat auch Grund dazu, aber ich bin nicht der Grund. Und da ist noch etwas. *Es ist die Eifersucht, die mich auffrisst, immer dann, wenn du nicht in meiner Nähe bist …* Ich bin eifersüchtig, weil er Katja schöner und klüger finden wird als mich. Weil Katja schöner und klüger ist.

Ohne weiter darüber nachzudenken, stehe ich auf und schnappe mir meine Jacke, die über einem Stuhl hängt. Auch heute scheint die Sonne, ihre Strahlen werfen zarte Schatten auf den hell gefliesten Boden.

»Ich …«, setze ich an.

Er hebt den Kopf, und sein Blick trifft meinen, und

er ist so warm und so vertraut, dass es mir einen Moment die Sprache verschlägt.

»Ich gehe Milch holen«, krächze ich und will mich an ihm vorbeischieben. Er hält mich am Arm fest.

»Alexa«, sagt er zaghaft.

Ich schaue auf den Boden.

»Was?«, frage ich müde.

»Ich habe euch vermisst.«

»Ach? Davon habe ich nichts gemerkt. Ich habe 38 Jahre nichts von dir gesehen oder gehört. Und wenn ich nicht …«

»38 Jahre, 10 Monate, 1 Woche und vier Tage. Das heißt, heute sind es fünf, aber das gilt nicht, wir haben uns ja gestern gesehen.«

Er weiß, wie er mein Kartenhaus zum Einstürzen bringen kann. Ich entziehe ihm meinen Arm und stürze zur Tür.

* * *

Ich laufe am Supermarkt vorbei und immer weiter in Richtung See. Den Morgennebel hat die Sonne aufgefressen, der See liegt in ruhiger Verträumtheit vor mir. An der Gabelung laufe ich nach links und rede mir ein, dass ich nicht weiß, wohin mein Weg mich führt.

Das Tor ist zu. Ich sehe nichts außer zwei Baumkronen und einem Dach. Einen Augenblick spiele ich mit dem Gedanken zu klingeln, um Helena *Hallo* zu sagen. Ich tue es nicht. Ich klingle nie an Haustüren, ohne zu wissen, ob ich willkommen bin. Oder nur in Ausnahmefällen.

Im Supermarkt kaufe ich Milch und hoffe, dass er weg ist, wenn ich komme. Und ich hoffe auch, dass er auf mich wartet. Und hoffe außerdem, dass Martin zurückkommt.

Die Hoffnung stirbt zuletzt.

* * *

Schon von draußen höre ich Katjas glockenhelles Lachen. Es frisst sich spitz in meinen Bauch. Leise öffne ich die Wohnungstür und will mich vorsichtig an der Küche vorbeischleichen.

»Alexa?«

Ich kann nicht leise schleichen. »Ja, ich bin's«, sage ich munterer, als ich mich fühle.

»Komm!«, ruft Katja.

Es klingt wie *Bei Fuß!*

»Wo warst du?«, fragt sie, als ich in der Küche erscheine.

»Milch kaufen. Und am See. Spazieren.«

»Pfh, spazieren. Du solltest auch mal joggen. Das bringt viel mehr für die Fitness. Außerdem frisst es Kalorien.« Sie schaut mich an und beißt in ihr Brötchen.

Ich hasse joggen. Und ich hasse Katja. Jedenfalls in diesem Moment.

»Joggen ist schrecklich«, sagt Stefan. »Ich habe noch nie verstanden, warum Leute sich das freiwillig antun.«

Er zwinkert mir zu.

»Weil der Körper Glückshormone produziert, wenn man joggt, und weil man sich danach wie neugeboren fühlt.« Katja dehnt und streckt sich nach allen Seiten wie eine zufriedene Katze. Gleich fängt sie an zu schnurren, denke ich.

»Mein Körper produziert im Moment auch jede Menge Glückshormone«, sagt er.

Ein Handy klingelt. Es ist Katjas. Sie schnappt sich das Gerät und verlässt den Raum. »Erik?«, höre ich sie sagen, bevor sie die Tür hinter sich schließt.

»Ich wollte euch zum Abendessen einladen. Katja habe ich schon gefragt, und sie ist einverstanden. Ich mache Ragout fin, magst du das?«, fragt Stefan.

Ich antworte nicht gleich. Und dann kommt mir nur ein mürrisches »Hm« über die Lippen. Ich ärgere mich, weil er Katja zuerst gefragt hat. Und weil Katja so schön ist und so gut gelaunt. Dabei war sie doch diejenige, die nie ein gutes Haar an ihm gelassen hat.

Sie steckt den Kopf wieder zur Tür herein, und ihre Stimme wirkt hektisch.

»Alex, wir müssen fahren. Jonas wurde gestern Abend von der Polizei aufgegriffen, als er betrunken auf einer Parkbank lag.«

Katja

Als sie nach Hause kommt, schläft Jonas. »Er hatte fast zwei Promille Alkohol im Blut. Lass ihn schlafen«, sagt Zara.

Sie schleicht sich in sein Zimmer und betrachtet ihren schlafenden Sohn. Die Wut über seine Dummheit siegt über ihre Sorge. *So ein verdammter Idiot.* Er bewegt sich nicht, sein Atem geht flach. Seine Haut ist blass, viel zu blass für diese Jahreszeit. Früher, als er kleiner war, konnte er nicht genug davon bekommen, draußen herumzustreunen, meistens hatte er seinen Fußball dabei, und meistens war er allein. Er wollte einen Hund, ständig gab es Diskussionen deswegen, einmal hatte sie nachgegeben, und sie hatten einen Hund aus dem Tierheim geholt, aber das dumme Tier lief nach drei Wochen weg und wurde überfahren, und das war's.

Sie sieht den zarten Bartflaum, der sich auf seinem Kinn entwickelt. Früher ist vorbei, denkt sie und nimmt den Eimer, der neben seinem Bett steht.

Es riecht nach Erbrochenem. Sie öffnet das Fenster und zieht frische, kalte Luft in ihre Lungen. Eine Erinnerung blitzt auf.

»Sie stinkt«, schimpfte Katja. »Hast du mal gerochen, wie es in ihrem Zimmer stinkt?«

»Sie ist traurig. Sie weint«, sagte Alexa.

»Pfh, traurig. Sie ist böse. Gestern hat sie dich geschlagen, schon wieder vergessen?«

»Aber wir können sie doch nicht einfach allein lassen. Außerdem haben wir kein Geld und ...«

»Doch. Ich habe Geld. Und sie wird uns nicht vermissen.«

»Aber wo sollen wir denn hin?«

In der Küche sitzen Erik und Zara am Tisch.

»Ich glaube, es ist keine so gute Idee, ihn so oft allein zu lassen«, meint Erik zur Begrüßung. Zara hatte ihn gebeten, mit Jonas ins Krankenhaus zu fahren, weil sie selbst arbeiten musste.

»Das sehe ich anders«, erwidert Katja kurz angebunden und sieht Zara an. *Misch du dich jetzt bloß nicht auch noch ein*, sagt ihr Blick.

Zara steht auf. »Ich wollte eh gerade gehen.«

»Katja, der Junge ist fünfzehn«, warnt Erik, als sie alleine sind.

»Fast sechzehn. Außerdem: Wer alt genug ist zum Saufen und Kiffen, der ist auch alt genug, Verantwortung zu übernehmen.«

»Das ist der bodenloseste Quatsch, den ich je gehört habe.«

»Erik«, sagt Katja betont freundlich. »Es war nett von dir, mit ihm ins Krankenhaus zu fahren. Es war auch nett von dir, mich zu informieren. Aber jetzt bin ich da, und es ist MEIN Sohn und MEINE Angelegenheit.«

»Ach ja, deine unantastbare Regel. Hatte ich fast vergessen.« Er steht auf. »Tja, wenn das so ist …« Seine Augen sind schmal vor Wut. Etwas in ihr sehnt sich danach aufzugeben. *Ignoriere, was ich gesagt habe, nimm mich in deine starken Arme, und trage mich dahin, wo es keine Sorgen gibt und wo immer die Sonne scheint.*

»Tja, so ist es wohl«, sagt sie.

»Dann mach's gut.« Er greift nach seiner Jacke und schmettert die Tür hinter sich ins Schloss. Sie legt ihre Stirn auf die Hände. Er hat natürlich recht. Das spürt sie auch. Aber wie soll das gehen? Was erwartet Erik von ihr? Und Jonas? Sie kann doch nicht jetzt, nach all den Jahren, anfangen besorgte Mutter zu spielen und seine Hand halten?

Sie geht in ihr Zimmer und fährt den Laptop hoch.

Ihr alter Freund Mike hatte ihr einen Link für ein Jobangebot bei seiner Zeitung geschickt. Seit Jahren versucht er sie zu sich nach Irland zu locken. Ab und zu hatte sie in den letzten Jahren mit dem Gedanken gespielt, aber sie war noch nicht so weit. Jetzt. Vielleicht.

Gilt dein Angebot noch?, schreibt sie. *Und wenn ja, wann könnte ich kommen?*

Zwanzig Minuten später ist die Antwort da: *Jederzeit!*

Als sie den Flug bucht, fühlt sie sich allein und zum ersten Mal in ihrem Leben überfordert.

Komme am Freitag, lande um 17.10 Uhr in Dublin. Holst du mich ab?

Bin da. Freu mich auf dich. Mike

Darf ich euch besuchen, hatte Stefan beim Abschied gefragt. *Euch* – aber er hatte Alexa dabei angesehen.

***

Weil sie sowieso nicht schlafen kann, steht Katja schon sehr früh auf. Die Nacht war unruhig, in ihrem Kopf war ein Gedanken-Gewitter, und ihr Herz hat fleißig den Takt dazu getrommelt.

Jonas geht es wieder besser. Es hat zwei Tage gedauert, bis er wieder Nahrung zu sich nehmen und auch bei sich behalten konnte. Der Arzt sagte, das sei normal, der Alkohol müsse erst wieder abgebaut werden, und das würde so lange dauern, weil Jonas' Körper nicht daran gewöhnt sei. Zum Glück. Glück war auch, dass keine anderen Substanzen bei ihm festgestellt wurden.

Er will natürlich nicht mit nach Dublin. Deswegen haben sie sich gestern Abend gestritten. Am Ende ist er wütend aus der Wohnung gerannt, und sie hatte sich wieder auf eine schlimme Nacht eingestellt. Dann rief Alexa an und sagte, dass er bei ihr ist. Noch ein kleiner Stachel, der sich in ihr Gemüt bohrt. Jonas ist bei Alexa natürlich gut aufgehoben, das weiß sie. Aber sie kennt ihre Schwester. Die verknüpft Hilfsbereitschaft mit Erwartungen. Außerdem gibt Alexa ihr immer das Gefühl, eine schlechte Mutter zu sein, und darauf hat sie keine Lust.

Trotzdem will Katja nicht klein beigeben. Sie wird das jetzt durchziehen, und deshalb demonstriert sie nach außen Sicherheit und Standfestigkeit. Damit kann sie die anderen ganz gut täuschen. Nur sich selbst nicht.

Katja schenkt sich eine dritte Tasse Kaffee ein und wuchtet den schweren Reisekoffer vom Schrank. Mike hat einen Termin für sie vereinbart. So wie es aussieht, ist der Deal fast perfekt, ihrem neuen Arbeitsvertrag steht nichts mehr im Weg. Warum fühlt sich das nicht besser an?

Sie überlegt. Jeans. Drei oder besser vier? Pullover, Slips, T-Shirts. Sie braucht auch ein paar schicke Sachen, Röcke und Blusen und ein Jackett. Was noch?

Vielleicht, wenn Jonas ein Kämpfer wäre. Wie sie. Aber er ist kein Kämpfer, er ist ein Aufgeber. Wie sein Vater. Er stellt sich den Problemen nicht, er flüchtet vor ihnen. Bei Fabio waren es andere Frauen, bei Jonas sind es Drogen. Zum Glück bis jetzt noch von der harmloseren Sorte. Obwohl *harmlos* in diesem Zusammenhang wohl das falsche Wort ist.

Sie geht die Checkliste noch einmal durch. Pass, Führerschein, Geld, Mastercard, Bescheinigung des zukünftigen Arbeitgebers, Passfotos. Sie muss bei der zuständigen Polizeidienststelle eine Aufenthaltserlaubnis beantragen, aber das ginge schnell, hatte Mike gesagt. Und sie muss eine Wohnung suchen und vor allem auch finden. Sobald alles geklärt ist, wird sie Jonas nachholen.

Der große Reisekoffer ist voll. Dabei fehlen noch mindestens ein Paar Ersatzschuhe, der Laptop und ihr Waschbeutel. Sie nimmt zwei Pullover, ein paar Shirts und eine Jeans wieder heraus und setzt sich müde aufs Bett.

Nein, sie können nicht hierbleiben. Er nicht, weil er hier von einer Dummheit in die nächste schlittert, und sie nicht, weil sie, statt ihre Dämonen endlich loszuwerden, ständig neue draufschaufelt. Da sind zu viele Gespenster. Tote und lebendige. Die toten sind nicht tot genug, und die lebenden können sie mal.

Alexa

Ich schleiche von Zimmer zu Zimmer und wehre mich gegen das Bedürfnis, mich einfach ins Bett zu legen, die Decke über den Kopf zu ziehen und nie wieder aufzustehen. Ich will nicht so werden, wie *sie* war.

Also mache ich mir stattdessen einen Kaffee mit viel Milch und suche mir – mit einer Wolldecke um die Schultern – ein geschütztes Plätzchen auf der Terrasse. Dort versuche ich, Ordnung in das Chaos meiner Gedanken zu bekommen. Es ist so viel geschehen in den letzten Wochen.

Mitten hinein in meine Überlegungen lässt mich das laute Geräusch eines Benzin-Rasenmähers zusammenfahren. Nick entdeckt mich, als er mit dem Mäher auf meiner Höhe ist. »Hallo, schöne Nachbarin. Wieder zu Hause?«, schreit er über den Zaun.

Ich nicke und lächle, und mein Herz klopft auf einmal wie wild. Er weiß seit gestern, dass ich wieder zu Hause bin. Seit Katja bei ihm war, um meine Post abzuholen, weil mir wieder der Mut gefehlt hatte. Der Lärm hört so plötzlich auf, wie er begonnen hat. Nick bleibt verdutzt stehen und schnappt sich den Anlasser. Seine Versuche, das Gerät wieder zum Laufen zu bringen, bleiben erfolglos. Ich höre ihn fluchen und genieße die Ruhe und stelle im gleichen Augenblick verwundert fest, dass ich in der Lage bin, etwas zu genießen.

»So ein Mist!«, sagt Nick schließlich und gibt auf.

Ich schaue ihn an und versuche ein mitleidiges Lächeln in mein Gesicht zu zaubern, aber das Lächeln wird eine Spur zu schadenfroh.

Mir ist mulmig in seiner Gegenwart, ein Gefühl außerhalb meiner Kontrolle, aber ich muss an all die Gelegenheiten denken, bei denen er mir in den vergangenen Wochen seine Hilfe angeboten hat.

»Möchten Sie unseren … meinen Rasenmäher?«, frage ich.

Er schaut mich an. »Noch lieber hätte ich einen Kaffee und deine Gesellschaft dazu«, sagt er mit einem entwaffnenden Lächeln.

Ich nicke perplex, nicht nur über das vertraut klingende *Du*. Wieder erhöht sich mein Pulsschlag, aber ich gebe mich locker und sage: »Kein Problem«, als wäre es das Selbstverständlichste auf der Welt. Auf dem Weg in die Küche bemerke ich aus den Augenwinkeln, wie er nicht sehr elegant über den zum Glück nur niedrigen Gartenzaun hüpft.

Als ich mit der Kaffeetasse zurückkomme, hat er es sich bereits bequem gemacht.

»Dein Rasen müsste auch mal wieder gemäht werden«, sagt er, und ich nicke.

»Wenn du willst, kann ich das für dich übernehmen. Als kleines Dankeschön dafür, dass ich deinen Mäher benutzen darf.« Wieder lächelt er.

Seine Zähne sind sehr hell und ungleichmäßig. Ich würde ihn gerne küssen.

* * *

Es ist sehr merkwürdig, neben einem Mann aufzuwachen, der nicht Martin ist. Noch dazu in einem fremden Bett. Nach dem Kaffee gestern sind wir zum Sekt übergegangen, weil wir, wie Nick fand, das Du besiegeln sollten. Er holte den Sekt und ich die Gläser, und als die Flasche leer war, holte ich noch einen Wein aus Martins Weinkeller, der jetzt meiner ist, irgendwie.

Ich erfuhr, dass Nick Sozialarbeiter ist, in Scheidung lebt und seine Frau einen neuen Partner hat, was ihn aber nicht sehr schmerzt. Schmerzhaft sei nur der Verlust seines elfjährigen Sohnes. Jetzt sehe er ihn nur noch alle zwei Wochen an den Wochenenden. Wenn er Glück habe. Oft habe er kein Glück, dann würde sie, seine Noch-Ehefrau, die vereinbarten Termine aus den fadenscheinigsten Gründen platzen lassen. »Ben scheint zu glauben, dass es an mir liegt und dass ich ihn nicht öfter sehen möchte. Dabei ist es Karina, die mir immer neue Steine in den Weg legt. Mal ist er angeblich krank, mal hat ihr Vater ihn wegen seines Asthmas mit an die Nordsee genommen, und ein anderes Mal behauptet sie, Ben würde lieber bei ihr bleiben, um mit seinem Kumpel zu spielen. Ich fühle mich so machtlos. Ich sitze doch immer am kürzeren Hebel.«

»Warum habt ihr euch denn getrennt? Wegen ihm?«, wollte ich wissen.

»Auch. Aber es gab noch eine ganze Fülle von anderen Gründen. Wir hatten jede Menge Probleme und hätten uns ohne Ben sicher schon viel eher getrennt. Es hat eben nicht gepasst. Na ja, jetzt habe ich erst einmal drei Wochen Urlaub, wegen dem Umzug und so, und dann sehe ich weiter.«

Er tat mir leid, und nachdem er mir gegenüber so offen war, wollte ich auch nicht lange um den heißen Brei herumreden, als er mich fragte, was bei uns los sei.

»Martin hat eine Freundin, und er will nicht mehr mit mir zusammen sein. Das ist alles.«

»Das tut sehr weh, stimmt's?«, fragte Nick und sah mich mitfühlend an. Da musste ich weinen, und er musste mich trösten. Ich hatte zweieinhalb Gläser Sekt und danach noch zwei Gläser Wein getrunken. Außerdem war ich in einem komplett unzurechnungsfähigen emotionalen Zustand. Und ich brauchte Trost.

Ich sehe mich verstohlen um. Nicks Schlafzimmer ist sehr spärlich möbliert: ein großes Zwei-mal-zwei-Meter-Bett, eine Stehlampe und ein Stuhl. Dass wir hier gelandet sind, war meine Idee. Ich konnte ihn doch unmöglich mit in mein Bett nehmen, das bis vor kurzem noch unser Bett war.

Ich schnuppere in seine Richtung. Er riecht anders als Martin, er schmeckt auch anders. Er hat sich anders angefühlt und mich anders angefasst, aber sein Herz, das schlägt genauso. Es ist der gleiche, ruhige Rhythmus, den ich von Martin kenne, wenn er schlief und ich meinen Kopf vorsichtig auf seine Brust legte, und seine Züge sind genauso entspannt und weich, wie Martins dann immer waren. Aber Nick schläft nicht. Als ich meinen Kopf vorsichtig wieder anheben will, hält er mich fest. Ich drücke einen Moment dagegen, dann gebe ich nach und entspanne mich. Lasse meinen Kopf auf seiner Brust ruhen und zu, dass seine Hand in meinen Haaren wühlt.

»Deine Haare sind das Erste, was mir an dir aufgefallen ist.«

»Klar«, sage ich. »Selbst wenn ich gerade vom Friseur komme, sehen sie aus, als hätte ich mich drei Wochen nicht gekämmt.«

»Nein. Du hast unglaublich schöne Haare. Ich liebe deine wilden Locken.« Und als wollte er das noch einmal bekräftigen, fährt er mit seinen Händen durch meine Haare, hebt meinen Kopf vor sein Gesicht und küsst mich zart. Auf die Lippen. Ich halte die Luft an, weil ich Angst vor morgendlichem Mundgeruch habe. Vor meinem, nicht vor seinem.

»So«, sagt er und springt aus dem Bett. »Und jetzt mach ich uns Frühstück. Danach muss ich leider arbeiten.«

Er küsst mich noch mal auf den Kopf, und ich sehe ihm nach, wie er ungeniert nackt aus dem Schlafzimmer spaziert. Nebenan höre ich ihn rumoren. Ich vermute, er zieht sich etwas an, bevor er sich um unser Frühstück kümmert. Ich kann mich nicht erinnern, dass Martin mir jemals Frühstück gemacht hat. Kein einziges Mal. Und in diesem Moment wird mir etwas bewusst, was mir für einen Moment den Boden unter den Füßen wegzieht: Martin hat mich verlassen, und die Welt dreht sich weiter. Und nicht nur das: Der Welt ist es sogar völlig egal. So wie ihr egal ist, mit wem ich schlafe. Und ob überhaupt.

All die Jahre mit Martin bestand meine größte Angst darin, dass er merkt, welche Mogelpackung er sich eingefangen hat, und von mir weggeht. Und jetzt, wo es tatsächlich passiert ist, sterbe ich nicht etwa einen qualvollen Tod oder falle tot um. Nein, ich lebe weiter. Etwas anders und ohne ihn, aber ich lebe. Mein Körper funktioniert weitestgehend normal. Okay, ich brauche ab und zu eine Schlaftablette, aber das ist alles. Nein, es hat sich nichts Entscheidendes verändert, und wenn ich ganz ehrlich bin, ist es auch gar nicht Martin, den ich vermisse, sondern es ist das Gefühl der Sicherheit und die gewohnten Abläufe, die mir fehlen. Und natürlich meine Kinder. Aber liegt es nicht an mir, daran etwas zu ändern? Ich fand es auch nicht so toll, bei einer Mutter zu leben, die sich nach der Arbeit einschloss und das Bett kaum mehr verließ. Ich hatte nur keine Alternative. Sie haben eine. Sie können wählen, ob sie bei mir leben möchten oder bei ihm.

Fazit: Ich muss unbedingt wieder eine Mutter werden, bei der meine Kinder gerne leben MÖCHTEN.

* * *

Nach zwei Nick-Nächten will ich heute Nacht wieder zu Hause schlafen. Ich denke, wir brauchen beide eine Atem- und Denkpause. Außerdem will ich nichts überstürzen, und ich will mich auch nicht auf eine rosarote Wolke katapultieren, aus deren Höhe ein Sturz am Ende nur schmerzhaft sein kann, wie ich jetzt aus Erfahrung weiß.

Also verabschiede ich mich brav um zehn Uhr von Nick und mache mich auf meinen kurzen, dunklen Heimweg. Zu Hause mache ich überall Licht, ziehe mein Schlafgewand an und gehe ins Bad, um mir erstens die Zähne zu putzen und zweitens meinem Gesicht eine Ladung extra teurer Nachtcreme zu gönnen. *Reichhaltige Nachtpflege für die reife Haut*, steht auf der Packung. *Sonderpreis: 100 ml für nur 27,50 €.*

Alles in allem versuche ich, meinem Leben so etwas wie einen geregelten Ablauf zu geben. Aufstehen, nicht später als acht, und schlafen gehen, nicht später als elf. Dazwischen Frühstück, Mittagessen, Abendessen und wichtige Telefonate und Gespräche führen. Vorwiegend mit meinen Kindern, meiner Schwester und meinem Vater. MEINEM VATER. Diese beiden Wörter lösen noch immer ein ungeheures Glücksgefühl in mir aus, weshalb ich sie mir mehrmals täglich auf der Zunge zergehen lasse. Und dann ist da natürlich Nick. Weiter kann ich im Moment noch nicht denken, aber für das, was in den letzten paar Wochen bei mir los war, schlage ich mich nicht schlecht, wie ich finde.

Aber als ich mich bettfertig in unser Schlafzimmer begebe, das nicht mehr nach Martin riecht und auch gar nicht mehr nach Martin aussieht, bekomme ich trotzdem kalte Füße. Plötzlich spüre ich: Hier kann ich nicht mehr schlafen. Ich nehme mein Bettzeug und tapere damit durch das Haus. Ich lege mich in Ellis Bett, aber es fühlt sich falsch an. Ich lege mich in Tills Bett, es fühlt sich immer noch falsch an. Ich gehe in Claras Zimmer und setze mich für einen Moment in den Sessel, in dem ich immer saß, als sie noch lebte. Jetzt fühlt es sich nicht falsch an, aber es tut schrecklich weh. Mein Herz spielt verrückt, es reißt und zieht in alle Richtungen.

Am Ende gehe ich nach unten und lege mich auf die Couch. Ich habe zwei Gläser Wein intus, aber ich befürchte, die genügen nicht. Ergeben ziehe ich die Bettdecke bis an mein Kinn und mache mich auf eine schlaflose Nacht gefasst.

Ein schriller Glockenton reißt mich aus einer mir fremden Landschaft. Einer Traumlandschaft. Im Traum habe ich mich gestritten, und dann bin ich weggelaufen, das weiß ich noch, aber ich weiß nicht mehr mit wem und auch nicht mehr wovor. Ich bin völlig desorientiert und schaue mich verwirrt um. Ach ja, ich bin im Wohnzimmer. Ein Blick auf die Uhr. Es ist erst kurz nach zwölf, ich habe höchstens eine Stunde geschlafen. Hat es wirklich geklingelt, oder habe ich das auch nur geträumt? Da klingelt es wieder, es ist kein Traum. Angst schießt mir durch sämtliche Adern, und ich laufe barfuß in die Diele.

Nervös drücke ich auf den Knopf der Sprechanlage. »Wer ist da?«, frage ich mit schwacher Stimme.

»Ich bin's. Jonas.«

»Jonas?! Was um alles in der Welt ... Warte, ich mach auf.«

Es regnet. Er steht frierend und nass in meinem Flur, mit gesenkten Schultern und schlenkernden Armen.

»Komm rein, aber zieh deine Schuhe aus. Hast du nichts Trockenes dabei?«, frage ich blöderweise.

»Nein«, sagt er und klingt so kläglich, wie er aussieht. Mein mütterliches Herz zieht sich schmerzhaft zusammen.

»Was ist los? Weiß deine Mutter, dass du hier bist?« Er sieht mich an.

»Hast du Hunger?«

Ich bekomme keine Antwort.

»Okay. Ich mache dir etwas zu essen. Du kannst in Tills Zimmer schlafen. Aber dann rufe ich deine Mutter an. Sie kommt doch bestimmt um vor Sorge.«

Ich hole ihm trockene Sachen von Till und gehe in die Küche. Mit meinen Einschätzungen liege ich nur zum Teil richtig: Er hat Hunger und verdrückt drei Brote mit Rührei und Schinken. Danach legt er sich sofort in Tills Bett, und als ich eine Viertelstunde später nach ihm sehen will, schläft er bereits.

Katja kommt allerdings keineswegs um vor Sorge. Sie ist für mein Verständnis geradezu unverschämt sorglos.

»Er ist in letzter Zeit ab und zu nicht nach Hause gekommen. Er sagt, er hätte bei einem Freund geschlafen. Ich kann mich nicht jedes Mal darüber aufregen, sonst mache ich mich komplett verrückt«, sagt sie.

Ich denke an seinen letzten Ausflug, der im Krankenhaus endete, und schlucke meinen Ärger runter. Es ist ein Uhr nachts. Es bringt nichts, wenn ich mich jetzt mit Katja streite.

»Okay«, erwidere ich so ruhig ich kann. »Jedenfalls weißt du jetzt, dass er hier ist.«

»Ja, danke für deinen Anruf.«

Einen Moment sind wir beide still.

»Okay«, sage ich wieder und will das Gespräch beenden.

»Alex ... warte. Kannst du ... kann Jonas ...«

»Was?«

»Ich fliege morgen nach Irland. Ich ... ich habe einen neuen Job, aber ich muss erst noch alles Mögliche klären. Mit der Aufenthaltsgenehmigung, auch der von Jonas, und eine Wohnung brauchen wir auch. Könnte Jonas vielleicht ...«

»Bei mir bleiben?«, vollende ich den Satz.

»Nur so lange, bis ich wieder da bin. Ich hole ihn, so schnell es geht.«

»Wann hättest du es mir denn gesagt?«, frage ich wütend.

»Ich hätte dich morgen angerufen.«

»Wie lange?«

»Ich weiß nicht genau. Zwei Wochen, vielleicht auch etwas mehr.«

»Wie lange du dort bleiben willst, meine ich. Für immer?«

»Das weiß ich noch nicht. Der Arbeitsvertrag ist erst einmal befristet auf ein Jahr.«

»Und was sagt Jonas dazu?«

»Wir haben uns deswegen gestritten, aber ich kann eine solche Entscheidung nicht von den Befindlichkeiten meines Sohnes abhängig machen.«

»Kannst du nicht?«

»Nein.«

»Jonas kann bei mir bleiben. So lange, wie er möchte. Und du kannst mich mal!«

Wütend schmettere ich das Telefon auf den Tisch.

6

Vom Vergeben

Alexa

Am nächsten Morgen bringe ich Jonas zur Schule. Mit einem kleinen Umweg über Katjas Wohnung. Er braucht ein paar Sachen.

Ich versuche immer, meine Schwester zu verstehen, aber das geht zu weit. In dieser Sache ist sie eindeutig im Unrecht. Jonas ist ein Kind. Ich sehe ihn von der Seite an. Am liebsten würde ich ihn in den Arm nehmen und ihm sagen, dass er ruhig weinen darf. Aber ich mache es natürlich nicht. Ich weiß ja nicht, ob er wirklich weinen möchte, ich erinnere mich nur, mich selbst als Kind oft so gefühlt und danach gesehnt zu haben, dass jemand mich in den Arm nimmt und mir genau das sagt. Wahrscheinlich ging es Katja auch nicht anders. Wir sind ja nicht von nichts so gestört. Und schon habe ich wieder den Verständnismodus eingeschaltet.

»Jonas?«, traue ich mich zu sagen.

»Was?«

Was? Schon dieses kleine Wort impliziert Ablehnung.

»Hat Katja dir etwas erzählt?«

»Was meinst du?« Jetzt höre ich immerhin ein leichtes Interesse.

»Wegen … dem, was wir herausgefunden haben?«

»Ihr wart in dem Kaff, wo ihr aufgewachsen seid, oder?«

»Ja. Wir haben dort eine alte Freundin deiner Großmutter besucht. Und einiges über sie erfahren. Und damit auch über uns. Das heißt in erster Linie etwas über deine Mutter.«

Er sieht mich mit großen Augen an. »Erzählst du es mir?«

»Ja, aber spring erst mal schnell hoch, und hol dir ein paar Klamotten und das Schulzeug. Ich warte hier auf dich.«

»Kommst du nicht mit?«

»Nein.«

Er sieht mich an. »Du willst ihr nicht begegnen, oder?«

Ich lächle und streiche ihm über den Kopf.

»Schlauer Junge.«

Als er zurückkommt, rede ich nicht lange drum herum. Warum auch? Ich erzähle ihm die Geschichte. Allerdings in Kurzfassung. Ich packe nur hinein, was ich als relevant erachte.

»Also ist mein Opa auf jeden Fall tot«, stellt er richtig fest.

»Ja. Auf jeden Fall.«

Wir stehen vor der Schule, aber ich dränge ihn nicht. Was sind schon zehn Minuten Verspätung, wenn gerade die ganze Welt ihre Richtung ändert. Seine ganze Welt.

»Ich weiß, du willst das jetzt nicht hören, aber glaub mir, deine Mutter liebt dich. Sehr sogar. Sie ist nur … sie hatte es nicht leicht.«

»Du doch auch nicht. Und du bist trotzdem …«

»Was?«

»Normal halt.«

»Bin ich nicht. Sind wir alle nicht, wir sind alle ein bisschen plemplem.« Ich lächle ihn sanft an.

»Aber du hast nie … du bist nicht …«

»Jonas, ich hab auch meine Macken, nur andere, okay?«

Er stiert auf seine Hände und nickt.

»Noch was: Egal, wie das jetzt weitergeht, mit Irland und so, du kannst immer bei uns sein. Das Haus ist groß genug, Claras Zimmer steht leer, und jetzt wo Martin …«, ich schlucke, »… wo Martin nicht mehr da ist … also, nur für den Fall, dass du …«

»Schon gut, ich hab's kapiert.«

»Ich meine das ganz ehrlich. Ich fände es schön, wenn du bei uns wohnst.« Ich lächle, wie ich hoffe, verschmitzt. »Dann habe ich gute Chancen, Till auch wieder nach Hause zu locken.«

»Okay.« Seine Hand liegt auf dem Türöffner. »Ich überleg's mir. Tschüs.«

»Tschüs«, sage ich auch und lege den ersten Gang ein. Er ist schon fast ausgestiegen, da fällt mir noch etwas ein. »Jonas?«

»Ja?«

»Was möchtest du gerne essen heute Mittag?«, frage ich.

Er schaut mich überrascht an. »Essen?«

»Ja. Du darfst dir etwas wünschen, ich koche es für dich.«

»Kotelett, Kohlrabi und Kartoffeln«, sagt er wie aus der Pistole geschossen.

Ich muss lachen. Das hat er schon früher gerne gegessen, ich erinnere mich.

»Okay«, sage ich. »Kriegst du. Wann hast du Schluss?«

»Nach der sechsten. Ich bin um eins zu Hau... zurück.«

Ich schaue ihm lächelnd nach, bis er in der Schule verschwunden ist, und fahre los. Mein nächster kleiner Umweg führt mich zum Supermarkt. Ich kaufe drei große Koteletts und drei Kohlrabis. Vielleicht kommt Till ja auch. Wenn er hört, dass Jonas da ist. Und dass es Kohlrabi mit Kotelett gibt.

Wieder zu Hause, sehe ich ein fremdes Auto mit zwei Insassen vor unserem Haus stehen. Ich biege in die Einfahrt und drehe meinen Kopf, um die Insassen erkennen zu können. Es ist Esther. Und ein Mann. Thomas? *Das sieht nach Ärger aus*, denke ich. Ich fahre in die Einfahrt und steige bepackt mit meinen Einkäufen aus.

»Alexa, guten Morgen«, ruft Esther und kommt mit ihrem Begleiter auf mich zu. »Das ist Thomas, mein Bruder, aber ich glaube, ihr kennt euch ja schon«, sagt sie.

Ich überlege, ob ich ihm die Hand geben soll, aber seine Hände hat er hinter seinem Rücken verschränkt, und in meinen halte ich einen vollbepackten Einkaufskorb, einen Beutel Kartoffeln und ein Brot.

»Guten Tag«, sagt er mit ernstem Gesicht. Von der Angriffslust unserer ersten Begegnung ist nichts mehr zu spüren.

»Guten Tag«, erwidere ich.

»Tut mir leid, dass wir dich jetzt so überfallen. Wir

wollten eigentlich Katja und ihren Sohn besuchen, aber sie waren nicht zu Hause. Weißt du, wo Katja ist?«, fragt Esther. Das *Du* kommt ihr schon ganz selbstverständlich über die Lippen.

»Äähh, Jonas ist zurzeit bei mir, das heißt nein, zurzeit ist er in der Schule.«

»Und Katja?«

»Katja fliegt heute nach Irland. Sie hat einen neuen Job dort und sucht jetzt erst einmal eine Wohnung.«

»Ach? Sie geht weg?«

»Sieht so aus.«

Wir stehen vor meiner Haustür, und ich versuche die Tür aufzuschließen.

»Darf ich«, fragt Thomas freundlich, und ich zucke zusammen, als er mir den Korb und die Kartoffeln abnimmt.

Die Tür des Nachbarhauses öffnet sich, und Nick kommt heraus. Er wirft einen grimmigen Blick auf Thomas und einen nicht weniger grimmigen auf mich. »Möchtet ihr einen Kaffee?«, frage ich unsicher.

»Wir möchten dir keine ...«, fängt Esther an.

»Danke. Sehr gern«, unterbricht ihr Bruder sie.

»Ääh, hallo Nick«, sage ich zu Nick. »Das ist Nick, mein Nachbar«, füge ich überflüssigerweise hinzu. »Möchtest du auch einen Kaffee?«

Nick macht seinem Namen Ehre und nickt. »Ich komme gleich, muss nur noch kurz zur Bank«, sagt er und verschwindet mit einem letzten Blick auf Thomas in Richtung Innenstadt.

»Tja, dann kommt doch ...« *Rein*, will ich sagen, aber in diesem Moment fällt mir das Brot aus der

Hand, und Thomas und ich bücken uns gleichzeitig, um es aufzuheben.

»Au!«, sage ich und halte meinen Kopf.

»Tut mir leid«, sagt er erschrocken. Plötzlich muss ich lachen und kann mich nicht mehr beherrschen. Es platzt förmlich aus mir heraus. Es ist wie mit dem Weinen oder dem Schlucken: Ich kann es nicht verhindern. Ich versuche es trotzdem und bekomme einen Schluckauf.

»Tut mir leid«, japse ich, während mir die Tränen über das Gesicht laufen. Die ganze Situation ist derart grotesk, nicht witzig, aber völlig verrückt. Mein Leben hat sich in ein Fiasko verwandelt, und das alles nur wegen dem Brief. *Des Briefes*, höre ich Katja in Gedanken sagen.

Martin hat mich verlassen, meine Familie bricht auseinander, dafür habe ich ein Verhältnis mit Nick, meinem Nachbarn, und Stefan, mein Vater, ist nach nahezu vierzig Jahren wieder aus der Versenkung aufgetaucht. Katja ist nur noch meine Halbschwester, ihr Vater ist unter mysteriösen Umständen ums Leben gekommen, und nebenbei war er auch noch der Lover unserer Mutter Ines, die uns unser ganzes Leben lang belogen hat.

»Tut mir leid«, japse ich noch einmal. »Es ist eigentlich gar nicht komisch, aber ich …«

»Ist schon gut, Alexa, ist schon gut«, sagt Esther und folgt mir mit ihrem Bruder, der ganz nebenbei bemerkt auch Katjas Halbbruder ist, in die Küche.

Aus den Lachtränen werden geweinte, Papiertücher stehen bei mir momentan hoch im Kurs. Ich verstaue meine Einkäufe. »Setzt euch, der Kaffee ist gleich fertig«, schniefe ich und setze Wasser auf.

»Was ist das mit Katja und Irland?«, will Esther wissen.

Ich erzähle ihr, was ich weiß, und schnäuze mich geräuschvoll. Dabei fühle ich mich unbehaglich Thomas' Blicken ausgesetzt.

»Und was sagt ihr Sohn dazu?«

»Er will nicht mit. Ich habe auch schon darüber nachgedacht. Er kann bei mir bleiben. Nicht nur jetzt, sondern überhaupt. Er will nicht weg, und ich verstehe das«, sage ich. Ich habe noch nicht mit Katja darüber gesprochen, aber es fühlt sich richtig an.

»Das wird sie entscheiden müssen.«

»Hach«, sage ich ärgerlich. »Katja ist doch ganz egal, was mit Jonas wird.«

»Sie reagiert genauso wie Ines damals«, sagt Esther. »Es wird brenzlig, und sie bricht alle Brücken hinter sich ab. Flucht nach vorne.« Ich spüre, dass Thomas mich immer noch anschaut, und hebe den Kopf. Er schaut nicht, er glotzt.

»Tut mir leid«, sagt er ertappt. »Aber du siehst deinem Vater wirklich sehr ähnlich.«

»Katja deinem auch«, sage ich, bevor ich darüber nachdenke. »Entschuldigung, ich meine ... «

»Schon gut. Das hat Esther auch schon gesagt.«

Von dem unfreundlichen, abweisenden Mistkerl, der uns noch vor wenigen Wochen so rabiat vom Hof gejagt hat, ist nicht mehr viel übrig. Der Thomas Stanberg, der mir hier gegenübersitzt, ist ein alter, müder Mann. Kapitulation auf der ganzen Linie. Verlegen wende ich mich wieder meiner Tätigkeit als Kaffeekocherin zu, und ich gieße portionsweise heißes Wasser in den Filter. Der Kaffeeduft steigt mir in die Nase.

»Ich mag frisch aufgebrühten Kaffee viel lieber als den aus der Maschine«, sage ich, um das Gespräch auf eine unverfängliche Ebene zu leiten. Da fällt mir noch etwas ein. »Wir waren übrigens bei meinem ... bei Stefan«, kläre ich Esther auf.

Sie sieht mich überrascht an. »Wirklich? Was hat er gesagt?«

»Einiges.« Der Kaffee ist fertig. Ich verteile das duftende Elixier und halte mich an der Kanne fest wie eine Ertrinkende an einem Schwimmreifen. Aber bevor ich dazu komme, sämtliche Einzelheiten unserer Begegnungen zu erzählen, höre ich, wie die Haustür zuschlägt. Jemand ist gegangen. Quatsch. Jemand ist gekommen.

Martin! Mir schießt das Blut in den Kopf. Und gleich kommt Nick. Was bedeutet es, wenn Martin Nick hier trifft? Erst einmal gar nichts, beruhige ich mich selbst. Nick ist mein Nachbar. Warum klopft mein Herz dann so? Wie eine Maus in der Falle starre ich auf die Küchentür, und im nächsten Moment auf Elli, die ihren Kopf zur Küchentür hereinsteckt.

»ELLI?!« Ich merke, dass ich die Luft angehalten habe. »Was machst du denn hier?«

»Hallo«, sagt meine Tochter nicht weniger überrascht als ich. Wahrscheinlich hat sie damit gerechnet, ihre Mutter in Tränen aufgelöst, depressiv im Bett liegend und vor allem allein vorzufinden.

»Entschuldigung, aber ich wohne hier«, kontert sie beleidigt.

»Ja. Ja, natürlich«, sage ich, obwohl das im Moment nur teilweise stimmt. »Aber ... aber ... hast du keine Schule?«

»Sport fällt aus, und ich hatte keinen Bock, zwei Stunden blöd in der Schule herumzusitzen. Was ist eigentlich hier los?« Sie wirft fragende Blicke auf Esther und Thomas.

»Äh, das sind Esther und Thomas. Und das ist Elli, meine Tochter.«

Sie zeigt sich von ihrer wohlerzogenen Seite und reicht dem Besuch die Hand.

Esther ist sichtlich beeindruckt von meiner schönen Tochter. Oder vielleicht bildet sich mein stolzes Mutterherz das auch nur ein.

»Du bist also Elli«, fragt sie interessiert. »Kommt dein Bruder auch?«

»Till? Nee, der ist in der Schule, vielleicht heute Mittag ...«

»Heute Mittag hole ich ihn von der Schule ab. Jonas wohnt im Moment bei mir, ich denke, dass er seinen Cousin bestimmt mal wieder sehen möchte.«

»Ach? Wieso wohnt Jonas hier?«

»Weil ... Das erzähle ich dir später. Möchtest du auch einen Kaffee?«, frage ich.

»Ja, gern.« Sie öffnet den Schrank und zieht eine Packung Kekse heraus.

»Willst du nicht lieber ein Brot essen? Oder soll ich dir ...«

»Mama! Ich bin schon groß. Wenn ich ein Brot essen will, dann mache ich mir eins.«

Sie setzt sich neben Esther und bietet höflich Kekse an.

Esther blickt fragend von Elli zu mir, und ich nicke.

Wir können reden, sie weiß Bescheid, bedeute ich ihr mit meinem Blick.

»Du, äh, du hattest gerade gesagt, dass ihr Stefan besucht habt?«, nimmt Esther den Faden wieder auf.

»Ja. Ich hatte ein längeres Gespräch mit ihm.«

Alle Gesichter wenden sich erwartungsvoll in meine Richtung. Ich gebe einen kurzen Überblick über unsere Begegnung.

»Er sagt, er hätte uns geschrieben. All die Jahre hätte er immer wieder Briefe geschickt.«

»Das stimmt«, sagt Esther.

»Woher weißt du das?«

»Von Ines. Sie hat es mir erzählt.«

»Warum hat Ines dir das erzählt?«

»Ich glaube, sie wollte sich am Ende noch so etwas wie eine Absolution abholen.«

»Und?«, frage ich. »Was ist mit den Briefen passiert?«

»Sie sind weg.«

»Wie weg?«

»Verbrannt, vernichtet, in diversen Mülltonnen gelandet. Sie hat keinen aufgehoben.«

Ein bisschen habe ich damit gerechnet, deshalb bin ich weniger fassungslos, als es mir zustehen würde.

»Keinen einzigen?«

»Nein. Sie glaubte damals, es sei besser so.«

»Für uns? Oder für sie?«

Esther zuckt die Schultern und greift nach ihrer Tasse. »Was denkst du?«, fragt sie mich.

»Ich denke …« Ja, was? Dass Ines vieles falsch gemacht hat, dass sie eine schlechte Mutter war, dass sie unmoralisch war und für ihr Verhalten am Ende bestraft wurde. Aber das ist nur die halbe Wahrheit.

»Freust du dich? Dass du und Stefan ...«, lenkt Esther meine Gedanken wieder in andere Bahnen.

»Ja, natürlich. Sehr«, sage ich schnell.

Ich stecke meine Nase in die Kaffeetasse, um von meiner aufgewühlten Befindlichkeit abzulenken. Fast vierzig Jahre.

»Haltet es fest. Es ist etwas so Wunderbares und Wertvolles ...«

»Ich habe zu keiner Zeit irgendetwas nicht festgehalten. Ich war sieben, mich hat keiner gefragt.«

»Ich weiß, ich meine nur ...« Sie räuspert sich.

Eine Weile sind wir alle still und geben uns geräuscharmen Beschäftigungen wie Kaffee trinken und Keks essen hin.

»Wir sind ja nicht ganz grundlos hier, wie du dir sicher denken kannst«, bringt Esther sich wieder ins Gespräch.

»Ja, ihr wolltet zu Katja.« Katja. Immer nur Katja.

»Auch. Wir wollten zu Katja, und wir wollten zu dir«, sagt Esther und legt ihre Hand auf meine. »Es gibt da noch etwas, was ihr wissen solltet.« Sie schaut mich verlegen an. »Ich habe es niemandem gesagt, all die Jahre nicht, aber jetzt habe ich mit Thomas darüber gesprochen, und er meinte, wir müssten, wir sollten, also wir haben entschieden, dass wir ...«

Sie seufzt. Ich warte, Thomas hält sich an seiner Tasse fest, und Elli spielt Mäuschen.

»Ja?«, frage ich, unfähig, meine Ungeduld länger zu zügeln. Welches Geheimnis um alles in der Welt ist denn noch nicht gelüftet? Hatte Ines das Baby vielleicht doch nicht verloren? Ich schaue zur Tür. Fast erwarte ich, dass sie sich öffnet und eine zweite Katja hereinspaziert.

»WAS?«, frage ich noch einmal, lauter als beabsichtigt. Elli stellt die Tasse ab und legt ihren angebissenen Keks daneben. Esther schaut Thomas an, der nickt verhalten. Es ist ein ganz leises Nicken, fast hätte ich es nicht bemerkt, es ist so etwas wie ein stilles Einvernehmen, eine unsichtbare Funkverbindung.

»Es geht um …«

»Hallo, störe ich?« Nick steckt den Kopf zur Tür herein. Ich freue mich, ihn zu sehen, aber er stört tatsächlich. »Nick. Sei mir nicht böse, aber wir müssen etwas besprechen. Es ist schwierig. Wir haben …«

»Schon gut«, sagt er. Seine Stimme klingt beleidigt. Auch das noch. »Melde dich, wenn ich wieder in deine Welt passe.«

»Du passt doch immer …«, fange ich an und registriere gleichzeitig Ellis fassungslosen Blick, aber Thomas unterbricht mich.

»Danke«, sagt er. »Nett, dass Sie Verständnis haben.«

Nick dreht sich um und schließt die Tür. Nicht eben leise.

»Tut mir leid«, sagt Thomas jetzt. »Das, was Esther zu sagen hat, ist nur für deine, äh, eure Ohren bestimmt. Was ihr dann damit macht …, darauf haben wir keinen Einfluss mehr.«

Es wird immer dubioser. Er richtet seinen Blick auf Esther.

»Oder sollen wir doch warten, bis Katja …«

Nein! Das könnt ihr jetzt nicht machen!, denke ich.

Zum Glück sieht Esther das auch so: »Ich habe schon so lange gewartet. Ich möchte nicht länger warten«, sagt sie. Aber auch wenn sie vorgibt, nicht mehr warten zu wollen, verfällt sie erst einmal wieder in bedrückendes Schweigen. Ich beiße mir auf die Lippen.

»Wenn dein Vater damals nicht ...«, fängt Thomas an und bricht ab.

»Ja?«, frage ich gespannt.

»Wäre Stefan damals doch bloß nicht gekommen«, seufzt er. »Wenn er nicht ...«

»Ach weißt du, es kann einem ganz schwindelig werden, wenn man über all die *Was-wäre-wenn-Dinge* im Leben nachdenkt«, sagt Esther und sieht ihren Bruder an. »Wenn Ines sich statt in unseren Vater in dich verliebt hätte oder wenn der nicht so viel gesoffen hätte oder wenn Mama Stefan nicht gesehen hätte, als er in den Stall ging ...«

»Aber was ...?« Ich bin völlig verwirrt, und mit jeder Minute steigt der Grad der Verwirrung weiter. »Was meinst du damit, wenn Maria Stefan nicht gesehen hätte?«, frage ich hilflos.

»Das Problem war, dass unsere Mutter unserem Vater, wie sagt man so schön, restlos verfallen war. Er war ein schöner Mann. Und er war gesund. Davon gab es nach dem Krieg nicht allzu viele«, erklärt Esther. »Dabei hatte sie sicher immer geahnt, dass er ihr nicht treu war.«

»Wir haben als Kinder ja oft genug die Streitereien mitbekommen, weil er nachts nicht zu Hause war«, sagt Thomas.

»Und dann die Sache mit Ines«, fährt Esther fort.

»Das war besonders schlimm. Ines war meine beste Freundin. Und sie war gerade sechzehn.«

»Wusste eure Mutter denn, dass Ines und er ... also dass sie später wieder ...«

»Ob sie das wusste? Vielleicht. Sie hat es auf jeden Fall geahnt.«

»Und die Augen davor verschlossen. Das war einfacher, als den Tatsachen ins Gesicht zu sehen und ihn zur Rede zu stellen«, schaltet Thomas sich wieder ein.

»Das lag aber nicht nur an ihr, sie konnten beide nicht gut mit Problemen umgehen. Es wurde auch immer schwieriger. Wegen seiner Trinkerei.«

»Aber du hast selbst gesagt, dass er mittellos war. Er hätte euch also nicht verlassen können. Selbst wenn er es gewollt hätte.«

»Macht es das besser?«

Vermutlich nicht. Ich fühle mich ganz schlecht, weil es meine Mutter ist, von der wir hier reden. Meine Mutter, die der Familie Stanberg nichts als Unglück brachte, und auch, wenn ich nichts dafür kann, schäme ich mich. Dann fällt mir ein, dass die beiden mir noch etwas sagen wollen, noch ein Geheimnis, das gelüftet werden soll, und ich wappne mich gegen den nächsten Schlag.

»Also, heraus mit der Sprache: Weswegen seid ihr hier?«, frage ich.

Ich rechne mit allem. Im schlechtesten Fall damit, dass Thomas gesehen hat, wie mein Vater seinen Vater erschlug. Im besten, dass meine Mutter gar nicht meine Mutter war und ich adoptiert.

* * *

Ich liege auf dem Rücken und starre an die Decke. Es ist dunkel, ich sehe ohnehin nichts, aber ich kann nicht aufhören zu starren. *Ich sollte ein Buch schreiben*, denke ich. *Ein Buch über mein Leben. Ein Märchenbuch. Fehlt nur noch das Happy End.* Nick macht ein seltsames Grunzgeräusch. Ich drehe den Kopf in seine Richtung und fahre mit dem Finger zart über seine Wange. Er schnauft und dreht sich auf die Seite. Seine Atemzüge werden wieder gleichmäßig und ruhig.

Ich habe ihm alles erzählt. Alles, was ich weiß. Und ich weiß jetzt, dass nicht mein Vater für Hektors Tod verantwortlich war. Es war Maria. Sie hatte Stefan gesehen damals, als er zu Hektor in den Stall ging. Und sie hatte gehört, was er ihm sagte. Dass Ines schwanger war von ihm. Und dass es schon zwei Kinder gab. Drei Kinder. Laut Ines alle von Hektor. Als Stefan wegging, stellte Maria ihren Mann zur Rede. Er war zu betrunken, um sich zu rechtfertigen. Er weinte. Sie schrie. Sie schrie ihm ihren Zorn ins Gesicht. Und dann hatte sie das schwere Rohr in der Hand. Es war aus Eisen und die Wucht groß. Ihre ganze Wut und verletzte Enttäuschung lagen darin.

Eine Stunde saß sie noch neben ihrem toten Mann, dann holte sie den Benzinkanister und Streichhölzer.

Zweiundzwanzig Jahre erzählte sie es niemandem. Erst auf dem Totenbett beichtete sie es ihrer Tochter. Arme Esther. Arme, arme Esther.

Später holten Elli und ich die Jungs von der Schule ab. Den Mittag habe ich damit verbracht, den Kindern etwas zu erklären, was ich selbst kaum verstand, und ihre Fragen so gut es ging zu beantworten. Und das alles, ohne Ines ins völlig schlechte Licht zu rücken oder einen Vorwurf gegen Katja laut werden zu lassen, die sich verdammt noch mal aus dem Staub gemacht hat. Das war schwer. Ich weiß noch nicht einmal, auf wen ich wütender bin.

Aber ich weiß, dass ich meine Schwester vermisse. Ganz schrecklich vermisse ich sie.

Katja

Arrival 15.15 steht auf der großen Anzeigetafel des Dubliner Flughafens.

Katja schaut auf die Uhr. Es ist zwanzig nach drei. Aussteigen, zum Laufband gehen und auf das Gepäck warten, das braucht Zeit. Sie geht vor die Tür der großen Ankunftshalle und zündet sich eine Zigarette an. Hin und her gerissen zwischen Freude und Ärger. Es gäbe wichtige Neuigkeiten, meinte Alexa. Hoffentlich wichtig genug, um ihr bis Irland nachzureisen, denkt sie, und plötzlich überwiegt der Ärger. Was geht sie das alles noch an? Sie hat keine Eltern, keinen Mann, jedenfalls keinen, den sie nicht auch wieder loswird, das hat sie doch noch immer geschafft, und eine Schwester, die nur noch ihre Halbschwester ist. Und was ist mit Jonas?, fragt ihr schlechtes Gewissen. Sie antwortet ihm nicht.

Alles in allem geht es ihr nicht schlecht. So wie es aussieht, hat sie einen guten neuen Job, eine halbwegs bezahlbare Wohnung und einen Chef, der ihr schon jetzt restlos verfallen ist.

Sie wirft die halbgerauchte Zigarette auf den Boden und tritt drauf. Es wird schon werden, das neue Leben in Irland. Jetzt öffnet sich die Glastür, und Alexa tritt heraus. Gefolgt von ihrem schlaksigen, mürrischen Sohn. »Na, dann wollen wir mal«, macht sie sich selbst Mut und geht dem, was trotz allem ihre Familie ist, entgegen.

»Hallo. Wie war der Flug?« Einen Moment fühlt sie sich so steif und unbeholfen, dass sie versucht ist, zur Begrüßung die Hand auszustrecken.

»Ein paar Turbulenzen beim Start, aber dann war es ruhig«, sagt Alexa und kaut nervös auf der Unterlippe.

»Hallo, Jonas, wie geht's dir?«

»Gut«, meint er kurz angebunden.

»Tja, dann wollen wir mal.«

Sie schnappt sich Jonas' Rucksack.

»Lass«, sagt er und nimmt ihn ihr wieder weg.

»Wieder kleine Pillen versteckt?«, sagt sie und bereut im gleichen Moment ihren Sarkasmus.

Er antwortet nicht und blickt sie nur böse an. Böse? Nein. Nicht böse. Anders. Traurig oder verloren oder so etwas in dieser Richtung. Sie schaut schnell in eine andere.

»Du, Katja, da ist noch etwas, was du …«, fängt Alexa an, unterbricht sich aber, als sich die große Glastür öffnet und Erik auf der Bildfläche erscheint.

Katja starrt ihn überrascht an. »Was machst du denn hier?«

»Wonach sieht es denn aus?«

»Keine Ahnung. Sag's mir.«

»Mach ich. Aber nicht hier und nicht jetzt. Hast du ein Auto?«

***

Der Abend war eine Vollkatastrophe. Drei Augenpaare, die sie anstierten, als sei sie eine Gefährdung für die Menschheit.

Schlechtes Essen, schlechte Gesellschaft, schlechte Laune. *Das lässt sich nicht mehr ändern, nur überstehen*, dachte Katja.

Nachdem Alexa beleidigt abgerauscht war und Jonas sie keines Blickes mehr gewürdigt hatte, hatten Erik und sie sich nur noch darum bemüht, den Besuch im Restaurant zu einem würdevollen Ende zu bringen.

Mittlerweile sind sie wieder zurück im Hotel, und jetzt steht ihr, wie es aussieht, noch ein anstrengendes Gespräch mit Erik bevor. Sie ist ärgerlich. Warum lässt er sie nicht einfach in Ruhe? Oder gibt sich mit dem zufrieden, was sie ihm geben kann? Sie kann nichts für seine Erwartungen. Gleichzeitig sehnt sie sich nach genau dem, was er tut: sie nicht in Ruhe zu lassen und ihr hinterherzufahren. Irgendwo, tief in ihr drin, sitzt ein kleines Kind, das sich am liebsten an ihn klammern und ihn anflehen möchte, ihr zu helfen. Die Frage ist: Wobei?

»Möchtest du noch etwas trinken?«, fragt sie mit scheinbar gelassener Stimme. Er nickt, und sie öffnet die Flasche Weißwein aus der Minibar. Sie ist umgezogen für diese Nacht. Vom Einzel- ins Doppelzimmer. Das Einzelzimmer ist direkt nebenan, und dort liegt jetzt Jonas und schläft den beneidenswerten Schlaf der Gerechten, den Erik ihr raubt.

»Wovor hast du Angst?«, fragt er.

Die Frage müsste lauten: Wovor hast du mehr Angst? Vor dem *gar nicht*? Oder vor dem *zu viel*? Sie weiß es nicht.

»Warum können wir es nicht so lassen, wie es ist?«, fragt sie.

»Wie denn? Wenn du in Irland lebst?«

»Ach komm schon, in Zeiten der uneingeschränkten Mobilität …«

»Katja, hör doch auf mit dem Scheiß. Seit ich dich kenne, komme ich mir vor wie ein Bauarbeiter«, sagt Erik. »Ständig muss ich mit dem Presslufthammer arbeiten, um wenigstens kleinste Lücken in deine Hülle zu hämmern. Abgesehen davon, dass die Hülle wunderschön ist.« Er lächelt und streicht ihr zart mit dem Zeigefinger über die Wange.

Sie senkt den Kopf. Erik berührt sie, das steht außer Frage. Körperlich, geistig, seelisch. Und etwas in ihr würde ihm ja auch gerne glauben. Aber es geht nicht. Eine Kleinigkeit und es geht schief, das weiß er doch auch. Weil es nicht funktionieren wird, nicht funktionieren kann. Weil er im entscheidenden Moment nicht das Richtige sagt. Oder das Falsche oder gar nichts. Oder weil ihr nicht gefällt, was er sagt.

Nein! Es reicht nicht. Es reicht nie. Sie braucht Raum und Freiheit, sonst wird sie ersticken. Aber wo hört der Raum auf, und wo wird die Freiheit zur Lüge?

»Aber kaum sehe ich einen winzigen Spalt, ist er am nächsten Tag schon wieder repariert und frisch verputzt«, murmelt er in ihr Haar. Sie weicht zurück.

»Man kann zwei Leben nicht vereinen. Auch wenn manche Leute verrückt genug sind, das zu probieren. Aber ich sehe die Resultate. Täglich. Ich muss mir nur Alexa anschauen. Wenn sie tatsächlich zusammenbleiben, bis dass der Tod sie scheidet, dann nur deshalb, weil sie es *ausgehalten* haben. Das will ich nicht.«

Er sieht sie an, mit diesem intensiven Blick aus seinen dunklen Augen. »Wogegen wehrst du dich?«

Ratsch. Da ist er, der Riss. Es scheint so einfach, so verlockend. Sie muss es nur zulassen. Aber dann wird er gehen. Das weiß sie. Woher?

»Warum vertraust du mir nicht?«

Weil der Schmerz grenzenlos sein wird.

»Weil sie keinem vertraut.« Jonas steht in der Tür. Das Haar verstrubbelt, die Schlafanzughose auf halbacht.

»Jonas! Geh ins Bett! Das ist eine Sache zwischen Erik und mir.«

»Nein. Du machst mit Erik nämlich das Gleiche, was du mit mir auch machst. Nur bist du mich nicht so leicht losgeworden. Bis jetzt. Aber keine Sorge. Ich bleibe bei Tante Alexa. Sie hat nichts dagegen.« Der ganze Trotz des verletzten Kindes liegt in seiner Stimme. Fünfzehn Jahre, dafür soll sie büßen.

»Jonas hat recht. Du hast ihm keine Chance gegeben, und du gibst mir keine.«

Katja steht auf. Hatten sich denn alle gegen sie verschworen? Sie will nach ihrer Jacke greifen. Sie will vor allem verschwinden. Ihr altes Muster.

»Ihr spinnt doch«, murmelt sie. Aber Erik hält sie fest, und sie setzt sich wieder.

»Du kannst doch nicht ewig weglaufen. Vor Problemen nicht und vor Beziehungen erst recht nicht. Wo willst du denn noch hin?«

»Ich bin müde. Können wir das auf später verschieben?«, fragt sie.

»Nein. Du bist müde vom vielen Weglaufen.« Er lächelt wieder. »Außerdem: So groß war der Riss noch nie. Ich sehe etwas Wattiges, Helles. Das wird doch nicht etwa dein weicher Kern sein?«

Sie sieht es auch. Besser gesagt: Sie spürt es. Und wehrt sich. Wieder steht sie auf.

»Katja! Du musst nicht immer stark sein. Und unabhängig. Hör endlich auf mit dieser blöden Maskerade.«

Was spielt sich hier eigentlich ab?

»Wenn ich einen Psychiater brauche, dann suche ich mir einen.«

»Stimmt nicht. Sonst hättest du längst einen.« Erik stellt sich vor sie und nimmt sie in den Arm. Sie will sich nicht in den Arm nehmen lassen. Sie will nicht in diesem Meer aus Schutz- und Hilflosigkeit versinken. Sie darf es nicht, sagt ihr Kopf. *Verschwinde schnell, bevor es zu spät ist.* Aber sie bleibt. Und versinkt. Und heult. Wie ein Schlosshund.

Alexa

Wir sitzen an einem ruhigen Tisch in einem Restaurant, reden höflich miteinander und geben uns alle große Mühe. Unsere Unterhaltungen sind leise und freundlich. Nur gesagt haben wir uns bisher noch nichts, aber das kann ja noch werden.

Erik steht auf und geht zur Toilette. Das Essen ist grottenschlecht. Ich esse es trotzdem, auch das von Jonas noch zur Hälfte, und nutze die Gelegenheit, Katja von Esthers und Thomas' Besuch zu berichten. »Die Kinder wissen Bescheid«, sage ich mit einem Blick auf Jonas. »Maria hat deinen ... äh, Hektor auf dem Gewissen. Sie hat es Esther auf dem Sterbebett gebeichtet. Stell dir vor: Sie hat ihn mit einem Eisenrohr erschlagen.«

»Ja und?«, fragt Katja scheinbar uninteressiert.

»JA UND? Das bedeutet, dass es nicht Stefan war.«

»Ja und?«, fragt sie wieder, und ich merke, wie Wut in mir aufsteigt.

Ich nehme die Sektdose und trinke einen Schluck zur Beruhigung. Das ist typisch hier: Man ist in einem piekfeinen und teuren Restaurant und bekommt schlechtes Essen und Getränke aus Dosen. Das heißt, das Essen natürlich nicht. Das wird auf großen weißen Tellern serviert. Es schmeckt nur, als wäre es aus der Dose.

»Du bist die egoistischste, niederträchtigste und gemeinste ...«, zische ich und versuche meine aufkeimende Wut in den Griff zu bekommen.

»Ja?«, fragt sie scheinbar ungerührt.

»Mutter«, sagt Jonas, und ich verschlucke mich vor Schreck.

Katja ist ganz blass, sie tut cool, aber ihre Hände zittern, als sie nach dem Zigarettenpäckchen greift.

»Wenn du das so siehst«, sagt sie und steht auf. »Ich gehe eine rauchen.«

Erik kommt zurück. »Wo gehst du hin?«, fragt er.

»Raus. Rauchen. Kommst du mit?«

Jonas steht ebenfalls auf. »Ich gehe. Bin müde«, sagt er.

»SAGT MAL, SPINNT IHR EIGENTLICH ALLE?«, frage ich lauter als beabsichtigt. Ich sehe die drei an. »Jonas, du bleibst! Wenn hier eine geht, dann ich. Ich habe gesagt, was ich sagen wollte. Aber

ich glaube, zwischen euch gibt es noch Klärungs-
bedarf.«

Und damit wackle ich, so würdevoll es nach drei
Dosen Sekt und anderthalb Portionen schlechtem,
irischem Essen möglich ist, aus dem Blickfeld und bestelle mir ein Taxi.

* * *

Am nächsten Morgen ist meine Stimmung immer noch
schlecht, aber wenigstens nicht mehr katastrophal.

»Entschuldigung, das war blöd gestern«, begrüßt
Katja mich, als ich zum Frühstückstisch komme.

»Ja«, sage ich. »Und zwar von dir.«

Ich studiere das Frühstücksangebot und schwan-
ke zwischen Rührei und Käse. Es ist kurz vor neun,
unser Flug geht um 14 Uhr 45, ich muss jetzt etwas
Ordentliches essen, für ein Mittagessen reicht die Zeit
bestimmt nicht mehr.

Jonas und Erik stehen am Frühstücksbuffet und
schaufeln sich Würstchen und Eier auf den Teller. Ich
schnappe mir meinen und will los, aber Katja hält
mich fest.

»Danke«, murmelt sie.

»Hä?«

»Danke. Wegen Jonas. Und … überhaupt. Ich bin
froh, dass dein Vater nichts mit Hektors Tod zu tun
hat.«

So ist es immer. Sie bringt mich auf 180, macht
mich so wütend, dass ich ihr am liebsten unsere zwei-
undvierzig Jahre während Schwesternbeziehung vor
die Füße werfen würde, und dann, wenn ich ganz kurz

davor bin, sagt sie *Entschuldigung* oder *Danke* oder *Es tut mir leid* oder alles gleichzeitig, und ich falle zusammen wie ein Kartenhaus.

»Schon gut«, meine ich, und das meine ich wirklich. Sie ist nun mal meine Schwester, und ich liebe sie. Was kann man da machen?

»Erik und Jonas bleiben noch.«

»Wie? Wo?«

»Hier. In Irland. Wenigstens für die nächsten Tage. Dann sehen wir weiter.«

»Ja, aber ... Jonas hat Schule. Und er war doch so schrecklich wütend gestern und du ...«

»Wir haben lange geredet heute Nacht, wir drei. Wir bleiben noch zwei, drei Tage zusammen hier, und dann entscheiden wir, wie es weitergeht. Ob wir alle in Irland leben oder ich zurück nach Deutschland komme.«

»Aha.«

Sie sieht mich unsicher an. »Es ist ein Versuch. Nur ein Versuch.«

»Aha.«

»Guten Morgen, gut geschlafen?« Erik kommt gut gelaunt und mit vollbeladenem Teller an den Tisch.

Ich kapiere gar nichts, aber ich sage »Ja«.

* * *

Ich schließe mein Köfferchen und öffne zum fünften und hoffentlich letzten Mal sämtliche dunkel furnierten Schranktüren und Schubladen meines Hotelzimmers. Ich will ganz sichergehen, dass ich wirklich nichts vergessen habe. Die Schränke sind leer, die

Schubladen sind leer, aber ich werde trotzdem das Gefühl nicht los, etwas übersehen zu haben, etwas ganz Wichtiges und Elementares. Unruhig durchstreife ich das trostlose Zimmer und kaue an meinem Fingernagel. Draußen regnet es, und im Zimmer ist es dunkel.

Ich drücke auf den Lichtschalter. Sofort ist es unerträglich hell. Die große Deckenleuchte, sie sieht aus wie eine überdimensionale weiße Banane, spendet jede Menge grelles Licht. Unter dem Strich ist das keine Verbesserung. Dann die Tischlampe auf dem Schreibtisch, denke ich, aber die bleibt dunkel. Ich überprüfe den Stecker, stöpsle ihn ein und wieder aus und versuche es noch einmal. Nichts. Die Lampe tut nicht, was sie soll. Erst als ich dem Schreibtisch einen ärgerlichen, ziemlich heftigen Schubs gebe, flackert sie kurz auf, um mir dann mild ins Gesicht zu scheinen. Wackelkontakt.

Der Schubs hat etwas in Gang gesetzt. Ich bin voll mit etwas, das sich nicht gut anfühlt. Randvoll. Ich drücke mein Gesicht ins Kissen, beiße zu und hämmere gleichzeitig mit beiden Fäusten auf das Bett. Kissen und Bett lassen meine circa zweiminütigen unkontrollierten Attacken stoisch über sich ergehen, und danach geht es mir tatsächlich etwas besser. Uff.

Ich setze mich auf und begegne meinem Spiegelbild. Angsteinflößend. Ich greife zur Bürste und beginne meine wirren Haare zu entwirren.

Das Zimmer ist jetzt in angenehmes gelbes Licht getaucht, meine Haare und auch der Rest sehen wieder einigermaßen akzeptabel aus. Das Leben geht weiter.

Gerade will ich den Schubladen- und Schrankkontrollgang von vorn beginnen, da piepst mein Handy. *Mathe 3, Englisch 4, mir geht's gut,* lese ich Tills karge Ausführungen und versuche zwischen den Zeilen mehr zu erkennen als das, was ich lese. Ich gehe auf das Antwortfeld. *Vermisst du mich? Redet Papa noch von mir? Wie geht es dir? Was denkst du mit deinem kleinen Computergehirn, worüber freust du dich, worüber ärgerst du dich?*

Das alles würde ich ihn gerne fragen, aber ich mache es natürlich nicht. Stattdessen seufze ich und schreibe: *Gut gemacht. Bin heute Abend wieder zu Hause. Kuss Mama.*

Ich gehe auf ›senden‹, und im selben Augenblick klopft es an der Tür. Katja. »Hallo«, sagen wir beide gleichzeitig und dann erst einmal nichts mehr. Sie will mir etwas sagen, das spüre ich, sie ist nicht gekommen, um sich smalltalkmäßig zu verabschieden, sie hat so etwas wie eine ›message‹.

»Was ist?«, frage ich, um was auch immer ins Rollen zu bringen.

»Nichts. Ich wollte nur sehen, was du machst.«

»Du willst nie nur sehen, was ich mache, und wir haben noch fast drei Stunden.«

»Kann ich reinkommen?«

Ich öffne die Tür weit und trete zur Seite.

»Was sagst du dazu?«, fragt sie kleinlaut.

»Wozu?«

»Zu Erik und mir?«

»Glückwunsch.«

»Glaubst du denn … ehm, denkst du, dass es klappt?«

»Woher soll ich das wissen?«

»Mein Gott! Ich sage ja nicht, dass du eine Prognose mit 100 Prozent Trefferquote abgeben sollst. Ich will nur deine Einschätzung.« Das ist der Ton, den ich kenne.

Es kam noch nicht oft vor, nein, es kam noch nie vor, dass Katja meine Einschätzung zu einer für sie persönlichen Lebensfrage abgeholt hat. Wider Willen fühle ich mich geschmeichelt.

»Er ist ein toller Mann«, sage ich. Das finde ich wirklich. Gut aussehend, intelligent, sehr nett: so etwas wie ein Sechser im Männerlotto.

»Das weiß ich auch«, sagt sie. »Aber reicht das?«

»Das weiß ich nicht. Und du weißt es auch erst, wenn du der Sache einmal eine Chance gibst. Komm doch endlich einmal an.«

»Hmm. Ja. Vielleicht hast du recht.« Sie setzt sich auf mein attackiertes Bett und zwirbelt ihre Haare.

»Hey«, sage ich und setze mich neben sie.

»Glaubst du, ich bin so verkorkst wegen meiner Gene?«

»Was meinst du?«

»Na ja. Dieser Mann, also Hektor, er war ...«

Er war ihr Vater. Kein leichtes Erbe. Ich denke an Ines.

»Das ist nur die eine Seite der Medaille.«

»Das stimmt. Wir haben eine Schnittmenge von 50 Prozent, das ist immerhin die Hälfte.«

»Sag mal, hast du heute deinen Prozente-Tag?«

Sie grinst mich schief an und schweigt.

»Angst?«, frage ich.

Sie sieht mich überrascht an.

»Ja«, sagt sie.

»Die habe ich auch. Ich habe vor allem und jedem Angst, und das schon mein ganzes Leben.«

»Denkst du, ich nicht?«, fragt sie leise.

Ja, das dachte ich eigentlich.

»Am schlimmsten ist es morgens, wenn ich aufwache. Erst ist es noch ganz gut, wenn ich so halb wach bin. Aber irgendwann bin ich richtig wach, und wenn ich dann die Augen aufmache, würde ich am liebsten zwanzig Schlaftabletten auf einmal nehmen und weiterschlafen. Also ich denke nicht an Suizid, keine Angst, ich will einfach nur in meiner Traumwelt bleiben und schlafen.«

Und nie mehr aufwachen. Ich weiß genau, was sie meint.

Wir sitzen nebeneinander auf dem Bett, und eine Weile sagen wir nichts.

»Es ist auch wegen Jonas«, nimmt sie den Faden wieder auf.

»Was meinst du?«

»Er hat mir so viele Vorwürfe gemacht letzte Nacht. Dass ich eine schlechte Mutter bin, dass er mir gleichgültig wäre, dass ich mich nie gekümmert hätte ... So was halt.«

»Na ja, das ist jetzt ziemlich pauschal, du hattest auch deine guten ... Momente.«

»Er hat mir von einer Klassenfahrt erzählt. Da war er acht. Am Anfang wäre es noch okay gewesen, aber dann hätte er bei seinem Freund ein Blatt Papier unter dem Kopfkissen gefunden, mit acht Lippenstiftküssen.«

»Häh?«

»Ja. Acht Übernachtungen. Acht Gutenachtküsse

von seiner Mutter. Verstehst du? Er hat jeden Abend im Bett geweint. Und weißt du, was das Schlimmste ist?«

Sie weint jetzt auch wieder, und ich lege meinen Arm um ihre Schultern und meine Stirn an ihren Kopf.

»Nein. Was?«, frage ich.

»Ich erinnere mich noch nicht einmal mehr an die Klassenfahrt«, schluchzt sie.

»Hey. Du hast bestimmt nicht alles richtig und super gemacht, aber du hast es so gut gemacht, wie du es konntest.« Ich lächle ihr aufmunternd zu: »Mit deinen vermurksten Genen halt. Meine sind in der Summe jedenfalls auch nicht viel besser.«

Ich stupse sie in schwesterlicher Zuneigung in die Seite.

»Ich habe meine Kinder zum Reitunterricht, Klavierunterricht, Fußball und Tennis gekarrt, Hausaufgaben mit ihnen gemacht, Vokabeln abgehört, ihnen Nachhilfeunterricht organisiert, jeden Mittag gesund gekocht, und was habe ich davon? Sie leben lieber bei ihrem fremdgehenden Vater als bei ihrer treusorgenden Mutter!«

Macht mich das wütend oder traurig oder beides? Ich weiß es gerade nicht.

Sie nimmt mich in den Arm und drückt mich ganz fest. »Ich freue mich für dich. Wegen ... Stefan meine ich. Ganz ehrlich.«

Ich bin wütend *und* traurig. Und auch ein bisschen froh. Und außerdem fällt mir ein, dass ich einen Brief für Katja dabeihabe. Von Zara. Nein, Zara hat ihn mir nur gegeben. Er ist von Stefan. Ich habe auch einen bekommen.

Ich gebe ihr den Brief, und sie hält ihn drei Minuten unentschlossen in den Händen. »Willst du ihn nicht aufmachen?«, frage ich irgendwann.

»Doch, klar«, sagt sie und reißt mit einem Ratsch den Umschlag auf.

Sie liest und schaut mich an. »Er lädt uns alle in den Herbstferien zu sich nach Hause ein.«

»Ich weiß. Und ich würde die Einladung auch gerne annehmen. Aber nur, wenn du mitkommst.«

* * *

Im Flugzeug rasen meine Gedanken. Ich bin ein von Grund auf harmoniesüchtiger Mensch. Auch wenn mich die Entwicklung über alle Maßen erstaunt, freue ich mich darüber, dass Katja, Erik und Jonas zusammen sind. Ganz ehrlich und von Herzen. Und auch darüber, dass wir uns noch einmal ausgesprochen haben, meine kleine Schwester und ich. »Das, was wir zusammen haben, das ist unkaputtbar, oder?«, hat sie beim Abschied am Flughafen gefragt, und das ist das Schönste, was ich je von ihr gehört habe.

Trotzdem graust es mir vor dem Heimkommen. Das Haus und ich sind keine Freunde mehr. Ohne Elli und Till ist es zu groß und zu still und zu voll mit Claras stummen Vorwürfen. Ich brauche wieder Leben um mich. Was oder besser wen ich nicht mehr brauche, ich kann es selbst nicht fassen, ist Martin. Ich spüre in mich hinein. Wo ist der schreckliche Schmerz geblieben? Aber es ist so: Ich sehne mich nach Till und Elli, auch nach Stefan und Katja und nach Jonas. Aber nicht nach Martin.

Und nach Nick? Ich weiß es nicht. Vielleicht.

Zu Hause packe ich meine Kleider aus, werfe eine Ladung Wäsche in die Maschine und erledige diverse Anrufe. Ich sage Katja, dass ich gut angekommen bin, rufe bei Martin an und bringe ihn auf den neuesten Stand und lade nebenbei Till und Elli zum Essen ein. Ich glaube, ich mache einen Nudelauflauf, den mögen sie beide. Sie haben nichts dagegen.

Es gibt da etwas, das mir auf der Seele brennt: Ich habe meinen Kindern noch nie gesagt, dass ich sie liebe. Aus tiefster Seele, ohne Einschränkung: Ich liebe sie! Ich finde, das sollten sie wissen.

* * *

Es ist spät geworden. Müde, aber glücklich räume ich die Reste des Auflaufs in den Kühlschrank und das Würfelspiel in den großen Wohnzimmerschrank. Dabei lächle ich in mich hinein. Der Schrank hat seine Zeit gehabt. Wenn Martin ihn nicht will, werde ich ihn verkaufen. Er ist zu groß und zu wuchtig. Ich stelle mir ein Regal dort vor. Aus hellem Holz und mit ganz vielen Büchern.

Mir ist gleichzeitig schwer und leicht ums Herz, und in mir pocht etwas, so ein kleines Gefühl, ich glaube, es ist Glück. Till und Elli kommen zurück. Die Silke-Euphorie ist endgültig verflogen. Jedenfalls bei meinen Kindern. Wobei, um bei der Wahrheit zu bleiben, Till, was Euphorien dieser Art angeht, sowieso ein überaus resistenter Kandidat ist.

Ich schaue auf die Uhr und greife zum Telefonhörer. Manches lässt sich nicht aufschieben.

»Hallo«, sagt Nick freudig überrascht. Ich will jedenfalls glauben, dass er sich freut.

»Was machst du?«, frage ich.

»Keine Ahnung. Zum Rasenmähen ist es zu spät, zum Schlafen zu früh. Jedenfalls für mich. Warum?«

»Ich muss jemanden besuchen. Hast du Lust, mich zu begleiten?«

»Jetzt noch?«

»Ja, jetzt noch.«

»Und du findest es in Ordnung, um diese Zeit und mit einem *fremden* Mann ...«

»Nick, frag nichts. Sag nur ja oder nein.«

»Ja.«

* * *

Es ist dunkel. Ich habe eine Taschenlampe mitgenommen und zeige ihm den Weg. Ich war lange nicht hier, aber ich finde Claras Grab auch im Dunkeln oder mit verbundenen Augen. Wir bleiben davor stehen. Ich spüre Nicks Unsicherheit, die unausgesprochenen Fragen.

»Da liegt Ines«, erkläre ich. »Meine Mutter. Und Clara. Meine Tochter.«

Er ist nicht überrascht. Von Clara hatte ich ihm erzählt, von Ines auch, und nun lernt er sie kennen. Sozusagen.

»Ich muss kurz mit Clara reden. Ich muss ein paar Fragen beantworten und mich bei ihr entschuldigen. Und dann bist du dran. Ist das okay?«

Er drückt meine Hand und nickt, und ich schließe die Augen und lasse sie kommen, die Erinnerung.

Clara

Ich bin eine gute Mutter, ich liebe meine Kinder, tue alles für sie. Für Elli, meine Erstgeborene, für Till, meinen einzigen Sohn, und auch für Clara. Sie kann doch nichts dafür.

Wie sie wieder dasitzt und zuckt und mich anglotzt. Der Mund geht auf und zu, wie der Schnabel eines Vogels. Ich mag keine Vögel. Sie scheißen die Gartenmöbel voll und verstreuen ihre Bakterien.

Löffel für Löffel schiebe ich ihr mit einer Hand das Essen hinein und wische mit einem Tuch in der anderen das weg, was wieder herausläuft. Warum dauert das nur so lange? Sie muss doch noch nicht einmal kauen, einfach nur schlucken. Nur schlucken.

Was macht sie? Ach, sie hat sich verschluckt, jetzt geht das Theater wieder los. Ich muss ihr helfen, sie schafft das nicht alleine, ist so hilflos wie ein neugeborener Spatz. Ich öffne den Fixiergurt und schiebe sie nach vorn, nur ein bisschen, damit ich ihr auf den Rücken klopfen kann. Ich klopfe leicht, ich will ihr nicht weh tun, aber sie röchelt und gurgelt, sie bekommt nicht genug Luft. Ich schlage fester zu, es wird nicht besser, eher schlimmer, und ich fange an, sie zu schütteln. »Clara!«, schreie ich, aber ich glaube nicht, dass sie mich hört.

Komm, ich nehme dich aus deinem Stuhl, nun mach doch die Augen wieder auf, was machst du mit deinem Kopf, schau mich an, bitte.

Ich muss sie auf den Kopf stellen, damit der Brei wieder herausläuft aus der Luftröhre, wenn nichts anderes mehr geht, stelle ich sie immer auf den Kopf, ich habe das schon oft gemacht, es ist unangenehm, aber es hilft. Natürlich, Martin arbeitet, es ist niemand da, wer soll es denn sonst machen? Sie ist ja auch gar nicht schwer, und ich bin groß und kräftig.

Das Röcheln wird immer schwächer und ihr Gesicht immer blauer, ich muss sie jetzt wirklich an den Füßen packen und umdrehen, bevor es zu spät ist. Schau mich doch nicht so an, ich kann doch auch nichts dafür. Was machst du, warum verdrehst du die Augen, ich sehe nur noch das Weiße darin, ich weiß, dass du mich nicht ärgern willst, aber treib es nicht auf die Spitze. Ich drehe sie um und schüttle. Ein Häuflein Mensch, keine zwanzig Kilo schwer. Sie röchelt nicht mehr. Ich lege sie auf das Bett, in stabiler Seitenlage, damit sie nicht noch an ihrem Erbrochenen erstickt.

Ganz still ist sie jetzt. Ganz still. Ich lege mich zu ihr und schaue sie an. Ich weiß nicht wie lange. Und dann wähle ich die Notrufnummer. Ich starre auf die Uhr, nur auf die Uhr, bis es klingelt.

Der Notarzt macht einen Luftröhrenschnitt. Sie wird es schon schaffen. Ganz bestimmt.

Ich nehme Nicks Taschentuch, wische mir übers Gesicht – woher weiß er, dass ich weine, es ist doch stockdunkel, und ich gebe keinen Laut von mir – und schaue nach oben. Alles, was ich jemals wollte, war eine intakte Familie. Und alles, was ich jemals sein wollte, war eine gute Mutter. Eine gute Mutter! *Entschuldige, Clara, bitte verzeih mir!*, sagt mein Kopf, und endlich ist er mal mit meinem Bauch einer Meinung. *Ich wollte das nicht. Ich liebe dich.*

Ich schaue nach oben, und ich spüre, sie sind da: Ines und Clara.

Das weiß ich doch. Ich liebe dich auch, meine ich Clara zu hören. Ich bilde mir sogar ein, sie zu sehen. Ich verzeihe dir, sagt mir ihr Lächeln. Auch Ines lächelt. Ich lächle zurück und fühle mich wunderbar. Und verzeihe auch. Alles.

»Ich glaube, ich gebe ein Fest«, sage ich leise zu Nick. »Ein schönes Familienfest. Und ich lade alle ein. Meine Kinder, meinen Vater und Helena, Katja und Jonas und Erik, von mir aus auch Martin und Silke. Und Esther und Thomas und Ingrid und ...«

»Und mich?«, fragt Nick.

»Und dich«, sage ich.

»Das ist gut«, sagt er.

Epilog

Drei Jahre später ...

Ich stehe auf der Terrasse, eine Tasse Tee in der Hand und eine Jacke über den Schultern. Nach dem Regen der vergangenen Tage dampft der Garten. Die Luft ist feucht und kalt und vermischt sich mit der Wärme des Tees.

Ich sehe Nick zu, der das nasse Laub harkt und die letzten halbverblühten Rosenköpfe abschneidet. Klick, klick, klick macht es, die Köpfe rollen. Einige Blütenblätter sammelt er in kleinen Tüten, die er mir nachher unter die Nase halten wird. »Rate«, wird er sagen, und ich werde »Colette« sagen oder »Cecilia« oder »Louise Couldier«, und er wird mich anlächeln und küssen, und weil ich das weiß, lächle ich auch. Wir haben das ganze Wochenende für uns. Elli ist in England. Auslandssemester plus neue Liebe. Und Till bei Martin. Martin und ich sind geschieden, aber überhaupt nicht böse aufeinander, und das finde ich schön. Obwohl ich ein kleines bisschen schadenfroh war, als Silke ihn nach ein paar Monaten wieder gegen einen jüngeren Mann ausgetauscht hat. Aber das behalte ich für mich.

Katja wohnt mit Erik und den Kindern jetzt nur noch einen Steinwurf entfernt. Ja, die beiden haben sich tatsächlich letztes Jahr getraut, im wahrsten Sinne des Wortes, und nun führen sie das etablierte, langweilige Ehe- und Familienleben auf dem Land, das Katja immer so sehr fürchtete. Und richtig: Jonas hat eine kleine Schwester bekommen. Nadia, zwei Jahre alt. Er entwickelt gerade beachtliche Beschützerinstinkte.

Überhaupt hat sich in Sachen Familie einiges getan. Wir besuchen uns alle gegenseitig und telefonieren oft miteinander. Mit Stefan und Helena, aber auch mit Esther, Thomas und Ingrid. Wir haben uns wiedergefunden, und jetzt halten wir uns fest.

Manchmal finde ich, das Leben ist wie ein riesiges Uhrwerk. So eins mit Hunderten oder Tausenden kleinen und großen Zahnrädern. Sehr komplex und sehr kompliziert. Und wenn man an einem der Rädchen dreht, nur an einem einzigen, ganz egal, ob es klein ist oder groß, dann greift dieses Rädchen ins nächste und das nächste ins übernächste und immer so weiter, und schon verändert sich etwas. Die Zeit, die Welt, das Leben. Nicht immer schlagartig, nicht unbedingt komplett, aber unausweichlich.

Claras Tod war vielleicht so ein Rädchen. Oder Ines' Brief. Oder auch Martins Affäre. Oder die Verliebtheit unserer fünfzehnjährigen Mutter so viele Jahre zuvor.

Ach, es gibt so unendlich viele Rädchen, und wahrscheinlich drehen wir jeden Tag an irgendeiner Stelle und wissen es nicht. Und das ist auch gut so.

ENDE

Kim Wright

Die Canterbury Schwestern

Roman.
Taschenbuch.
Auch als E-Book erhältlich.
www.ullstein-buchverlage.de

Neun Frauen, fünf Tage, ein gemeinsamer Weg

Che kann es nicht fassen: Sie ist mit acht anderen Frauen auf dem Weg von London nach Canterbury.
Es war der letzte Wunsch ihrer Mutter, dass Che dort ihre Asche verstreut. Aber eigentlich hat sie gar keine Lust auf einen als Pilgerreise getarnten Selbstfindungstrip. Und was interessieren sie die Lebensgeschichten der anderen Frauen, die traditionell auf dem Weg nach Canterbury erzählt werden? Doch zu Ches Überraschung berühren die unterschiedlichen Geschichten ihrer Mitreisenden sie tief. Und obwohl Che unterwegs ist, hat sie das Gefühl, angekommen zu sein.

Ein großer, berührender Frauenroman über die Bedeutung von Freundschaft, späte Trauer und die Frage, was Wanderschuhe und das Leben gemeinsam haben ...

Michèle Halberstadt

Meine amerikanische Freundin

Roman.
Aus dem Französischen von
Corinna Rodewald.
Taschenbuch.
Auch als E-Book erhältlich.
www.ullstein-taschenbuch.de

»Eine wunderschöne, melancholische Ballade«
Le Nouvel Observateur

Sie sind enge Freundinnen, obwohl die eine in Paris, die andere in New York lebt. Doch dann verändert ein Anruf aus Manhattan plötzlich alles: Molly liegt im Koma. Als sie aufwacht, halbseitig gelähmt und mit eingeschränktem Gedächtnisvermögen, zieht sie sich dorthin zurück, wo kaum jemand sie noch erreicht. Alle Versuche der Erzählerin, die starke, kämpferische Molly mit dem sprühenden Geist ins Leben zurückzuholen, laufen ins Leere. Ein einfühlsamer Roman über die starken Bande der Freundschaft – und den Schmerz ihres Verlustes.

»Ein ergreifender Roman über den Preis echter Freundschaft.«
TÉLÉ 7 JOURS

Nina Blazon

Liebten wir

Roman.
Taschenbuch.
Auch als E-Book erhältlich.
www.ullstein-buchverlage.de

Manchmal muss man auf eine Reise gehen, um anzukommen.

Verstohlene Blicke, versteckte Gesten, die Abgründe hinter lächelnden Mündern: Fotografin Mo sieht durch ihre Linse alles. Wenn sie der Welt ohne den Filter ihrer Kamera begegnen soll, wird es kompliziert. Mit ihrer Schwester hat sie sich zerstritten, von ihrem Vater entfremdet. Umso mehr freut sich Mo auf das Familienfest ihres Freundes Leon. Doch das endet in einer Katastrophe. Mo reicht es. Gemeinsam mit Aino, Leons eigensinniger Großmutter, flieht sie nach Finnland. Eine Reise mit vielen Umwegen für die beiden grundverschiedenen Frauen. Als Mo in Helsinki Ainos geheime Lebensgeschichte entdeckt, ist sie selbst ein anderer Mensch.